Nadie **Será** *Dejado Atrás*

Nadie Será Dejado Atrás

Esclarecimiento de las Profecías de los "*Últimos Tiempos*"

David Vaughn Elliott

Northborough, Massachusetts

Nadie Será Dejado Atrás:
Esclarecimiento de las Profecías de los "Últimos Tiempos"
Edición en español:

Publicado originalmente en EE.UU. en inglés con el título
Nobody Left Behind: Insight into "End-Time" Prophecies

Traducción: David L. Elliott, Jaffet Pérez, Juan Polanco, Orlando Reynoso, Mercedes Valdez, Pablo Peralta, Wanda Peralta, Isabel Moreno, Ángel Mármol, Doris Mármol.

ISBN 978-0-9754596-1-4

Diseño de la portada por Jeffrey Johnson

Publicado en Northborough, Massachusetts
Peticiones para información deben dirigirse a:
David Vaughn Elliott
10A Centre Dr.
Northborough, MA 01532-1953
Correo electrónico: insight2bp@earthlink.net

En Internet, visite las páginas:
http://nadieseradejadoatras.homestead.com
http://www.nobodyleftbehind.net
http://insight2bp.homestead.com

Impreso en los Estados Unidos de América

Contenido

Lista de Ilustraciones 6
Prefacio 7
Reconocimientos 9
La Edición en Español 11

PRIMERA SECCIÓN: Iniciarse en la Profecía

Capítulo 1 La Profecía vía Ficción 15
Capítulo 2 La Presentación de los Temas 21
Capítulo 3 La Profecía: ¿Literal o Figurativa? 39

SEGUNDA SECCIÓN: La Gran Tribulación del Año 70 d.C.

Capítulo 4 ¿Cuál Tribulación? 63
Capítulo 5 El Tiempo de los Judíos se ha Acabado 77
Capítulo 6 Jesús Cumplió el Programa de Dios a Tiempo 91
Capítulo 7 "No Quedará Piedra sobre Piedra" 105
Capítulo 8 Tres Grandes Tribulaciones 117
Capítulo 9 ¿Detuvo Dios el Reloj Profético? 131

TERCERA SECCIÓN: La Conexión Romana

Capítulo 10 ¿Por qué Roma? 153
Capítulo 11 El Hombre de Pecado —la Profecía 169
Capítulo 12 El Hombre de Pecado —la Historia 183
Capítulo 13 El Hombre de Pecado —la Realidad 197
Capítulo 14 El 666: La Marca de la Bestia 211

CUARTA SECCIÓN: De Aquí a la Eternidad

Capítulo 15 El Rapto 235
Capítulo 16 Lo que el Milenio No Es 249
Capítulo 17 Jesús Reveló la Naturaleza del Reino 263
Capítulo 18 "La Oración de Salvación" 281
Capítulo 19 Nadie Será Dejado Atrás 303

Notas 323
Bibliografía 327
Índice de las Escrituras 329
Índice de los Temas 335

Ilustraciones

La Biblia está llena de lenguaje figurativo 45
Tribulación Verdadera, El Coliseo de Roma 75
Predicho por Daniel, Cumplido por Cristo 84
La Profecía de Daniel de las 70 Semanas 93
El Arco de Tito en Roma, Italia 114
"Jerusalén, Jerusalén", el Muro de los Lamentos 120
¿Detener el "reloj profético"? 145
Cumplimiento de Daniel 2 157
"El Templo de Dios" 174
El Testimonio de la Historia, El Hombre de Pecado 187
Descifrando el "666" 223
¿Cómo Será la Venida de Jesús? 238
La Llegada del Reino Como se ve en Apocalipsis 12 259
Un Contraste de Dos Reinos 270
Sepultado con Cristo Jesús en el Bautismo 294

Prefacio de la Edición en Inglés

Nadie Será Dejado Atrás: Esclarecimiento de las Profecías de los "Últimos Tiempos" es mucho más que una reacción a las populares novelas "Dejados Atrás" por Tim LaHaye y Jerry Jenkins. *Nadie Será Dejado Atrás* ofrece un estudio detallado de algunas de las profecías más emocionantes de las Escrituras: la destrucción de Jerusalén en el año 70 d.C., el surgimiento del Anticristo, y la llegada del reino de Dios a la tierra, entre otras. Estas profecías son examinadas con una Biblia abierta y con los libros de historia abiertos. En vista de tal evidencia, una crítica de la serie "Dejados Atrás" también se ofrece.

El origen de *Nadie Será Dejado Atrás* se puede ubicar en los años 1960 cuando empecé a enseñar y predicar sobre la profecía, especialmente los libros de Daniel y Apocalipsis. He predicado varias series de sermones y enseñado clases avanzadas sobre la profecía en Nueva York, Massachusetts, Carolina del Norte, Puerto Rico, El Salvador, Guatemala, y Bielorrusia. Este libro en forma escrita comenzó a realizarse en el año 1996, cuando escribí un artículo titulado "Why Study Prophecy" ("¿Por Qué Estudiar la Profecía?"). Este artículo fue el primero en una serie de artículos que envolvían la Biblia y la profecía, los cuales aparecieron en la revista trimestral *The Sword and Staff (La Espada y El Cayado).* La serie siguió hasta el año 2002.

En el otoño de 1998, comencé *"Insight into Bible Prophecy" (Esclarecimiento de la Profecía Bíblica),* un boletín publicado cada dos semanas por correo electrónico utilizando tanto mis escritos viejos como también material nuevo. Un año después de iniciar *"Insight"*, establecí mi propio sitio de Internet en el cual todos los artículos de *"Insight"* hasta la fecha están archivados.

Durante estos años, mis artículos han sido copiados en varios periódicos, panfletos y sitios de Internet. Varias veces se me pidió hacer los artículos en forma de libro. He aquí el resultado. Al escribir el libro, he revisado la mayor parte de la materia vieja y he añadido capítulos completos que nunca han sido impresos previamente.

Nadie Será Dejado Atrás es en parte una crítica de la serie de las novelas populares "Dejados Atrás" y esta parte está basada en varias fuentes. He examinado la gráfica de los autores, "Una Guía Visual a la Serie Dejados Atrás" la cual da su breve bosquejo de Apocalipsis, demostrando dónde encaja cada novela. Más importante, he considerado cuidadosamente el comentario más reciente de Tim LaHaye sobre Apocalipsis, *Apocalipsis Sin Velo*. Esta edición actualizada apareció en 1999, y se ofrece, según se expresa en la contraportada, como "Fundamento bíblico en el que se basó la serie Dejados Atrás". En adición he asimilado la primera novela de la serie, *Dejados Atrás: Una Novela de los Postreros Días de la Tierra,* que presenta la mayoría de los protagonistas y de los temas. También he leído el #2 de la serie, *El Comando Tribulación*. No es necesario leer las novelas restantes puesto que no estoy examinando las novelas como literatura sino cómo se relacionan con la verdad bíblica. El comentario de Tim LaHaye sobre Apocalipsis es una fuente más importante para criticar que las novelas mismas.

Nadie Será Dejado Atrás guiará al lector a examinar el "fundamento bíblico" de la serie "Dejados Atrás". Este "fundamento" es una interpretación de la profecía bíblica que se llama futurismo, un término definido en el Capítulo 1, "La Profecía vía Ficción". En este libro, también examino otras fuentes populares de enseñanza futurista. La consideración importante no es una sola serie de novelas, sino la interpretación de la profecía bíblica popular detrás de estas novelas.

Mi esperanza es que *Nadie Será Dejado Atrás* provea al lector evidencia poderosa de la Biblia y de la historia, para confirmar el hecho de que varias profecías de los "últimos tiempos" ya han sido maravillosamente cumplidas. Este punto de vista, comúnmente llamado la *interpretación historicista* o *el historicismo,* fue el punto de vista más popular entre los creyentes por siglos antes del siglo veinte. Un estudio de la profecía de Dios que se ha cumplido puede ser una experiencia que enriquece espiritualmente. Es mi deseo ayudar al lector en su búsqueda para penetrarse más en la profecía bíblica mientras trato yo mismo de entenderla mejor.

David Vaughn Elliott
Methuen, Massachusetts
Julio 2004

Reconocimientos

La edición en inglés

En el proceso de buscar un entendimiento mejor de la palabra profética de Dios, estoy muy endeudado con los cristianos de los primeros siglos —del segundo siglo en adelante— por su confirmación de las enseñanzas de la Biblia y por su *esclarecimiento* en muchas de las predicciones bíblicas. Entre otras cosas, muchos de ellos reconocieron que estaban en verdad viviendo durante el cuarto imperio predicho por Daniel. En cuanto a autores de los tiempos más recientes, he recibido mucho entendimiento e información de Thomas Newton, E. B. Elliott, Albert Barnes, B. W. Johnson, John T. Hinds, Henry H. Halley, y Ralph Woodrow entre otros.

Con relación a los factores que me motivaron para escribir este libro, estoy endeudado con James Gibbons, editor de la revista, *The Sword and Staff (La Espada y el Cayado),* por su bondad en invitarme a escribir una serie de artículos sobre la profecía bíblica para su revista trimestral. Las respuestas de sus lectores fueron muy favorables, algunos pidieron que pusiera mis artículos en forma de libro. Peticiones parecidas llegaron de lectores de mi correo electrónico, *"Insights",* y de hermanos que han escuchado mi enseñanza y predicación sobre la profecía. Todo este interés junto con el ánimo me motivó en gran manera a publicar la presente obra.

Estoy muy endeudado con los que repasaron el manuscrito completo con paciencia y cuidado una o dos veces o el tiempo necesario. Encontraron errores tipográficos, corrigieron la gramática, me dijeron cómo decir lo que quería decir, señalaron inconsistencias, mejoraron los argumentos, mejoraron el flujo de pensamientos, me ayudaron a mejorar mi tono al tratar con los que no están de acuerdo conmigo, sugirieron puntos adicionales a incluir y sugirieron puntos para eliminar. Ellos son Margarita Elliott, mi querida esposa, Luisa Elliott, nuestra nuera, David L. Elliott, nuestro hijo, y John McDonald. Algunos pensarán que los miembros de la familia no podrían objetivamente criticar, corregir, y mejorar mis escritos; sin embargo, probaron ser editores diestros. Ofrecieron correcciones esclarecedoras y sugerencias en abundancia, cada uno según su destreza individual. Estoy muy agradecido a cada uno por su contribución y ayuda, tanto como por su tiempo, cuidado y ánimo.

En adición a los que trabajaron en todo el manuscrito, también recibí ayuda bondadosa de varios hermanos en la iglesia de Northboro, Massachusetts: Dennis Steward, Donna LaLiberty, Jesse Jakubiak, Jim Drake, Joel Jansson, Laura Frick, Paul y Barbara Gorham, y Paul Barber. Cada uno trabajó en varios capítulos diferentes durante los dos meses que prediqué una serie de profecía allí los miércoles por la noche. Ofrecieron muchas correcciones útiles y mejoramientos junto con fuerte apoyo. Fue un placer trabajar con ellos.

Numerosos hermanos, los cuales no podría mencionar ahora, ayudaron con muchas ideas útiles para el título del libro y el diseño de la portada. Muchas gracias a Jeffrey Johnson por usar sus destrezas gráficas en el desarrollo del diseño de la portada. Aprecio todo lo que mi hijo David hizo para hacer que mis gráficas preliminares y otras páginas ilustradas fueran más atractivas y entendibles. En adición estoy agradecido de Rafael Moreno, Bill y Sandy McLaughlin. Cuando el trabajo en el libro aparentaba ser interminable, me urgieron bondadosamente a continuar con mi plan original de incluir los índices, sabiendo que muchos lectores los esperarían y sacarían provecho de ellos. Además de su trabajo en el manuscrito ya mencionado, Margarita era una ayuda constante en un sin número de maneras, incluyendo el trabajo importante de entrada de data de todos los índices. El software de computadora para hacer los índices ayuda mucho, pero un software sin la entrada de data por un ser humano no puede hacer nada.

Mi deuda más grande es al Dios Todopoderoso, a Su Hijo Jesucristo, y Sus Sagradas Escrituras. Cualquier mérito que pueda haber en este trabajo, es sobre todo debido a los grandes temas que el Rey del universo ha presentado en Su palabra, junto con los cumplimientos maravillosos que nos ha traído a través de la historia. En la medida que mi mensaje fielmente refleja Su mensaje, la gloria y crédito sean para Él.

La edición en español

Desde antes de la publicación de Nobody Left Behind en inglés, si mal no recuerdo, hubo personas que deseaban saber si el libro iba a salir en castellano. Y, sin duda, después de la publicación, muchos hermanos pidieron que saliera en español, hasta indicaron que era imprescindible.

A través de los años, ha habido varios intentos para hacer la traducción. Varios hermanos y hermanas tradujeron algunos capítulos, con el deseo de continuar. Sin embargo, las responsabilidades diarias, y muchas otras cosas impedían la continuación. Bueno, lo que faltaba era una intervención en los quehaceres diarios que todos tenemos. La intervención llegó en forma de una cirugía médica. Mi querido hijo, David Lawrence Elliott, tenía que operarse. Después, la doctora le mandó un descanso casi completo por ocho semanas y una reducción en actividad por cuatro semanas más. Mi hijo no podía estar tranquilo tanto tiempo y buscaba que hacer en cama y luego sentado en una silla. En seguida, pensó en mi libro y reactivó el proyecto de la traducción que había estado inactivo por tanto tiempo. Claro, buscó la colaboración de varios hermanos. David hacía la primera traducción de la mayoría de los capítulos: y, entonces, las mandó a varios hermanos para sus correcciones y sugerencias.

Los hermanos y hermanas que han colaborado en la traducción del libro son principalmente Jaffet Pérez, Juan Polanco, y Orlando Reynoso. También han participado Mercedes Valdez, Ángel y Doris Mármol, Isabel Moreno y Pablo y Wanda Peralta. Agradezco la ayuda de todos estos hermanos y hermanas.

Hasta donde sea posible se ha tratado de usar un "español universal" sin idiosincrasias de expresiones y modismos de cada región. Si encuentra en esta edición un vocabulario o manera de expresarse que no concuerda con su manera de hablar (o escribir), tenga en cuenta que el español de los traductores del libro tiene su mayor influencia de Puerto Rico y de la República Dominicana y en parte de Centro América.

También, tenga en mente que esta traducción se hace

directamente del inglés sin tratar de actualizar cosas que puedan haber cambiado desde que salió la primera edición en el año 2004. Un ejemplo de esto sería el número de países que componen la Unión Europea. Este número siempre va cambiando. En circunstancias así, se ha dejado el texto en español tal como eran las cosas en el año 2004.

¡Qué Nadie Será Dejado Atrás sea una bendición a muchos!

David Vaughn Elliott
Junio, 2015

Primera Sección

Iniciarse en la Profecía

Capítulo 1

La Profecía vía Ficción

Las novelas "Dejados Atrás" capturaron la imaginación de la nación y rompieron el récord de best seller de todos los tiempos. No son novelas ordinarias. Mientras que las novelas históricas están fundadas en el pasado, estas "novelas proféticas" se basan en el futuro. Mientras que la ciencia ficción se basa en la confianza de cómo la ciencia formará el futuro, la "ficción profética" se basa en la confianza de cómo Dios formará el futuro. Los autores de la serie "Dejados Atrás", Tim LaHaye y Jerry Jenkins, creen que sus novelas están de acuerdo con las profecías bíblicas de los últimos tiempos que pronto se cumplirán.

Hay mucho para elogiar en la serie "Dejados Atrás". Los autores defienden la Biblia como la palabra inspirada de Dios. Presentan a Jesús de Nazaret como el único que puede salvarnos del pecado. Fuertemente animan a la gente a prepararse para el regreso de Cristo. Claramente creen que los asuntos espirituales tienen prioridad sobre las preocupaciones materialistas. Están en contra de la infidelidad matrimonial —aún en la mente. Están opuestos a una religión superficial. En una edad materialista que ama el placer, necesitamos recuerdos fuertes de nuestra naturaleza espiritual y nuestras necesidades espirituales. Necesitamos un llamado a la Biblia, un llamado a Jesús, un llamado a prepararnos para la vida venidera. En muchas maneras, ese llamado se hace en esta serie de novelas.

¿Buena Ficción?

Hay los que creen que las novelas "Dejados Atrás" son tremendas. Leen cada una rápidamente y apenas pueden contenerse hasta que la próxima sea publicada. De hecho, hay los que cuentan que sus vidas han sido cambiadas por estas novelas. Dicen que la profecía bíblica se les ha hecho más real. Hablan de "aceptar a Cristo" por haberlas leído.

Otros tienen una opinión mala del valor literario de la serie "Dejados Atrás". Consideran que las novelas no son impresionantes, y son muy fantásticas y no una ficción que sea fiel a la vida real. Consideran que están mal escritas con escenarios no realistas, aun aceptando los elementos milagrosos y el punto de vista profético como base. Sea como sea, el asunto del valor literario de estas novelas se puede dejar a los críticos literarios.

El Asunto Importante

El asunto importante no es el mérito literario de la serie "Dejados Atrás". Lo que es importante es el fundamento bíblico de las novelas. O sea, lo que es importante es si la interpretación profética detrás de estas novelas es acaso verdad o ficción. ¿Están estas novelas basadas en la verdad de Dios? ¿Están de acuerdo con la Biblia?

Mientras que la serie "Dejados Atrás" es relativamente nueva, con la llegada de la primera novela en 1995, los conceptos básicos de la serie no son nuevos. Antes de la serie "Dejados Atrás", Hal Lindsey era el defensor popular número uno de la profecía bíblica. Su fama comenzó con el éxito de *La Agonía Del Gran Planeta Tierra* publicado en inglés en 1970. Antes de Hal Lindsey, la voz más popular era la *Biblia Anotada de Scofield*. Hoy día, las novelas proféticas y los videos de los últimos tiempos están de moda, incluyendo tres docenas de volúmenes en la serie "Dejados Atrás: Los Niños".

Todas estas obras tienen una cosa en común: *el futurismo*. El futurismo es una interpretación profética que dice que el cumplimiento de muchas profecías bíblicas todavía está en nuestro futuro. El futurismo dice que la mayoría del libro de Apocalipsis predice eventos que todavía están en nuestro futuro. El futurismo dice que el Anticristo, la Gran Tribulación, y el Milenio todavía están en nuestro futuro.

Nadie Será Dejado Atrás no es solamente una crítica de la serie "Dejados Atrás", es una crítica del futurismo en general. Pero no sólo examina el futurismo, también tiene la intención de presentar la interpretación historicista de grandes profecías de las Escrituras —profecías que muchas veces la gente piensa que son profecías de los últimos tiempos, pero al examinarlas se puede ver que ya han sido maravillosa y poderosamente cumplidas. Los cumplimientos son parte de la historia, no algo para anticipar en el futuro.

Esto inmediatamente desanima las emociones de muchas personas. Mientras muchos creemos que la historia es algo aburrido, tenemos la tendencia de ser cautivados fácilmente por predicciones espantosas de profetas seculares y religiosos que profetizan calamidades. Quizás tienen la misma fascinación que una "buena" película de terror. Esta es la clase de emoción que hace que el enfoque futurista sea irresistible a muchos creyentes.

La Escritura nos advierte acerca de las cosas que disfrutamos escuchar:

> Porque vendrá tiempo cuando no sufrirán la sana doctrina, sino que teniendo comezón de oír, acumularán para sí maestros conforme a sus propias concupiscencias, y apartarán de la verdad el oído y se volverán a las fábulas (2 Timoteo 4:3-4).

Por fascinante que sea la serie "Dejados Atrás", la Escritura nos exhorta a examinar para ver si es "verdad" la interpretación profética de la serie o si es "fábula".

Muchos creyentes no saben que el futurismo es solamente una de varias maneras de interpretar la profecía bíblica. De hecho, en los siglos pasados, la interpretación popular de los creyentes de la biblia era muy diferente a lo que es ahora. Es la intención de *Nadie Será Dejado Atrás* profundizar el entendimiento del creyente en algunas de estas grandes profecías de la Palabra de Dios —o por lo menos abrir los ojos de los que están buscando interpretaciones alternas.

Métodos de Interpretar la Profecía

Nadie Será Dejado Atrás se escribe con la persona común y corriente en mente. No está lleno de términos técnicos "teológicos", ni trata de analizar ni evaluar la multitud de interpretaciones de la profecía que existen en el mundo de hoy. Unos pocos párrafos serán suficientes para simplemente nombrar e identificar las interpretaciones proféticas principales que una persona puede encontrar.

El término principal que se usa en este libro *Nadie Será Dejado Atrás* para expresar la interpretación profética de la serie "Dejados Atrás" es el *futurismo.* La interpretación *futurista* dice que una gran cantidad de las profecías bíblicas, tanto en el Antiguo como en el Nuevo Testamento, todavía queda por cumplirse.

La interpretación opuesta a la futurista es la interpretación *preterista.* El preterismo, en su expresión plena, reclama que toda la profecía bíblica fue cumplida para el año 70 d.C., con la destrucción de Jerusalén. Otras interpretaciones preteristas creen que la mayoría de las profecías bíblicas se cumplieron para la caída del Imperio Romano en el año 476 d.C. Estas interpretaciones preteristas moderadas, al igual a las interpretaciones no preteristas, creen que el regreso de Jesús, la resurrección general, y el juicio final serán cumplidos en nuestro futuro.

Entre los dos extremos del futurismo y el preterismo está el *historicismo.* La interpretación *historicista* sostiene que el cumplimiento de la profecía bíblica ha tomado lugar a través de la historia del mundo. El historicismo está de acuerdo con el preterismo en que mucha de la profecía bíblica fue cumplida en la antigüedad. El historicismo está de acuerdo con el futurismo en que hay profecías importantes que quedan todavía por cumplirse. Sin embargo, el historicismo difiere tanto al preterismo como al futurismo porque mantiene que hay una porción sustancial de la profecía bíblica que ya ha sido cumplida y que se está cumpliendo durante la edad presente de la iglesia, desde el tiempo que Juan escribió el libro de Apocalipsis hasta que Jesús regrese.

De estas tres interpretaciones, la más popular en los círculos evangélicos es el futurismo. La mayoría de las predicaciones por radio sobre profecía y la mayoría de los libros sobre profecía que se venden hoy día exponen la interpretación futurista. La serie "Dejados Atrás" es sencillamente la más reciente y más popular expresión de lo que ha sido una interpretación popular entre evangélicos por aproximadamente un siglo.

Hay también tres interpretaciones con relación a los mil años (el Milenio) mencionados en Apocalipsis 20. El primero, *el premilenarismo*, que literalmente significa "antes del Milenio", expresa la creencia en un reinado literal futuro de mil años de Cristo sobre la tierra. El *antes* (pre-) se refiere a la creencia de que Cristo regresará antes de ese reinado de mil años. La interpretación premilenarista más popular hoy día se llama *dispensacionalismo.* En adición a un reinado literal futuro de mil años de Cristo, el dispensacionalismo cree que el Rapto tomará lugar siete años antes del Milenio y que los eventos del Milenio se centralizarán en los judíos, Jerusalén, y un templo reconstruido.

Una interpretación opuesta se llama el *posmilenarismo*, que sostiene que Cristo regresará *después* (pos-) del Milenio. El posmilenarismo cree que el mundo entero será gradualmente cristianizado por medio del trabajo de la iglesia al predicar la Palabra de Dios. Se cree que este proceso traerá un período glorioso de paz que culminará con el regreso de Cristo.

Una tercera interpretación comúnmente se llama el *amilenarismo* porque cree que *no* (a-) habrá milenio —es decir literal o físicamente. Esta interpretación sostiene que los "mil años" de Apocalipsis 20 es una expresión figurativa para un período largo de tiempo que no se especifica. El amilenarismo dice que ahora estamos viviendo en los "mil años" figurativos predichos. Para expresarlo de otra manera, esta interpretación dice que el reino de Dios es la misma cosa que la iglesia de Jesucristo. *No* anticipa un reinado literal físico de Cristo sobre la tierra, sino, que pone énfasis en el reinado presente espiritual del Rey Jesús como cabeza de Su iglesia.

La interpretación profética que definitivamente es la más popular hoy día es al mismo tiempo futurista y dispensacionalista. Esta es la única interpretación que un gran número de miembros de las iglesias han oído, aunque no estén familiarizados con los términos. Cuando se usa el término *futurismo* en este libro, quiere decir *"dispensacionalismo-futurista-premilenarista-pretribulacionalista"*.

En *Nadie Será Dejado Atrás* no gastaremos más tiempo con las multitudes de términos técnicos y variedades de interpretaciones que existen hoy día. En la medida que este libro es una crítica, tratará con la interpretación más esparcida y popular en círculos evangélicos. Al tratar de simplificarlo para personas comunes y corrientes, los términos *futurismo* y *futurista* parecen ser los términos más lógicos, abarcadores, comprensivos y aceptables para hacer referencia a ese punto de vista popular.

El Asunto y los Asuntos

El asunto es si acaso el futurismo es la verdad de acuerdo con la Biblia. El asunto es si la serie "Dejados Atrás" presenta un posible escenario de lo que la Biblia enseña acerca de los últimos tiempos. El asunto es si muchas profecías que las novelas presumen que son de los últimos tiempos ya han sido cumplidas.

Este asunto básico se puede dividir en varios sub-asuntos. Esos sub-asuntos son el tema del Capítulo 2, "La Presentación de los Temas", que dará una vista general de lo que se puede esperar en el resto de *Nadie Será Dejado Atrás: Esclarecimiento de las Profecías de los "Últimos Tiempos"*.

Capítulo 2

La Presentación de los Temas

¿Y si algunas profecías de los "últimos tiempos" ni siquiera fueran de los últimos tiempos? ¿Y si muchas de estas profecías significativas ya se han cumplido —y no nos dimos cuenta? ¿Y si estamos mirando al futuro vanamente para lo que ya está en el pasado?

Podría ser más emocionante imaginar escenarios futuros en vez de sacarle el polvo a los libros de historia y leer acerca de eventos de la antigüedad. Podríamos escoger recrearnos con una dosis de adrenalina con ficción alarmante del futuro en vez de sufrir el aburrimiento de estudiar la historia.

La sociedad hoy día es atraída por las coberturas de noticias instantáneas alrededor del globo. Somos más atraídos todavía a predecir lo que serán las noticias de mañana. ¿Ha notado que el "análisis de las noticias" ni siquiera es análisis de las noticias? Más bien, se gasta el tiempo tratando de adivinar los eventos futuros. Si se predicen tiempos malos, es aún más provocativo. Parece que nos da placer preocuparnos por el futuro.

Es tiempo ya de despojarnos de la emoción generada al inventar escenarios futuros. Más específicamente, es tiempo ya de resistir la emoción de imaginar asombrosos cumplimientos futuros de profecías bíblicas cuando ya esas profecías se han cumplido. Es tiempo ya de mirar la profecía bíblica en su contexto. Es tiempo de considerar seriamente que, puesto que el último libro de la Biblia fue escrito hace casi dos milenios, es muy posible que muchas de sus profecías ya hayan sido cumplidas.

Al estudiar la profecía bíblica, necesitamos mirar el contexto en el cual cada profecía fue dada. Al buscar el cumplimiento de cualquier profecía en particular, necesitamos *empezar* con mirar los días cuando la predicción fue hecha. De allí, seguimos la secuencia de la historia hasta que encontremos el cumplimiento. No tiene ningún sentido hacer caso omiso a dos mil años de historia y comenzar a buscar el cumplimiento en los periódicos de hoy día. Al examinar cuidadosamente los últimos dos milenios, rápidamente se hace claro que muchas profecías que supuestamente son de los últimos tiempos ya han sido gloriosamente cumplidas.

Lo que sigue es un vistazo general de los asuntos principales a ser analizados en *Nadie Será Dejado Atrás*. Cada asunto es presentado brevemente y se hace referencia al capítulo que trata detalladamente con ese asunto en particular. Comenzamos ahora donde la serie "Dejados Atrás" comienza —con el Rapto.

El Rapto

La mayoría estaría de acuerdo con que el regreso de Jesús es un tema de los últimos tiempos. No obstante, ¿da la palabra de Dios alguna indicación del concepto futurista —aviones sin pilotos, carros sin choferes, trenes sin maquinistas causando extraños accidentes fatales por todo el mundo? Así comienza la trama de la serie "Dejados Atrás". Esta teoría del Rapto cautiva la imaginación de muchas personas. He escuchado de casos reales en que alguien no encontraba miembros de la familia al tiempo que lo esperaba en el sitio donde estaba seguro que iban a estar. Su reacción inmediata era de pánico —al imaginarse que el Rapto se había llevado a su familia y que él había sido dejado atrás. El hecho de que una persona en la vida real reaccione de esta manera demuestra cuán fuertemente muchos creen en la doctrina del Rapto.

No obstante, el escenario de aviones y carros estrellándose (o naves o carros de caballos) no se encuentra en ninguna parte de la Biblia. La premisa principal de la doctrina del Rapto, que no ha sido probada, es que después de que Jesús secretamente se lleva a los creyentes, la vida en la tierra seguirá más o menos como es ahora. Esta doctrina dice que multitudes de personas serán dejadas atrás y ellos serán totalmente ignorantes de lo que causó las desapariciones. ¿Se pueden encontrar tales ideas en cualquier parte de la Biblia? ¿O son tales ideas pura ficción? El asunto no es sencillamente que la serie "Dejados Atrás" se escribe y se vende como ficción. El asunto es, si es correcta o no la supuesta base bíblica de la serie.

¿Regresará Jesús? ¡Sí, absolutamente! ¿Los creyentes serán arrebatados a recibirlo en el aire? ¡Sí, absolutamente! ¿Los muertos resucitarán de los sepulcros? ¡Sí, absolutamente! ¿Habrá una separación de los salvos y los perdidos? ¡Sí, absolutamente! ¿Continuará el mundo cuando todo esto acontezca? ¡No! La Biblia jamás pinta tal escenario.

En ningún lugar en la Palabra de Dios se describe un escenario de "dejado atrás". En ninguna parte de las Escrituras se enseña que la vida en la tierra continuará después del regreso de Jesús. En ningún texto de la Biblia se puede encontrar ni siquiera una insinuación de personas en el mundo tratando con el problema de que multitudes han desaparecido. En ninguna parte de la Biblia encontramos carros sin choferes chocando contra barreras, carros de caballos sin conductores chocando contra las paredes, esposos desesperados buscando a sus esposas que han desaparecido misteriosamente, o bebés no nacidos evaporándose del vientre de sus madres. Tales escenarios no se mencionan, ni hay alusión alguna de ellos en ningún versículo de la Biblia.

Alguien podría citar Mateo 24:40: "Entonces estarán dos en el campo; el uno será tomado, y el otro será dejado". Sin embargo, ¿qué sucede después? Mire el contexto, leyendo los dos versículos anteriores: "casándose y dándose en casamiento, hasta el día en que Noé entró en el arca, y no se dieron cuenta hasta que *vino el diluvio y se los llevó a todos,* así será también la venida del Hijo del Hombre" (24:38-39, itálicas mías). ¡El diluvio se llevó a los malos! ¡El justo Noé y su familia fueron dejados atrás! "Así será también la venida del Hijo del Hombre". ¡Nadie será dejado atrás sino los santos de Dios!

Suena como lo opuesto de la doctrina del Rapto. Para profundizarse más en la enseñanza bíblica con relación al Rapto, estudie el Capítulo 15, "El Rapto".

La Tribulación de Siete Años

La trama de la serie completa de "Dejados Atrás" toma lugar durante una supuesta Tribulación de siete años en el futuro. Este período de siete años es un elemento principal de la doctrina futurista de hoy día. Se ve como el período de tiempo entre el Rapto (el punto de comienzo de las novelas) y el regreso de Jesús a la tierra, que inaugura al milenio (el punto de terminación de las novelas). Se cree que la Tribulación de siete años será dividida en dos partes, con la segunda parte siendo la Gran Tribulación.

¿Cuál es la base bíblica para esta interpretación ampliamente aceptada? A pesar de que hay muchos textos envueltos, el texto que se reclama como fundamento de esta interpretación se encuentra en la profecía de las setenta semanas de Daniel 9. Esto se hace claro en el Capítulo 13 del comentario de Tim LaHaye *Apocalipsis Sin Velo,*[1] como también en la mayoría de las obras futurista que tratan con el tema. LaHaye comienza cada capítulo de su comentario con un título temático y una mención de los versículos en Apocalipsis que va a discutir en ese capítulo. El título de su Capítulo 13 es "El período de la tribulación", y el texto que se da es Daniel 9:24-27.

La profecía de las setenta semanas es una de las profecías más maravillosas con relación a la *primera* llegada y la gran obra de nuestro Mesías, Jesucristo. El futurismo admite que Daniel 9 provee la fecha para la llegada del Mesías. Daniel 9 profetiza que el Mesías llegaría antes de la destrucción de Jerusalén (la cual sucedió en el año 70 d.C.), así notificando a todo Israel actual —si quieren tener oídos para oír— que el

Mesías ya ha venido. Daniel 9 hace un bosquejo de la obra redentora del Mesías al limpiarnos de nuestros pecados. Enseña que Dios ha puesto fin al sistema de sacrificios del templo de Jerusalén, al reemplazarlo con el sacrificio de Jesús en el Calvario. Enseña que con la llegada del Mesías y la destrucción de Jerusalén, Dios terminaría el trato con Israel como Su pueblo santo; Dios terminaría de tratar a Jerusalén como Su santa ciudad.

El Capítulo 5, "El Tiempo de los Judíos se ha Acabado", y el Capítulo 6, "Jesús Cumplió el Programa de Dios a Tiempo", ofrecen estudios comprensivos de estos temas extraordinarios.

¿Se Detuvo el Reloj de Dios?

La cronología de la profecía de las setenta semanas es tan sobresaliente que usualmente la profecía se identifica con referencia a ese período de tiempo. Literalmente, setenta semanas son 490 días. Un período de 490 días literales no ofrece ningún cumplimiento de nada. Esto está bien para los que rechazan la Biblia como la Palabra de Dios inspirada. En contraste, todos los creyentes de todas las categorías aceptan la realidad que tenemos que considerar estos 490 días como simbólicos. Algunos los consideran simbólicos en un sentido general no numérico y lo despojan de todo valor cronológico. Sin embargo, las interpretaciones futurista e histórica están de acuerdo que la clave en Ezequiel 4:6 se debe aplicar a esta profecía: "computándote cada día por un año" —un día por un año. Usando esta clave, se entiende que 490 días es simbólico para 490 años.

Así, el futurismo acepta una interpretación no literal de uno de los elementos principales de esta profecía. El futurismo está de acuerdo con la interpretación historicista de que los 490 años son aproximadamente equivalentes al tiempo entre la reconstrucción de Jerusalén y la primera venida del Mesías.

Si ése fuera el asunto completo, no habría problema. Sin embargo, lo que el futurismo en realidad hace es ¡transformar los 490 años, ya aceptados, en casi 2,500 años! ¿Cómo puede el futurismo hacer esto? Al colocar un paréntesis de tiempo de dos mil años entre las primeras sesenta y nueve semanas y la última semana de la profecía. Por consecuencia, a pesar de que el método futurista reclama ser el método literal de interpretación, en este texto clave, ¡el futurismo transforma setenta semanas en más de 350 semanas!

Por supuesto, el futurismo no lo explica así. El futurismo dice, "Dios detuvo el reloj profético" —no importa el hecho de que el "reloj profético" en sí no es una expresión literal. De mayor importancia es que la Escritura en ningún lugar menciona tal reloj. ¿Es cierto que Dios tuvo que cambiar sus planes? ¿Es cierto que tuvo que detener el cumplimiento de profecías sobresalientes? Todo este asunto merece el estudio extensivo que se encuentra en el Capítulo 9, "¿Detuvo Dios el Reloj Profético?"

¿Literal o Figurativo?

Lo que la interpretación futurista hace con las setenta semanas ofrece entendimiento en su reclamo de que el futurismo interpreta la Biblia en general, y la profecía en particular, en su sentido literal. El reclamo de interpretación literal se expresa por Tim LaHaye así: "En su mayoría, todos los que creen que la Biblia es literal son premilenaristas... Sólo cuando una persona no toma la Biblia en sentido literal puede no ser premilenarista".[2] Éste es el reclamo uniforme del premilenarismo futurista. Sin embargo, la interpretación del futurismo de las setenta semanas demuestra que no son consistentes en su reclamo de literalismo.

No tomar la profecía literalmente está bien; no obstante, al no hacerlo, el futurismo desmiente su reclamo de que la interpretación literal sea la base de la interpretación futurista-premilenarista. De hecho, si los estudiantes leen suficiente, encontrarán muchos ejemplos en los cuales el futurismo explica elementos simbólicos en la profecía. Es cierto que el futurismo toma más elementos literalmente que muchas otras interpretaciones proféticas. Sin embargo, la implicación de que el problema con otras interpretaciones es que espiritualizan la profecía no está de acuerdo con la realidad. Todos los métodos de interpretación bíblica toman algunas partes literalmente y otras partes figurativamente, simbólicamente, o espiritualmente.

El asunto para el futurismo y todas las interpretaciones es éste: ¿Cómo se decide cuáles elementos se deben tomar literalmente y cuáles se deben tomar figurativamente? El Capítulo 3, "La Profecía: ¿Literal o Figurativa?" documenta muchos elementos que los "literalistas" toman figurativamente. Más importante, este capítulo ofrece reglas generales para ayudarnos a determinar en cuál manera debemos interpretar las escrituras individuales, incluyendo la profecía.

La Tribulación

¿Los cristianos pasarán la Tribulación? La respuesta común de hoy día es la que se da en la serie "Dejados Atrás": "No". Para muchos creyentes, la esperanza principal envuelta en el Rapto es escapar de la Tribulación. De hecho, la emoción de las novelas "Dejados Atrás" no es el mismo Rapto sino la contemplación de lo que sucede a las personas desafortunadas que no se fueron en el Rapto. Esas personas entran a la Tribulación. Según la primera novela de la serie, algunos de los que son dejados atrás se convierten rápidamente, y se unen en "El Comando Tribulación" para luchar contra el mal que se espera durante la Tribulación. *El Comando Tribulación* luego llega a ser el título del segundo libro de la serie.

Hay tanto mal entendimiento hoy día con relación a lo que las Escrituras enseñan acerca de tribulación. Muchos creyentes presumen que "tribulación" se refiere a un tiempo todavía en nuestro futuro. No cuestionan este punto de vista. Solamente tienen preguntas acerca de su naturaleza y el tiempo. Tribulación llega a ser principalmente una curiosidad para los que plenamente esperan ser raptados antes del comienzo de la Tribulación.

¿Será ésta una interpretación correcta de la enseñanza bíblica sobre tribulación? Jesús profetizó y prometió, "En el mundo tendréis aflicción (tribulación)" (Juan 16:33). Jesús sufrió por nosotros, y nos declara aquí en Juan que sufriremos —tendremos tribulación— por Él. Cuando el apóstol Juan escribió el libro de Apocalipsis, que se reclama como la base de la serie "Dejados Atrás", Juan dijo, "Yo Juan, vuestro hermano, y copartícipe vuestro *en la tribulación*" (1:9, itálicas mías). ¡Juan ya estaba "en la tribulación"! "La tribulación" no era dos mil años en el futuro. La enseñanza de las Escrituras sobre tribulación será explorada en mucho más detalle en el Capítulo 4, "¿Cuál Tribulación?"

"La Gran Tribulación"

La interpretación futurista respondería a lo de arriba diciendo: Sí, tenemos tribulación ahora, pero estamos hablando de "la Gran Tribulación". La creencia común es que la Gran Tribulación es la segunda mitad de la Tribulación. Sin embargo, la Escritura profetizó *tres* "grandes" tribulaciones —no solamente una— y todas ya están en nuestro pasado, no en el futuro. Para recibir esclarecimiento en este tema interesante, estudia el Capítulo 8, "Tres Grandes Tribulaciones".

Como veremos en el Capítulo 8, una de las "grandes" tribulaciones es la que sucedió en el año 70 d.C. cuando los ejércitos romanos devastaron a Jerusalén y su templo. La interpretación profética popular de hoy día da muy poca importancia a los eventos que sacudieron la tierra en el año 70 d.C. Sin embargo, éste es uno de los cumplimientos más significativos de la profecía bíblica. Pasar esto por alto es pasar por alto, no solamente un cumplimiento de profecía, sino también algunas verdades vitales con respecto a la relación de Dios con Israel y Jerusalén. Forzar Daniel 9 y Mateo 24 y ponerlos casi totalmente en el futuro cambia completamente el panorama profético y doctrinal de una gran parte de la Palabra de Dios. En adición a la mayoría de los capítulos ya mencionados, vea el Capítulo 7, "No Quedará Piedra sobre Piedra", para más estudio sobre los eventos del año 70 d.C.

El Templo Reconstruido

Se habla mucho hoy día acerca de reconstruir el templo en Jerusalén. Evangélicos conservadores hablan de esto tanto como los judíos ortodoxos, o quizás más que ellos. Muchos evangélicos hoy día se unen a elementos de la población judía con un deseo ferviente y expectación de ver a Israel ganar el control completo del Monte del Templo, para que este sueño se convierta en una realidad. Puesto que un templo reconstruido en Jerusalén es un factor principal en la doctrina futurista, naturalmente se encuentra en la serie "Dejados Atrás", hasta se menciona varias veces en el primer libro de la serie.

¿Qué dicen las Escrituras acerca de la reconstrucción del templo en Jerusalén en tiempos modernos? ¡Nada! Ninguna Escritura predice una reconstrucción del templo en nuestros días. El templo fue destruido en el año 70 d.C., y no hay ningún texto que predice una reconstrucción después de esa fecha.

Puesto que no hay tal Escritura, ¿de dónde se origina la idea? Entre otras cosas sale de dos profecías del Nuevo Testamento acerca de un templo —una en 2 Tesalonicenses capítulo 2 y la otra en Apocalipsis 11. El futurismo reclama que, puesto que estas dos profecías hablan de un templo, el templo judío en Jerusalén tiene que ser reconstruido para que se puedan cumplir estas predicciones.

Este reclamo, no obstante, hace caso omiso a un hecho muy importante. Cuando el Mesías Jesús murió en el Calvario, el Dios del cielo rasgó el velo del templo, que separaba el Lugar Santo del Lugar Santísimo. De esta manera, Dios intrépidamente declaró que Él había terminado con ese templo. Cuarenta años después el Dios Todopoderoso envió a los romanos para arrasar completamente ese templo de la faz de la tierra; Dios había terminado con él. El sacrificio perfecto por el pecado lo había reemplazado.

Después de la muerte de Jesús, el Nuevo Testamento habla de otro templo, lo cual ahora es el templo de Dios. Estudia este asunto más completamente en el Capítulo 11, "El Hombre de Pecado —la Profecía". En particular, vea la sección, "¿Cuál 'Templo de Dios'?"

"El Anticristo"

La mayoría de los estudiantes de las Escrituras, tanto del pasado como del presente, ve una conexión entre el hombre de pecado de 2 Tesalonicenses 2, el cuerno pequeño de Daniel 7, y las bestias en Apocalipsis 13 y 17. Desde los tiempos antiguos, estas profecías sobresalientes han sido agrupadas bajo el título común —"el Anticristo".

Algunos creyentes objetan al aplicar el término "anticristo" a los textos mencionados. Señalan que el término "anticristo" se encuentra solamente en las epístolas de Juan, y que el anticristo no tiene conexión a las bestias de Daniel y de Apocalipsis, ni al hombre de pecado de Tesalonicenses. Además, notan que Juan dice, "ahora han surgido muchos anticristos" (1 Juan 2:18). Esto les hace creer que es incorrecto hablar de "el" Anticristo.

De hecho, Juan sí hace referencia a muchos anticristos. No obstante, una lectura cuidadosa de las tres epístolas de Juan revela que no hay ningún versículo que niegue la llegada de "el" Anticristo. El contexto completo de 1 Juan 2:18 lee: "Hijitos, ya es el último tiempo; y tal como oísteis que el anticristo viene, aun ahora han surgido muchos anticristos; por esto conocemos que es el último tiempo". Juan explica que ya hay muchos anticristos. Sin embargo, no niega el hecho de que "el anticristo viene". Simplemente explica que hay más de uno, y que muchos están ya presentes. *No* disputa el concepto de que un sobresaliente Anticristo en particular queda todavía en el futuro *de ellos*. Considere este asunto en detalle en el Capítulo 13, "El Hombre de Pecado —la Realidad", en la sección, "¿El Anticristo?"

A pesar del hecho de que hay muchos anticristos, las descripciones del enemigo de Dios en los textos previamente mencionados definitivamente describen el Anticristo principal de todos los tiempos. Dondequiera que se menciona el Anticristo en comentarios o en ficción, los autores generalmente tienen en mente una interpretación compuesta del enemigo de Dios predicho en Daniel 7, Apocalipsis 13 y 17, y 2 Tesalonicenses 2. Por tanto, como estudiantes de la Biblia, tenemos que preguntarnos si lo que los comentarios y las novelas dicen acerca del Anticristo está de acuerdo con estos textos. Algunas de las preguntas iniciales que hay que investigar son estas:

1. ¿Es el Anticristo pasado, presente, o futuro?
2. ¿Es el Anticristo un individuo o un grupo de individuos?
3. ¿Cuál es la relación entre el Anticristo y "el templo de Dios"?
4. ¿Es el Anticristo principalmente una figura política o religiosa?

La serie "Dejados Atrás" en particular y el futurismo en

general mantienen que el Anticristo es un hombre en *nuestro* futuro que tendrá conexiones importantes al templo judío reconstruido en Jerusalén. Con 2 Tesalonicenses 2 como la base, estas preguntas y otras son exploradas extensivamente en los tres capítulos que tratan con el hombre de pecado: Capítulos 11, 12, y 13.

El Pacto de los Siete Años del Anticristo con Israel

Otro elemento importante de la doctrina futurista es la idea de que el Anticristo hará un pacto de siete años con Israel. El mismo primer tomo de la serie "Dejados Atrás" menciona esta idea varias veces. Parece haber solamente un texto en la Biblia que se reclama como fuente de esta idea. Como LaHaye dice en su *Apocalipsis Sin Velo*: "Daniel 9:27 indica que el Anticristo hará un pacto con Israel por siete años".[3]

Sin embargo, note lo que Daniel 9:27 y el contexto *no* dicen:

1. No se menciona ningún anticristo. Versículo 27 dice, "Y hará que se concierte un pacto con muchos por una semana". ¿Quién iba a concertar ese pacto? El versículo no dice. El futurismo vuelve al versículo 26 donde dice que la ciudad de Jerusalén será destruida por "el pueblo de un príncipe que ha de venir". El futurismo está de acuerdo que el versículo 26 predice la destrucción por los romanos en el año 70 d.C. bajo el liderato de Tito. El desacuerdo tiene que ver con "el príncipe que ha de venir". En el contexto, sería Tito. El futurismo, sin embargo, sin ninguna autorización del contexto, dice que esto hace referencia al futuro Anticristo. Por lo contrario, Daniel 9 no tiene absolutamente nada que ver con ningún anticristo. Primeramente, tiene que ver con el Cristo real. Segundo tiene que ver con el castigo que Dios traería sobre la nación judía por su rechazo del verdadero Cristo.

2. El futurismo enseña que el Anticristo *quebrantará* el pacto a la mitad de la semana. Sin embargo, Daniel 9 no lo dice. El versículo 27 dice "a la mitad de la semana hará cesar el sacrificio y la ofrenda". No dice nada acerca de quebrantar ese pacto.

3. Daniel 9 no dice nada de una segunda reconstrucción del templo para tomar lugar después de la destrucción profetizada.

La interpretación futurista mantiene que la destrucción mencionada en el versículo 26 tomó lugar en el año 70 d.C., mientras que la destrucción en el versículo 27 todavía está en el futuro. Para obtener tal destrucción futura, el futurismo inventa un paréntesis de tiempo de dos mil años entre los versículos 26 y 27. En adición, visualiza una reconstrucción del templo en algún momento dado durante ese paréntesis. Sin embargo, Daniel 9 no dice nada de tal paréntesis y nada de una segunda reconstrucción.

El futurismo inserta muchas cosas en Daniel 9 que sencillamente no están allí. Esto hace que la profecía sea algo que no es. Este enfoque erróneo hace perder maravillosas verdades que Dios reveló a Daniel. Para un entendimiento más claro de la profecía de las setenta semanas de Daniel 9, consulte toda la "Segunda Sección: La Gran Tribulación del año 70 d.C."

La Conexión Romana

La mayoría de los creyentes de la biblia están de acuerdo que Daniel, Tesalonicenses, y Apocalipsis hacen predicciones acerca de Roma. Una razón principal por este acuerdo es la interpretación del sueño de Nabucodonosor en Daniel 2. La imagen de aspecto terrible que vio forma la base para varias profecías que siguen, especialmente en Daniel 7 y Apocalipsis 13 y 17. Según las Escrituras y la historia, la sucesión de imperios predichos es sin duda Babilonia, Medo-Persia, Grecia, y Roma.

LaHaye hace referencia a varios detalles de la conexión romana en su *Apocalipsis Sin Velo*. Sin embargo, en *Dejados Atrás, Una Novela de los Postreros Días de la Tierra,* #1 de la serie "Dejados Atrás", LaHaye apenas reconoce la conexión romana. Le da a Nicolás Carpatia, el futuro Anticristo en las novelas, antepasados romanos —pero eso es todo. Cualquier conexión con el Imperio Romano se pierde completamente.

En la última mitad del siglo veinte, mientras la Unión Europea estaba emergiendo, los futuristas siguieron las noticias muy de cerca y reclamaban que el renacimiento del Imperio Romano era inminente. Se decía que los diez cuernos de Daniel 7 y Apocalipsis 13 y 17 serían cumplidos en las diez naciones que formarían la Unión Europea. Por Ejemplo, Hal Lindsey escribió en su best seller *La Agonía Del Gran Planeta Tierra*:

> Ahora estamos comenzando a ver que el antiguo imperio romano está comenzando a rehacerse, tal como estaba predicho... Creemos que el Mercado Común y la tendencia hacia la unificación de Europa pueden muy bien ser el principio de la confederación de diez naciones predicha en los libros del profeta Daniel y Apocalipsis.[4]

Lo que ahora es la Unión Europea comenzó en 1950 con seis países. En 1973, tres años después del escrito de Lindsey, el número subió a nueve. En 1981, el décimo miembro fue añadido —perfecto para la teoría futurista. Sin embargo, el proceso no terminó allí. En 1986, dos miembros adicionales se unieron. Para 1995, hubo quince miembros. Más recientemente, después de años de preparación y anticipación, el incremento más grande se hizo historia. Diez países más se unieron el 1 de mayo de 2004, haciendo un total de veinticinco países miembros.

Por tanto, no es una sorpresa que en el *Apocalipsis Sin Velo* de Tim LaHaye no encontramos ninguna mención de un Imperio Romano "resucitado". LaHaye claramente identifica la primera bestia en Apocalipsis 13 como el Imperio Romano, y luego explica con relación a las siete cabezas: "representan a cinco reyes que existieron hasta la época de Juan; el sexto, Domiciano, era el rey romano que gobernaba en los días de Juan, después del cual se salta a la séptima cabeza, la del fin de los tiempos, el anticristo".[5] "Se salta a la del fin... el anticristo". Con este paréntesis ficticio de mil novecientos años, se habla de Roma solamente de boquilla. Cualquier conexión significativa a Roma se borra por completo.

Qué diferencia habría si la gente cerrara sus novelas y abriera sus libros de historia. Para esclarecimiento del cumplimiento histórico de la conexión romana, lea el Capítulo 10, "¿Por qué Roma?" y el Capítulo 12, "El Hombre de Pecado —la Historia".

La Marca de la Bestia

Las personas en general dan rienda suelta a sus imaginaciones cuando inventan escenarios que envuelven "La Marca de la Bestia". La mayoría presume que esta marca se relaciona con los últimos tiempos. Una vez más, la emoción de predecir el futuro toma preeminencia sobre el trabajo pesado de estudiar la historia. Considere los pensamientos presentados en el Capítulo 14, "El 666: La Marca de la Bestia", y mantenga en mente que puesto que la bestia se relaciona con Roma, la marca de la bestia tiene que estar relacionada de alguna manera con Roma.

El Reino y la Iglesia

Otro asunto principal envuelto en el método futurista de interpretación es la naturaleza de la iglesia de Jesús y la naturaleza del reino de Dios. A pesar de que este asunto no tiene un lugar principal en la trama de la serie "Dejados Atrás", el concepto básico siempre está allí —después del Rapto y la Tribulación, Jesús regresará a la tierra para establecer el Milenio, un reino físico por mil años. El asunto no es solamente que el premilenarismo futurista afirma que Jesús vendrá antes del Milenio. El asunto es si habrá un milenio literal. El asunto es si el reino de Dios todavía está en el futuro *o* si el reino de Dios es una realidad presente.

¿Qué enseña la Biblia acerca de la naturaleza del reino? ¿Qué enseña la Biblia acerca de cuándo el reino tenía que llegar? ¿Está el reino aquí ahora? ¿Es la iglesia el reino? ¿Se deben entender los "mil años" de Apocalipsis 20 literalmente o figurativamente? Para investigar estos asuntos, lea el Capítulo 16, "Lo que el Milenio No Es" y el Capítulo 17, "Jesús Reveló la Naturaleza del Reino".

¿Nadie Será Dejado Atrás?

¿Qué significa exactamente el título de este libro: *Nadie Será Dejado Atrás*? La serie completa de "Dejados Atrás" es una serie que se basa en la presunción, no probada, de que cuando venga Jesús, los santos serán llevados y los pecadores serán dejados atrás. El término "Dejados Atrás" lleva la idea de que la vida en este planeta seguirá su curso normalmente. Según ellos, la gente será perturbada y la Tribulación estará cerca, pero los que son dejados atrás seguirán comiendo, durmiendo, trabajando, casándose, divorciándose, dando a luz, muriendo, comprando, viajando por avión, y mirando televisión. Esta es la presunción básica de la teoría completa del Rapto.

El título de este libro, *Nadie Será Dejado Atrás*, da testimonio a una interpretación muy diferente de los últimos tiempos. El punto de vista propuesto en este libro y aceptado por muchos creyentes hoy día es que cuando se acabe, todo se acabará. Es la creencia de que Jesús viene solamente una vez más. Es la creencia de que cuando venga, el mundo como lo conocemos se acabará. Es la creencia de que cuando Jesús venga, el tiempo se acabará —no habrá siete años, no habrá mil años, no habrá ningún tiempo. La eternidad habrá llegado. Para un estudio de las Escrituras sobre este tema vital, ver el Capítulo 19, "Nadie Será Dejado Atrás".

El título *Nadie Será Dejado Atrás* en ninguna manera implica que todo el mundo será raptado para estar con Jesús en el cielo. Tampoco el título implica que todos los malvados serán borrados de la existencia cuando Jesús venga por sus santos. En lugar de esto, el título es una afirmación de que cuando Jesús venga será muy tarde para tomar la decisión de seguirle; será muy tarde para reconsiderar. El título es una afirmación de que no habrá...

Una Segunda Oportunidad

Una de las preguntas más importantes que se puede hacer es esta: ¿Después del Rapto, tendrán los inconversos una nueva oportunidad de arreglar su vida con Dios? ¿Estará todavía abierta la invitación de Jesús para salvación? El mensaje de la serie "Dejados Atrás" es fuertemente, "¡Sí!" De hecho, el título del segundo libro en la serie "Dejados Atrás: Los Chicos" trata exactamente de eso: #2: *Segunda Oportunidad.* En la misma manera, el cuarto libro de la serie de los adultos anuncia la doctrina de la segunda oportunidad por el mismo título, *Cosecha de Almas*. Esto no es un asunto insignificante. Tim LaHaye introduce su comentario sobre Apocalipsis 7 con esta sorprendente declaración: "El avivamiento más grande que conoció el mundo aún está por venir. No sucederá dentro de la era de la iglesia sino durante la Tribulación".[6]

La interpretación popular futurista interpreta "quien al presente lo detiene" en 2 Tesalonicenses 2:7 como el Espíritu Santo. La enseñanza es más o menos así: La influencia del Espíritu Santo en la iglesia hoy día es lo que detiene que el hombre de pecado se apodere del mundo. Además, dice que después de que la iglesia sea quitada del mundo por el Rapto de todos los santos, el hombre de pecado podrá engañar a los que queden. LaHaye, sin embargo, en su comentario sobre Apocalipsis 7, abiertamente refuta esta creencia común de sus hermanos futuristas. Dice que el derramamiento del Espíritu Santo en Pentecostés, en el año 30 d.C., fue solamente una muestra pequeña del cumplimiento de Joel 2. Él reclama que el cumplimiento real tomará lugar durante la Tribulación.[7]

¿En verdad el Rapto abrirá el camino para la cosecha de almas más grande que el mundo jamás ha visto? ¿Si no me voy en el Rapto, hay oportunidad de arreglar mi vida con Dios? El Capítulo 19, "Nadie Será Dejado Atrás", examinará la perspectiva bíblica de cómo debemos ver el regreso de Cristo con relación a nuestra salvación personal.

La Oración de Salvación

Hablar de salvación nos trae al asunto más importante en la serie "Dejados Atrás". Virtualmente todos los que creen en la Biblia como el inspirado, perfecto, final mensaje de Dios al hombre también creen que Jesús murió por nuestros pecados y que no hay salvación aparte de Su sangre derramada. No obstante, hay un debate grande con relación a la parte del hombre en el proceso de salvación. Las ideas varían entre "salvarse por buenas obras" hasta "no hay nada que se puede hacer". Probablemente la mayoría de los creyentes se colocan en algún punto entre estos dos extremos.

Repetidamente, los autores LaHaye y Jenkins hacen su punto de vista claro en la serie "Dejados Atrás". Para ellos, la salvación envuelve una decisión personal para recibir a Cristo y orar para la salvación. Por ejemplo, considere esta porción del Capítulo 12 de Libro #1 de la serie: "Si usted acepta el mensaje de salvación de Dios, el Espíritu Santo vendrá sobre usted y le hará nacer espiritualmente de nuevo... Puede llegar a ser un hijo de Dios orando a Él ahora mismo mientras le voy guiando..." [8]

La esperanza de los autores es guiar a muchas personas a Cristo antes del Rapto. Sin embargo, ¿están guiando la gente a Cristo o están inconscientemente desviándolos de Cristo? Esta pregunta no se hace livianamente. ¿Dice la Palabra de Dios, "Los que reciben a Cristo y oran la oración del pecador serán salvos"? El Capítulo 18, "La Oración de Salvación", ofrece una contestación de las Escrituras a esta pregunta de vida y muerte.

Cómo Este Libro está Organizado

Nadie Será Dejado Atrás: Esclarecimiento de las Profecías de los "Últimos Tiempos" está dividido en cuatro secciones:

"Primera Sección: Iniciarse en la Profecía",
"Segunda Sección: La Gran Tribulación del año 70 d.C.",
"Tercera Sección: La Conexión Romana",
"Cuarta Sección: De Aquí a la Eternidad".

La Primera Sección contiene material general introductorio. La meta de las otras secciones es estudiar profecías bíblicas seleccionadas en detalle —primeramente, para presentar mi entendimiento de la interpretación correcta de estas profecías, y segundo para examinar los reclamos de la interpretación popular futurista de hoy día, de la cual la serie "Dejados Atrás" es un ejemplo principal.

La Mente Abierta y La Biblia Abierta

Si las ideas de este libro son nuevas para usted, le pido que las considere honestamente. Que el buen Señor nos ayude a todos a tener la actitud de los judíos de Berea cuando escucharon la enseñanza del apóstol Pablo: "Y éstos eran más nobles que los de Tesalónica, pues recibieron la palabra con toda solicitud, escudriñando cada día las Escrituras para ver si estas cosas eran así" (Hechos 17:11). Mi deseo es exaltar, entender, y correctamente explicar la Santa Palabra de Dios. Le ruego que acepte cualquier cosa que encuentre en este libro que esté de acuerdo con las Escrituras. Por otro lado, le ruego que rechace como enseñanza de un hombre falible cualquier cosa que encuentre en este libro que no esté en armonía con la palabra revelada de Dios. Que la palabra de Dios tenga la última palabra.

Capítulo 3

La Profecía: ¿Literal o Figurativa?

¿Es el significado de la Biblia exactamente lo que dice? ¿Debemos tomarlo al pie de la letra? ¿Debemos interpretarla literalmente, o debemos entenderla figurativamente (simbólicamente, espiritualmente)? Pocas preguntas tienen más importancia que éstas en el estudio de la profecía bíblica.

NO ES "O LO UNO O LO OTRO"

¿Es la Biblia historia o poesía? ¡Ambas! ¿Aplican las leyes bíblicas a nosotros hoy día o no? ¡Ambas! ¿Contiene la Biblia la palabra de Dios o las palabras del diablo? ¡Ambas! (Si esto no suena bien, ver Lucas 4:6.) ¿Es la Biblia fácil o difícil de entender? ¡Ambas!

Hay tantas cosas en la vida que no se pueden forzar a una situación completamente de "o lo uno o lo otro". Así es con la interpretación bíblica. ¿Debemos entender la profecía bíblica literalmente o figurativamente? La contestación se puede dar con una sola palabra: ¡Ambas!

Una Gran Parte de la Biblia es Literal

La Biblia es un libro de personas reales. Muchas de ellas se conocen en la historia secular: Acab, Jehú, Ezequías, Nabucodonosor, Poncio Pilato, los Herodes, Augusto César, Juan el Bautista, Santiago el hermano del Señor, para nombrar unos pocos.

La Biblia es un libro de lugares reales. Habla de Babilonia, Egipto, Samaria, Siria, Edom, Roma, y más. Nos lleva al Río Éufrates y al Río Jordán, al Mar Rojo y al Mar de Galilea.

Personas reales en lugares reales: una verdadera y literal historia del trato de Dios con la humanidad. Puesto que la Biblia está sólidamente fundada en la historia, la interpretación bíblica debe *comenzar* con el significado literal.

Muchas profecías de la Biblia se deben entender también literalmente. Cuando los visitantes le dijeron a Abraham que Sara tendría un hijo pronto, Sara se rió. ¿Por qué? Era imposible, había pasado la menopausia. Sin embargo, con Dios todas las cosas son posibles. Lo cumplió literalmente (Génesis 18:9-15; 21:1-7).

Dios predijo que, si los hijos de Israel le desobedecían, sus ciudades serían sitiadas y sufrirían miserablemente. ¡Serían lanzados al extremo de comer sus propios hijos! Esta predicción fue cumplida literalmente (Deuteronomio 28:45-57; 2 Reyes 6:24-29).

Muchos siglos antes de Cristo, Isaías profetizó que una voz, algún día, clamaría en el desierto. Y literalmente, el desierto fue la extraña base del ministerio de Juan el Bautista (Isaías 40:3; Mateo 3:1-5). Zacarías profetizó que el rey de los judíos entraría en Jerusalén sobre un asno. Fue cumplido literalmente (Zacarías 9:9; Juan 12:12-16).

Debemos comenzar a leer la Biblia como un libro de historia con un significado literal. La Biblia nos dice que Dios creó a Adán y a Eva, que pecaron al comer el fruto prohibido, que Dios destruyó el mundo con un diluvio, que Jesús murió en la cruz, y que resucitó de entre los muertos. Una vez que se acepta a Dios como el Creador del universo, eventos milagrosos tienen tanto sentido como eventos ordinarios. Tomamos ambos tipos de eventos literalmente.

La profecía bíblica, como otras porciones de la Biblia, muchas veces se debe entender literalmente.

Mucho de la Biblia es Figurativo

El problema entre creyentes de la biblia hoy día no es si debemos entender mucho de la Biblia literalmente. Los creyentes aceptamos esto, pero algunos hablan como si *toda* la Biblia se debe tomar literalmente.

Tim LaHaye, en *Apocalipsis Sin Velo,* reclama: "En su mayoría, todos los que creen que la Biblia es literal son premilenaristas"[1] Tal declaración es engañosa. Nadie cree que toda la Biblia es literal como la declaración aparenta implicar. El hecho de que una persona quiera mantener una interpretación literal de una gran parte de la Biblia tampoco es el factor determinante en la decisión de adoptar o no la posición premilenarista futurista. El asunto no es tan claro como esta declaración aparenta indicar.

La realidad es, que como Tim LaHaye, muchos de nosotros creemos que una gran parte de la Biblia es literal. De eso no hay duda. La pregunta es si la Biblia también está llena de mucho lenguaje figurativo. En otro sitio, LaHaye mismo reconoce esto. Lo siguiente es solamente una lista parcial de cosas por las cuales LaHaye da interpretaciones figurativas en las primeras páginas de su comentario sobre Apocalipsis (números de páginas dadas):

- "El número siete denota perfección" (31)
- Siete iglesias "representan las siete divisiones básicas de la historia de la iglesia" (38)
- El cinto (la banda) de oro de Jesús "se refiere a un símbolo de fuerza" (41)
- "Una llave es símbolo de liberación" (45)
- "El que tiene oído" "no se puede referir a los oídos físicos" (54)
- "Diez días" se refiere a "diez períodos de persecución" (58)
- La espada de dos filos "se refiere a la Palabra de Dios" (68)
- La piedra blanca es un "símbolo de absolución eterna" (74)
- "Se usa una mujer como símbolo para transmitir una enseñanza religiosa" (81)

- Fornicación (inmoralidades sexuales) es "símbolo de la idolatría que se introdujo" (81)
- Llave de David es una "referencia indudable a la autoridad de Cristo" (93)
- "Su elevación (de Juan) a los cielos es una figura del Rapto" (115)
- "Juan... es un símbolo perfecto para representar a la iglesia" (116)[2]

Estos ejemplos son muy iluminadores. Primeramente, demuestran que el premilenarismo futurista no interpreta toda la profecía literalmente. Segundo, varias cosas que el premilenarismo futurista toma figurativamente, ¡el historicismo toma como literal! Por ejemplo, la interpretación historicista dice que las siete iglesias de Apocalipsis son siete iglesias literales, no siete divisiones de la historia de la iglesia. La interpretación historicista afirma que Juan es Juan, no la iglesia. La interpretación historicista mantiene que cuando Juan sube al cielo en el tiempo de la visión es que Juan en verdad sube al cielo, no es de ninguna manera un símbolo del Rapto de la iglesia. Estos ejemplos son el opuesto del reclamo de futurismo al literalismo. ¡El historicismo interpreta literalmente muchas cosas que el futurismo interpreta figurativamente! El Futurismo no interpreta todo el libro de Apocalipsis literalmente. ¡Nadie lo hace! El futurismo tampoco interpreta toda la Biblia literalmente. ¡Nadie lo hace! Todos interpretan algunas expresiones literalmente y otras figurativamente.

Es muy instructivo ver la muy excelente "ley de oro de la interpretación" de Tim LaHaye: "Cuando el significado sencillo de las Escrituras tiene sentido común, no busque otra interpretación". ¡Excelente! Él continúa: "tome cada palabra de acuerdo a su significado primario... literal a menos..." Y luego él da varias situaciones que requieren un significado no literal.[3] La esencia de su útil (pero complicada) regla es esta: toma el significado literal a menos que la situación demanda un significado no literal. ¡Excelente!

Comenzamos la interpretación bíblica con el significado literal, pero ni siquiera los "literalistas" se quedan allí. La regla del señor LaHaye incluye las palabras "cuando" y "a menos" precisamente porque no es siempre el caso de que "el significado sencillo de las Escrituras tiene sentido común".

La "ley de oro de interpretación" hace resaltar un hecho importante: A pesar de que parece reclamar lo contrario, el futurismo admite que no siempre se interpreta la Biblia literalmente. Similar a otras interpretaciones, el futurismo interpreta parte literalmente y parte figurativamente.

No requiere mucha lectura de la Biblia para que cualquier persona descubra lenguaje figurativo. Por ejemplo, considere las parábolas de Jesús: el sembrador, la red, las diez vírgenes, la viña, y la perla de gran precio. ¿Quién tiene dudas de que todas tienen que ser interpretadas figurativamente? Examine, por ejemplo, el reclamo de Jesús, "Yo soy la vid". Tomado literalmente, esto no tiene ningún sentido. Hay que entenderlo figurativa o espiritualmente. Asimismo, decir que un mamífero de cuatro patas podría vencer a los santos de Dios en una guerra no tiene sentido literalmente. Así, la bestia en Apocalipsis 13 tiene que ser una figura de gran poder. La Biblia está llena de tal lenguaje.

Los Salmos declaran que Dios es nuestra roca, nuestro escudo, y nuestra fortaleza. ¿Quién no entiende que éstas son figuras retóricas? Pablo dijo: "Os di a beber leche, y no alimento sólido"; "Yo planté, Apolos regó". Nadie cree que Pablo era literalmente una nodriza o un agricultor.

La pregunta no es si la Biblia —y su profecía— se debe tomar literalmente o figurativamente. La pregunta real es esta: ¿Cuáles partes son literales y cuáles partes son figurativas? La pregunta para el creyente no es si debemos comenzar con el entendimiento literal. ¡Ciertamente debemos! La pregunta es esta: ¿Cómo podemos saber cuándo ciertas palabras, frases, o versículos se deben entender figurativamente?

EL SENTIDO COMÚN

¿Por qué no comenzar con el sentido común diario? La conversación diaria está repleta de lenguaje figurativo. El hombre dice, "Le está tomando el pelo". Nadie dice "No veo a nadie tocando su pelo".

"Se ahogó en un vaso de agua". "Lo mandé a freír espárragos". "El carro pasó volando". "Lleva el corazón en la mano". Sentido común. Nadie tiene que explicar estas figuras a nadie —con la excepción de un niño pequeño. ¿Ha notado usted que a menudo los niños se confunden porque los adultos hablamos figurativamente y los niños lo toman literalmente? No obstante, mientras los niños crecen, captan la idea.

A propósito, ¿qué es *el sentido común*? Es el sentido que una persona común, de inteligencia normal, y con un conocimiento razonable de la vida, daría a la expresión.

¿Qué pues es el sentido común en relación al lenguaje figurativo o literal? Consideremos "llevar el corazón en la mano" por ejemplo. Una persona de inteligencia normal y con un conocimiento razonable de la vida sabe que no se puede "llevar el corazón en la mano". Es imposible. Por tanto, la expresión tiene que ser figurativa. Cuando las palabras tomadas literalmente resultan en una contradicción, algo absurdo o una irrealidad, es tiempo para considerar un significado figurativo.

El Sentido Común y la Biblia

Jesús habló de dos hombres. Uno con una paja en el ojo, y el otro con una viga en el ojo. Sin embargo, no es literalmente posible tener una viga en el ojo. ¿Conclusión? Jesús hablaba figurativamente; revelaba una verdad espiritual. En otra ocasión dijo, "si tu ojo derecho te es ocasión de caer, sácalo, y échalo de ti" (Mateo 5:29). Jesús no mencionó dos ojos, sino uno; pero ¿ha oído de alguien que pecó con un solo ojo? "Cubriré el ojo izquierdo y codiciaré a esta mujer con el ojo derecho nada más". ¿Absurdo? Sí. Tiene que ser lenguaje figurativo o simbólico.

El Evangelio de Juan contiene los famosos "Yo soy" de Jesús: "Yo soy el pan" (6:35), "Yo soy la luz" (8:12), "Yo soy la puerta" (10:9), "Yo soy la vid" (15:5). ¿Ha oído alguna vez a alguien que tuviera problemas con estas afirmaciones? Sí, podemos discutir los significados precisos que Jesús quería expresar, pero nadie diría que Jesús quería decir que Él era

La Biblia está llena de lenguaje figurativo.

> *"¡Hipócrita! saca primero la viga de tu propio ojo, y entonces verás claro..."*
> – Jesús

La cuestión no es si debemos interpretar la Biblia literalmente o figurativamente.

LA CUESTIÓN ES:

1 - ¿Cuáles partes son literales?, y
2 - ¿Cuáles partes son figurativas?

una puerta literal o una vid literal. Eso sería totalmente irreal. Cuando escuchamos estas declaraciones por primera vez, nuestro sentido común nos dijo inmediatamente que Jesús hablaba figurativa o espiritualmente.

Por otro lado, los incrédulos a menudo usan la regla del sentido común para argumentar en contra de los milagros. Dicen que no tiene sentido que una persona camine sobre el agua; es en contra del sentido común registrar que por el toque de una mano pueda dar la vista a un ciego de nacimiento; y es absurdo decir que una virgen pueda dar a luz un niño. Sin embargo, hay que entender que estos argumentos se basan en la suposición de que no hay Dios que intervenga en los asuntos de este mundo. Esto sería un tema muy diferente —uno digno de hablar— pero completamente fuera del tema de este libro. *Nadie Será Dejado Atrás* se escribe con la presunción de que Dios existe y que es el verdadero Autor de la Biblia. Una vez aceptemos esta verdad, los milagros son completamente posibles.

Usar el sentido común, por tanto, en la interpretación de la Biblia no debe confundirse con una mentalidad materialista. Usar el sentido común no significa que nosotros los seres humanos sepamos más que Dios. Usar el sentido común significa acercarnos a la Biblia con la mente que Dios nos ha dado. Dios no nos pide que le sirvamos con una fe ciega. Dios no espera que cerremos la mente para acercarnos a Él. Por lo contrario, Dios nos invita: "Venid luego, dice Jehová, y estemos a cuenta (razonemos juntos)" (Isaías 1:18).

El Sentido Común y la Profecía

Al volver a la profecía, es importante notar que nadie interpreta toda la profecía literalmente, ni siquiera las mismas personas que a veces aparentan reclamar que todo es literal. El sentido común es parte de la razón.

Todo el mundo está de acuerdo de que las bestias de Apocalipsis 13 y 17 son simbólicas. Con una imaginación viva, alguien podría pensar que una bestia literal tuviera siete cabezas (13:1) y aún pudiera hablar (13:5). Sin embargo, ninguna imaginación adulta es tan viva como para aceptar que Apocalipsis 13:7 haga referencia a una bestia literal: "Y se le permitió hacer guerra contra los santos, y vencerlos. También se le dio autoridad sobre toda tribu, pueblo, lengua y nación". La imaginación falla. El sentido común dice que las bestias representan algunos poderes humanos.

Las profecías a menudo mencionan estrellas. Por ejemplo, Apocalipsis 6:13 dice: "Y las estrellas del cielo cayeron sobre la tierra, como la higuera deja caer sus higos cuando es sacudida por un fuerte viento". Sin embargo, en los versículos 15 y 16, la tierra y su gente todavía existen. Esto es literalmente imposible. Las estrellas son enormes. Si una sola estrella chocara con la tierra, la tierra desaparecería, pero la estrella no se afectaría mucho. Así, el estudiante tiene que buscar una explicación figurativa.

El sentido común nos dice que las bestias de Apocalipsis representan algunos poderes humanos, pero ¿cuáles poderes? El sentido común nos dice que las estrellas en Apocalipsis 6 no pueden ser cuerpos celestes literales. De la misma manera que hablamos de las estrellas del cine, quizás las estrellas de Apocalipsis 6 sean personas notables, pero ¿cuáles personas? El sentido común nos puede ayudar a ver que tenemos que buscar una interpretación figurativa o espiritual a una profecía. Inclusive nos puede dar una idea inicial de cuál es el significado. Una bestia aparenta representar algún poder. Una estrella aparenta representar una persona importante. Sin embargo, esto no es para sugerir que el sentido común sólo proveerá la interpretación de una profecía. Usualmente necesitaremos más información para determinar la interpretación exacta de las figuras en la profecía.

LA BIBLIA DICE ASÍ

La canción dice: "Cristo me ama bien lo sé... la Biblia dice así". En la misma manera muchas veces podemos decir, "el texto es figurativo; bien lo sé, porque la Biblia dice así". ¡Qué base más firme tenemos: que la Biblia se interprete a sí misma!

Símil: "como", "semejante a"

Las clases formales del idioma a veces exploran *las figuras retóricas*. Algunos ejemplos ya dados se llaman "metáforas". En la metáfora se dice que una cosa *es* otra cosa. Es más potente que Jesús diga, "Yo soy la puerta" (una *metáfora*), que decir "Yo soy como una puerta" (un *símil*). Para reconocer la metáfora, tenemos que utilizar el sentido común. El símil, por otro lado, utiliza las palabras "como" y "semejante a" para hacer comparaciones y claramente se declara como una figura retórica.

El Salmo 44:22 dice: "Somos contados como ovejas para el matadero". *Como* ovejas. Mateo 23:27 lee: "¡Ay de vosotros, escribas y fariseos, hipócritas! porque sois semejantes a sepulcros blanqueados, que por fuera, a la verdad, aparecen hermosos, mas por dentro están llenos de huesos de muertos y de toda inmundicia". *Semejantes a* sepulcros blanqueados. Estos son símiles.

Otra figura retórica, la parábola, se puede definir como el "símil extendido". "El reino de los cielos es semejante a..." El pasaje entero que sigue "semejante a" es lenguaje figurativo.

Interpretación Dada

A menudo la Biblia hace mucho más que simplemente decir que cierto lenguaje es figurativo; a menudo interpreta la figura. Las parábolas son un ejemplo. En algunos casos, se identifican como parábolas, pero no se da el significado. En otros casos, el significado de varias figuras en la parábola se explica: "Él respondió y les dijo: El que siembra la buena semilla es el Hijo del Hombre. El campo es el mundo; la buena semilla son los hijos del reino, y la cizaña son los hijos del Maligno" (Mateo 13:37-38).

El libro de Apocalipsis abre con una visión de Cristo. Él está en medio de siete candeleros y tiene siete estrellas en Su mano. ¿Son las estrellas literales o figurativas? Él mismo contesta en 1:20: "las siete estrellas son los ángeles de las siete iglesias, y los siete candeleros que has visto, son las siete iglesias". La identidad de estos "ángeles" no es clara, pero no hay duda de las siete iglesias. Se identifican en el 1:11; la

Biblia ha explicado la figura.

Las Figuras Proféticas Explicadas

La profecía figurativa no comienza en Apocalipsis. ¡Comienza en Génesis! Faraón tuvo un sueño que no entendía. Llamó a José, quien explicó:

> Dios ha mostrado a Faraón lo que va a hacer. Las siete vacas hermosas siete años son... las siete vacas flacas y feas que subían tras ellas, son siete años; y las siete espigas menudas y marchitas del viento solano, siete años serán de hambre (Génesis 41:25-27).

La profecía utilizó leguaje figurativo —y lo explicó— en el primer libro de la Biblia.

Como hemos visto el sentido común dice que las bestias en la profecía son figurativas. ¿Pero, figuras de qué? Un ejemplo se encuentra en Daniel 8:20-21: "En cuanto al carnero que viste, que tenía dos cuernos, éstos son los reyes de Media y de Persia. El macho cabrío es el rey de Grecia". La misma Biblia identifica las bestias en estos versículos como naciones o imperios.

Una vez en el templo Jesús predijo Su resurrección. Los judíos lo mal interpretaron completamente. Creían que hablaba literalmente. Juan 2:19-21 explica:

> Respondió Jesús y les dijo: Destruid este templo, y en tres días lo levantaré. Dijeron entonces los judíos: En cuarenta y seis años fue edificado este templo, ¿y tú lo levantarás en tres días? Pero él se refería al templo de su cuerpo.

Esta profecía *no* se trataba del templo literal donde estaban parados, a pesar de que una persona pensaría eso lógicamente. En este caso, Jesús habló de "este templo" en un sentido figurativo haciendo referencia a Su propio cuerpo. ¿Cómo lo sabemos? La Biblia dice así.

En el día de Pentecostés, Pedro explica una profecía que es en parte figurativa. Él cita el Salmo 16 donde David habla: "Yo... mí... me". Para ser cumplida literalmente, tendría que referirse a David mismo. Sin embargo, Pedro cuidadosamente demuestra que David no hablaba de sí mismo, sino de Jesús, su descendiente según la carne (Hechos 2:25-32). La profecía parece estar hablando literalmente acerca de David; sin embargo, figurativamente habla de Jesús. Pedro explica y prueba la interpretación figurativa de este Salmo.

"Estrellas" como Personas Importantes

El sentido común ha mostrado que las estrellas en la Biblia son a veces figurativas. Pero, ¿figuras de qué? En cualquier diccionario ordinario en español, por lo menos un significado de "estrella" tiene que ver con las personas. Personas sobresalientes son estrellas: estrellas de fútbol, estrellas del cine, y la estrella del show. Un diccionario explica: "Persona que sobresale en su profesión de un modo excepcional".[4] Las estrellas brillan. Las estrellas sobresalen.

Así, en el idioma español, "estrella" no significa necesariamente un cuerpo celeste que brilla de noche. Tampoco en la Biblia. De hecho, tan temprano como el libro de Génesis, el sol, la luna, y once estrellas se usan en el sueño profético de José para representar personas (Génesis 37). Su padre Jacob entendió que el sol le representaba a él y las estrellas representaban sus otros once hijos.

La profecía en Daniel 8:8-10 dice que un cuerno pequeño del macho cabrío llegó a ser tan grande que echó las estrellas por tierra. Puesto que Gabriel nos dice que el macho cabrío y el carnero representan dos naciones (8:20-21), la conclusión obvia es que estas estrellas representan personas importantes de alguna nación enemiga.

Ya se ha visto que las estrellas en Apocalipsis 1:16, 20 son ángeles (mensajeros). Ya sean, ángeles celestiales o mensajeros humanos, estas estrellas son seres vivientes como en Génesis. En Apocalipsis 6:13, dice, "las estrellas del cielo cayeron". Como hemos visto previamente, esto no se puede interpretar literalmente. Tenemos que aceptar que esta profecía trata con la caída de líderes prominentes.

Para hacer una interpretación correcta de profecías que envuelven las estrellas, siempre tenemos que tomar en consideración la posibilidad de que la profecía trata con personas importantes y no con las estrellas que brillan de noche. Este uso figurativo de estrellas en la Biblia está de acuerdo con nuestro uso moderno en español. La Biblia antigua no es tan extraña como a veces la hacemos.

PROFECÍA CUMPLIDA

La Biblia contiene ejemplos claros de profecías que fueron cumplidas literalmente. Por ejemplo, Jeremías predijo que la desolación de Jerusalén duraría setenta años. Esto fue cumplido literalmente (Jeremías 29:4-10; 2 Crónicas 36:19-23).

La Biblia también contiene profecías que fueron claramente cumplidas en un sentido figurativo. Mucho tiempo después de que fue literalmente bautizado por Juan, Jesús dijo, "De un bautismo tengo que ser bautizado; y ¡cómo me angustio hasta que se cumpla!" (Lucas 12:50). Esto nunca sucedió literalmente. Sin embargo, en Marcos 10:38-39 Jesús conectó este bautismo con una copa (un vaso) que tenía que tomar. ¿Cuál vaso? Más adelante en Getsemaní, Jesús rogó al Padre, "aparta de mí esta copa; pero no se haga lo que yo quiero, sino lo que tú quieras" (Marcos 14:36). Esta copa y bautismo fueron cumplidos simbólica o espiritualmente en el abrumador sufrimiento de Jesús, desde Getsemaní hasta el Calvario. Era una "copa" como tomar medicina. Era un "bautismo" porque estuvo abrumado y sumergido en el sufrimiento.

¿Cómo podemos saber de antemano si una profecía será cumplida literalmente o figurativamente? Esto puede ser muy difícil, y necesitamos tener mucho cuidado para no presumir que sabemos lo que no sabemos. A menos que la misma palabra de Dios nos de algunas indicaciones claras, ¿cómo podemos saber? En el pasado, Dios ha cumplido algunas profecías literalmente y algunas figurativamente. Dios ciertamente tiene la prerrogativa para cumplirlas en cualquier manera en el presente y en el futuro. Por tanto, debemos tomar gran precaución cuando tratamos con profecías que no han sido cumplidas todavía.

El primer mandamiento de Dios al hombre sirve como ejemplo. Dios dijo del árbol de la ciencia del bien y del mal, "El día que de él comieres, ciertamente morirás" (Génesis 2:17).

Una interpretación literal, de sentido común dictaría que el castigo sería la muerte física, literal durante ese día literal de veinticuatro horas. Sin embargo, Adán y Eva no murieron físicamente en el día literal que comieron. Puesto que Dios no miente, se nos obliga a reconocer algún cumplimiento figurativo o espiritual. ¿Estuvo hablando Dios de la muerte espiritual? ¿Usaba Dios la palabra "día" en algún sentido general? ¿Quería decir Dios que llegarían a ser mortales —con la capacidad de morir— el día que comieron? Cualquiera que sea la explicación que una persona prefiera, un cumplimiento físico y literal de ambas palabras: "día" y "morir" sencillamente no sucedió. Así, la primera advertencia profética en la Biblia, por lo menos parcialmente, tuvo un cumplimiento figurativo o espiritual. Se puede ver claramente que antes de que una profecía sea cumplida, no debemos enseñar presuntuosamente que será cumplida literalmente ni que será cumplida figurativa o espiritualmente.

Por otro lado, una vez que una profecía ha sido cumplida —aunque sea figurativamente— no hay ninguna justificación de las Escrituras para esperar en el futuro otro cumplimiento literal también. El que lo hace se coloca en la posición de negar el cumplimiento que ya ha tomado lugar. Esto es de gran importancia en el estudio de muchas enseñanzas del Nuevo Testamento relacionadas con la profecía. Hay muchos ejemplos de profecías del Antiguo Testamento que son explicadas en un sentido figurativo o espiritual en el Nuevo Testamento. La declaración del Nuevo Testamento del cumplimiento de una profecía del Antiguo Testamento es una interpretación inspirada de esa profecía. ¿Cómo podemos rechazar una interpretación inspirada con un reclamo de que todavía tiene que ser cumplida literalmente? Los siguientes ejemplos de Elías, Juan el Bautista, y El Reino de Dios son más que ejemplos —componen un estudio de interpretaciones inspiradas de algunas profecías muy significativas del Antiguo Testamento.

La Profecía Sobre Elías

Cuatrocientos años antes de Cristo, el Antiguo Testamento

termina así:

> He aquí que yo os enviaré al profeta Elías, antes que venga el día grande y terrible de Jehová. Él hará volver el corazón de los padres hacia los hijos, y el corazón de los hijos hacia los padres, no sea que yo venga y hiera la tierra con maldición completa (Malaquías 4:5-6).

¡Elías viene! ¿Debe tener un cumplimiento literal —Elías mismo viene— a pesar de que hacía tiempo que había salido del mundo? O, ¿se debe entender figurativamente (simbólicamente, espiritualmente) —alguien cómo Elías viene? No hay nada en el contexto para indicar la respuesta. Por lo tanto, debemos presumir que es literal a menos que Dios claramente nos declare lo contrario.

Mateo 17:10-13 es un texto clave:

> Entonces sus discípulos le preguntaron, diciendo: ¿Por qué, pues, dicen los escribas que debe venir antes Elías? Jesús respondió y les dijo: A la verdad, Elías viene primero, y restaurará todas las cosas. Mas os digo que Elías ya vino, y no le reconocieron, sino que hicieron con él todo lo que quisieron... Entonces los discípulos comprendieron que les había hablado de Juan el Bautista.

Juan mismo, sin embargo, proclamó lo opuesto: "Este es el testimonio de Juan, cuando los judíos de Jerusalén enviaron sacerdotes y levitas para que le preguntasen: ¿Tú, quién eres?... ¿Eres tú Elías? Dijo: No soy" (Juan 1:19, 21).

¿Quién tenía la razón? ¿Jesús o Juan? El ángel Gabriel ya había resuelto el problema antes de que Juan naciera: "Elisabet te engendrará un hijo, y le llamarás Juan... y él mismo irá delante, en su presencia, con el espíritu y el poder de Elías, para hacer volver los corazones de los padres a los hijos" (Lucas 1:13, 17). La última expresión es una cita directa de la profecía en Malaquías. Por tanto, Gabriel está diciendo que Juan el Bautista es el cumplimiento de esta profecía acerca de Elías.

Gabriel dijo que Juan vendría "con el espíritu y el poder de Elías". Con este esclarecimiento, podemos armonizar las declaraciones de Jesús y de Juan. Jesús estaba diciendo que, sí, Juan era el cumplimiento de la profecía de Elías. Juan estaba diciendo que, no, no era Elías —físicamente. Solamente podemos imaginarnos por qué Juan contestó así. Por otro lado, no es necesario adivinar nada acerca de las declaraciones de Jesús y Gabriel. Gabriel y Jesús están de acuerdo: La intención no fue que la profecía se cumpliera literalmente; la intención fue que se cumpliera figurativa o espiritualmente. Gabriel da la clave: "con el espíritu y el poder de Elías".

Muchas profecías acerca del Mesías y Su reino solamente se pueden entender por aplicar esta clave dada por Dios: "con el espíritu". Gabriel dijo en efecto: No busque un cumplimiento físico; sino busque un cumplimiento espiritual. Solamente en esta manera se pueden armonizar muchas profecías del Antiguo Testamento con la realidad del Nuevo Testamento.

Juan el Bulldozer

Juan a menudo se llama "Juan el Bautista" o "Juan, el que sumergía" para distinguirlo de Juan el apóstol. También se podría llamar "Juan el Bulldozer". Este es el trabajo que Isaías trazó para él:

> Preparad el camino del Señor;
> Haced derechas sus sendas.
> Todo valle será rellenado,
> Y todo monte y collado será rebajado;
> Lo tortuoso se hará recto,
> Y lo áspero se convertirá en caminos suaves;
> Y verá toda carne la salvación de Dios.
> (Lucas 3:4-6).

Rebajar los montes, rellenar los valles, hacer recto lo tortuoso, y convertir caminos ásperos en caminos suaves —el trabajo de un bulldozer. Ciertamente es obvio a todo el mundo que se contemplaba un trabajo espiritual y no físico. La sección comienza con "Preparad el camino del Señor", y termina con "Y verá toda carne la salvación de Dios".

Malaquías habló más directamente cuando profetizó de Juan:

> Él hará volver el corazón de los padres hacia los hijos, y el corazón de los hijos hacia los padres (Malaquías 4:6).

Juan allanó el camino. Trabajó con corazones torcidos. Hizo bajar a los orgullosos. Removió los obstáculos espirituales. Llamó a todo Israel al arrepentimiento diciendo, "Arrepentíos, porque el reino de los cielos se ha acercado" (Mateo 3:2). Juan pavimentó el camino para que Jesús comenzara Su ministerio.

Mantenga esta interpretación obvia en mente la próxima vez que oiga o lea que las profecías acerca de Israel y el reino tienen que cumplirse literal y físicamente. El trabajo de Juan ciertamente no era ser un bulldozer literal y físico. ¿Quién lo creería? Su trabajo era espiritualmente preparar a Israel para un Rey espiritual de un reino espiritual.

El Reino de Jesús

La regla analizada anteriormente dice que debemos tomar el significado literal de las Escrituras a menos que la situación nos obligue a considerar un significado no literal. Una de las situaciones más importantes es cuando el Nuevo Testamento cita y habla de una profecía del Antiguo Testamento. Ciertamente, interpretaciones del Nuevo Testamento reemplazan impresiones del Antiguo Testamento. Ciertamente, no debemos interpretar las profecías del Antiguo Testamento literalmente cuando el Nuevo Testamento las interpreta espiritualmente.

Cuando Jesús repetidamente dijo, "Oísteis que fue dicho... Pero yo os digo..." (Mateo 5:27-28). Él afirmaba Su superioridad sobre el Antiguo Testamento. Cuando el libro de Hebreos dice, "la ley, teniendo la sombra de los bienes venideros, no la representación misma de las cosas" (Hebreos 10:1), está diciendo que el Antiguo Testamento contiene solamente una sombra de la realidad, mientras que el Nuevo Testamento presenta la realidad misma. Por tanto, el Nuevo (la realidad) contiene las verdades y reglas claras para interpretar la Vieja (sombra), no viceversa.

Cuando el Nuevo Testamento explica la naturaleza del

reino prometido en el Antiguo Testamento, esta explicación llega a ser una regla divina de interpretación. Aún si los textos del Antiguo Testamento fuertemente aparentan predecir un reino terrenal, estamos obligados a aceptar las explicaciones que Jesús y Sus apóstoles dieron a estas profecías.

Es un hecho bien conocido de que los judíos en los días de Jesús esperaban el cumplimiento de numerosas profecías del Antiguo Testamento con relación al Rey y Su reino. También es bien conocido que esperaban un reino literal, físico. Podemos simpatizar con los discípulos que lamentaron sobre la muerte de Jesús diciendo, "nosotros esperábamos que él era el que había de redimir a Israel" (Lucas 24:21). Sin embargo, ya que tenemos registrado en el Nuevo Testamento la explicación del mismo Mesías sobre las profecías, debemos entender que tales interpretaciones materialistas estaban equivocadas. El rechazo de Jesús y el asesinato de Jesús de parte de los judíos en ninguna manera fue un impedimento contra el establecimiento del reino eterno de Dios, como el futurismo afirma, sino que fue la misma base requerida para hacer que el reino de Dios llegara a ser una realidad.

Antes de que fuera crucificado, Jesús había declarado al gobernador romano con palabras muy claras: "Mi reino no es de este mundo; si mi reino fuera de este mundo, mis servidores pelearían para que yo no fuera entregado a los judíos" (Juan 18:36). A pesar de que Jesús era el "Hijo de David", no tendría un reino como David. No haría guerra como David. David luchó por un reino físico: mató a Goliat; conquistó a Jerusalén de los jebuseos; extendió grandemente sus dominios terrenales. En contraste, Jesús no tomaría armas, ni para salvar Su propia vida ni para echar a los romanos de Jerusalén. "Mi reino no es de este mundo". El reino de Jesús no tiene nada que ver con poderes temporales, la política, o la fuerza de las armas.

Jesús *sí* vino para cumplir las profecías del reino. Escuche sus palabras: "El reino de Dios se ha acercado; arrepentíos, y creed en el evangelio" (Marcos 1:15). Puesto que el tiempo se había cumplido y el reino se había acercado, tenía que ser establecido poco tiempo después de que Jesús habló. Nadie reclama que un reino físico de Cristo se estableció en el primer siglo. Sin embargo, hasta el futurismo reconoce que un reino espiritual se estableció en el primer siglo. Escuche a Tim LaHaye: "Jesús dijo, 'Mi reino no es de este mundo (Juan 18:36). La primera vez vino a establecer un reino espiritual, al cual se entra naciendo de nuevo".[5] ¡Amén! ¡Sí, absolutamente! ¡Cómo se puede escapar del hecho de que este reino espiritual es el reino prometido por los profetas de la antigüedad!

Por causa de la misma enseñanza de Jesús, las profecías del Rey y del reino en el Antiguo Testamento no pueden interpretarse literalmente. Tienen que ser interpretadas figurativamente, espiritualmente. Es un reino espiritual con un mensaje espiritual, un Rey espiritual, y una esperanza espiritual. El mismo Rey ha hablado.

Buscar Claves Figurativas

No se puede escapar la conclusión: muchas de las profecías bíblicas tienen que ser interpretadas figurativamente, simbólicamente, espiritualmente. De hecho, todos estos ejemplos nos deben despertar a la necesidad de siempre investigar la posibilidad de una interpretación figurativa a cualquier profecía en cuestión. Cuando la Biblia claramente declara una figura, puede ser una clave para abrir el entendimiento de otras profecías.

En algunas profecías, por ejemplo, las estrellas tienen que ser interpretadas figurativamente, ya sea por la regla del sentido común o porque la Biblia dice así. En otras profecías puede haber duda. ¿Qué entonces? La Biblia a veces demuestra que las estrellas representan personas importantes. Esto puede ser una clave. Nos puede despertar a la posibilidad de que las estrellas por las cuales no hay explicación en otras profecías puedan ser personas importantes.

Hay que dar una palabra de precaución acerca de estas *claves* (llaves) en la interpretación bíblica. Es como las llaves para una cerradura literal: si la llave (clave) funciona —si nos ayuda a sacar el sentido de la profecía— todo está bien; utilízala. Si la llave no entra —si no tiene sentido en esa profecía en particular— no trate de forzarla sino recházala en esta profecía.

Una clave importante para abrir varias profecías *de tiempo* se encuentra en Ezequiel 4:6: "Cada día por un año". Algunas profecías de tiempo, sí, tienen que tomarse literalmente, como la profecía de Jeremías de la cautividad de 70 años. La profecía de 70 semanas, de Daniel 9, por el otro lado, sencillamente no fue cumplida —si una interpretación literal es forzada sobre ella. La mayoría de los creyentes, incluyendo los futuristas, toman esta profecía figurativamente, aplicando la regla de día-por-año. En esta manera Daniel 9, sin duda, llega a ser una de las profecías más potentes de las Escrituras. La próxima porción de este libro, "Segunda Sección: La Gran Tribulación del Año 70 d.C.", examina la profecía de las setenta semanas muy profundamente. El Capítulo 6, "Jesús Cumplió el Programa de Dios a Tiempo", aplica la regla de día-por-año para determinar las fechas exactas envueltas en el cumplimiento de la profecía de las setenta semanas.

Ambos: Literal y Figurativo

El futurismo hoy día está buscando un cumplimiento futuro literal de muchas profecías que ya han sido cumplidas figurativamente. La interpretación futurista parece ser como la mujer samaritana que tuvo dificultad con entender que Jesús no hablaba de agua literal. Parece que el futurismo no comprende que el mismo Jesús que es espiritualmente una puerta, un pastor, y espiritualmente un cordero pueda ser también un rey espiritualmente. La interpretación futurista no parece entender que las mismas personas que son espiritualmente el cuerpo de Cristo y espiritualmente la familia de Dios sean también espiritualmente el templo de Dios y espiritualmente el reino de Dios.

Esto no significa que toda la profecía se debe interpretar figurativa o espiritualmente. Sin embargo, *sí* significa que los cumplimientos figurativos y espirituales tienen que ser tomados en serio. No significa que podemos encerrarnos en un modo de "figurativo solamente", en la misma manera que no podemos encerrarnos en un modo de "literal solamente". Claramente algunas profecías se deben interpretar literalmente, e igual de claro, otras profecías se deben interpretar figurativamente. Cuando se examina una profecía específica, no se debe tener prejuicio ni por lo literal, ni por lo figurativo. A través de la historia, Dios nos ha hablado en ambos modos.

Jesús parece haber reconocido las dificultades que algunas personas tendrían al aceptar una interpretación figurativa de una profecía. Con relación a la profecía acerca de Elías analizada anteriormente, Jesús les dijo a sus discípulos: "Porque todos los profetas y la ley profetizaron hasta Juan. Y *si queréis recibirlo,* él es Elías, el que había de venir" (Mateo 11:13-14, itálicas mías). Jesús estaba advirtiendo a Sus discípulos —de aquel entonces y de ahora— que aceptar una interpretación no literal requiere una disposición de nuestra parte. Jesús estaba advirtiéndonos el hecho de que la interpretación literal no es siempre la interpretación correcta; no es siempre lo que Dios tenía en mente. El estudiante de la Palabra de Dios tiene que tener una mente abierta y un corazón dispuesto para aceptar la evidencia en cada caso. Empieza con lo literal, sí, pero donde la evidencia pide una interpretación figurativa-simbólica-espiritual, acéptela.

Cuidado:

"El simple todo se lo cree; Mas el avisado mira bien sus pasos." (Proverbios 14:15)

"Examinadlo todo; retened lo bueno." (1 Tesalonicenses. 5:21)

Ellos escudriñaron "cada día las Escrituras para ver si estas cosas eran así." (Hechos 17:11)

No crea este libro o cualquier libro a menos que lo compruebe con las Escrituras.

Segunda Sección

La Gran Tribulación del Año 70 d.C.

Capítulo 4

¿Cuál Tribulación?

¿Pasarán los cristianos la Tribulación? ¿Comenzará la Tribulación dentro de diez años? Tales preguntas populares presentan un problema. El problema no es que alguien pueda recibir contestaciones equivocadas. El problema es que las preguntas en sí pueden estar equivocadas. ¿"La Tribulación"? ¿Cuál tribulación?

El Punto de Vista Popular de la Tribulación

La creencia popular futurista hoy día es que la Tribulación tomará lugar en el futuro cercano por un período de siete años. Se cree que será el peor período de sufrimiento que el mundo jamás conocerá. Muchos piensan que la iglesia no sufrirá durante la Tribulación porque el Rapto ocurrirá primero.

El reclamo común del futurismo es que grandes porciones de la profecía bíblica serán cumplidas en la Tribulación venidera. Iguala este período con la semana final de la profecía de las setenta semanas de Daniel. Afirma que Mateo 24, Marcos 13, y 2 Tesalonicenses 2 serán todos cumplidos en ese breve período venidero. Enseña que todos los eventos terribles en el libro de Apocalipsis desde el capítulo 6 hasta el capítulo 18 serán cumplidos durante ese período de siete años.

La pregunta que pocas personas hacen es, "¿Cuál tribulación?" Un estudio cuidadoso de la Biblia revela que no existe tal cosa como una sola Tribulación.

"Muchas Tribulaciones"

"Tribulación" no es una palabra que la mayoría de nosotros utilizamos frecuentemente, pero tampoco es una palabra extraña ni técnica. Sencillamente significa gran aflicción, opresión, o sufrimiento. "Tribulación" en su forma singular se encuentra veinticinco veces en el Nuevo Testamento.[1] El plural se encuentra doce veces adicionales. Estos textos hacen referencia a grandes sufrimientos en muchos tiempos y lugares diferentes.

Pablo y Bernabé lo hicieron claro a los nuevos cristianos en el área que ahora es Turquía: "Es menester que pasemos por muchas tribulaciones para entrar en el reino de Dios" (Hechos 14:22). "Menester... muchas". En 2 Tesalonicenses 1:4 Pablo habla de "todas vuestras persecuciones y tribulaciones que soportáis". "Todas vuestras... tribulaciones".

Es un error pensar que la tribulación no puede tocar a los cristianos. El mensaje del evangelio no es uno que promete una vida de sosiego. La tribulación no es un período definido en nuestro futuro. La tribulación puede venir frecuentemente a los seguidores de Cristo.

"Sí", el futurismo dice, "pero cuando hablamos de 'la Tribulación', tenemos en mente a 'la Gran Tribulación'". Realmente "gran tribulación" es un tema en sí y merece un estudio más largo. El Capítulo 8, "Tres Grandes Tribulaciones", demostrará que la Biblia utiliza el término "gran tribulación" solamente tres veces proféticamente. Además, la Biblia nunca utiliza esta expresión para referirse a un período de siete años en nuestro futuro.

Varios Puntos de Vista Premilenaristas

El premilenarismo futurista se divide en tres campos basados en el tiempo del Rapto con relación a la Tribulación: pretribulacionismo, medio-tribulacionismo, y pos-tribulacionismo. El pre-tribulacionismo es el grupo más grande y más popular. Este punto de vista es *pre*-milenarista porque mantiene que

Jesús vendrá a la tierra *antes de* un milenio literal. Es *pre*-tribulacionista porque mantiene que la venida de Cristo en el Rapto ocurrirá *antes de* la Tribulación. Así, creen que los eventos toman lugar en este orden: el Rapto, la Tribulación, la Segunda Venida, y finalmente el Milenio. Puesto que éste es el punto de vista más popular, es el punto de vista que se discute aquí.

Hal Lindsey explica la dificultad que enfrentan los tres campos:

> Como un ejemplo el Dr. Gundry [un pos-tribulacionista] repetidamente dice que el pre-tribulacionismo se basa mayormente en argumentos de inferencia y de silencio. Hasta cierta medida esto es cierto. Pero este es el gran punto: *Todos* [itálicas por Lindsey] los puntos de vista se han desarrollado hasta cierto grado basado en argumentos de inferencia y silencio.
>
> La verdad del asunto es que ni el pos- ni el medio- ni el pre-tribulacionista puede señalar ni un solo versículo que diga claramente que el rapto ocurrirá antes de, a mitad de, o después de la tribulación.[2]

Será beneficioso examinar estas inferencias para determinar si en verdad son justificadas o si son contrarias a la Biblia.

¿Son Los Cristianos Protegidos de la Ira?

Una inferencia común mencionada por varios maestros del futurismo (pre-tribulacionista-premilenarismo) es más o menos así: La tribulación es un tiempo de ira. Dios prometió liberar a los cristianos de la ira. Por tanto, el Rapto sacará a los cristianos del mundo antes de la Tribulación. Dos textos principales que se usan como prueba son: 1 Tesalonicenses 1:10 y 5:9:

> Y esperar de los cielos a su Hijo, al cual resucitó de los muertos, a Jesús, quien nos libra de la ira venidera… Porque no nos ha puesto Dios para ira, sino para alcanzar salvación por medio de nuestro Señor Jesucristo.

La presunción que no se ha probado en este argumento popular es que cuando estos textos hablan de "ira", hacen referencia a una tribulación futura de siete años en la tierra.

El argumento presume lo que hay que probar. La ira se menciona en muchos distintos contextos desde Génesis hasta Apocalipsis. Es otra palabra genérica como tribulación, que de ninguna manera se limita a un evento o un período exclusivo. Ira es sencillamente gran enojo. En cualquier situación, la ira de una persona puede causar la tribulación de otra persona, pero cada situación individual tiene que examinarse para aprender el tiempo, el lugar y las personas envueltas en esa tribulación o ira en particular.

Los textos citados arriba indican que los santos son protegidos de la ira. Sí, pero tenemos que preguntar de qué ira son protegidos. Los cristianos ciertamente no son protegidos de toda ira. Moisés, un santo bajo el antiguo pacto, experimentó la ira de Faraón (Hebreos 11:27). Jesús experimentó la ira de los Nazarenos (Lucas 4:28-29). Los cristianos del primer siglo sufrieron la ira de los paganos de Éfeso (Hechos 19:28). El libro de Apocalipsis habla de creyentes verdaderos que sufren la ira de Satanás (12:12; 14:8; y 18:3). Claramente, los seguidores de Dios no son protegidos de toda ira.

Aparte de tales ejemplos de ira, es verdad que la mayoría de las treinta y seis veces que "ira" se menciona en el Nuevo Testamento, tiene referencia a la ira de Dios. La pregunta permanece: cuando las Escrituras hablan de que los cristianos son protegidos de la ira futura, ¿a cuál ira se refiere? En vez de meramente siete años de ira, ¿podría ser una protección de la ira eterna de Dios? Varios textos claramente señalan la ira eterna de Dios sobre los perdidos —en contraste con la vida eterna para los redimidos.

Juan 3:36 dice: "El que cree en el Hijo, tiene vida eterna; mas el que rehúsa creer en el Hijo, no verá la vida, sino que la ira de Dios permanece sobre él". Así que Jesús hace un contraste entre la ira de Dios y la vida eterna. Es un paralelo claro a tales textos como Mateo 25:46: "E irán éstos al castigo eterno, mas los justos a la vida eterna".

De la misma manera, Romanos 2:7-9 hace un contraste entre los que, por un lado, reciben "ira… enojo… tribulación y angustia", y los que, por otro lado, reciben "vida eterna". Dos grupos: uno perdido, otro salvado; uno va a perecer, otro va a vivir; uno va a sufrir eternamente la ira de Dios y otro va a disfrutar la vida eterna.

Después de considerar tales versículos, nunca podemos presumir que un versículo que hable acerca de "ira" hable de un supuesto período futuro de siete años. Es mucho más probable que tales pasajes hablen de la ira eterna, también llamada "la muerte segunda", "el lago de fuego", y "el infierno". Esta es la ira de la cual Jesús nos salva por Su muerte en la cruz.

¿Está Ausente la Iglesia desde Apocalipsis capítulo 4 hasta el 18?

Hay otra inferencia mencionada frecuentemente por la cual los pre-tribulacionistas llegan a la conclusión de que "el Rapto" sucederá antes de la Tribulación. La interpretación futurista enseña que Apocalipsis capítulos 6 al 18 hablan de una tribulación futura durante siete años. Ellos argumentan que la iglesia no está presente en todos estos capítulos, sino que fue quitada en el Rapto al principio del Capítulo 4. John Walvoord, quien era presidente de "Dallas Theological Seminary" por treinta y cuatro años, y es un portavoz principal para este punto de vista, escribe:

> La palabra 'iglesia,' que es prominente en los capítulos 2-3, no reaparece sino hasta el 22:16 aunque la novia se menciona en el 19:7, que sin duda es una referencia a la iglesia. La ausencia total de toda referencia a la iglesia, y de todo sinónimo de la palabra iglesia en los capítulos 4-18 es altamente significativa.[3]

Hay que escudriñar esta declaración cuidadosamente. El Sr. Walvoord tiene razón al indicar que la palabra "iglesia(s)" no aparece en los capítulos 4-18. También tiene razón al aceptar "novia" ("esposa") en 19:7 como una referencia a la iglesia. (Algunas versiones leen "esposa" en vez de "novia".) Sin embargo, su declaración de que "la ausencia total de toda referencia a la iglesia, *y de todo sinónimo* de la palabra iglesia en los capítulos 4-18" requiere investigación cuidadosa (itálicas mías). Sí, la palabra específica "iglesia" está ausente. Sin embargo, él mismo dice que la novia es una referencia a la iglesia y reconoce la validez de sinónimos de la iglesia. Por tanto, basado en sus propios argumentos, la ausencia total de la palabra precisa "iglesia" no es de ninguna manera el equivalente de una ausencia total de cualquier referencia a la iglesia en estos capítulos.

El Sr. Walvoord correctamente acepta "novia" ("esposa") como una referencia a la "iglesia". Esto hace claro que no considera que la iglesia sea un edificio como muchas personas creen. Más bien, él correctamente entiende que la iglesia de Jesús se compone de personas, en este caso colectivamente llamada la novia o esposa del Cordero. ¿Qué estudiante de las Escrituras no sabe que hay muchos términos en el Nuevo Testamento que hacen referencia a la iglesia? —novia y esposa son unos de los términos menos comunes. Hay términos como cristianos, cuerpo de Cristo, discípulos, familia de Dios, y santos. Estos términos hacen referencia a la iglesia tanto como a un cuerpo colectivo como a los individuos que forman ese cuerpo.

En el Nuevo Testamento, los santos no son individuos muertos a los cuales oramos para que hagan milagros. En todo el Nuevo Testamento excluyendo Apocalipsis, los santos mencionados casi siempre son cristianos en la tierra, la iglesia de Jesucristo. La equivalencia entre iglesia y santos, como también la definición de santos, se ve en 1 Corintios 1:2: "a la *iglesia* de Dios que está en Corinto, a los *santificados* en Cristo Jesús, llamados a ser *santos"* (itálicas mías). Luego en la misma epístola, Pablo hace mención de "todas las iglesias de los santos" (14:33). En 15:9 él dice, "perseguí a la iglesia", mientras que en Hechos 26:10 él dice, "Yo encerré en cárceles a muchos de los santos". Encerrar a los santos en la prisión era igual a perseguir a la iglesia. El futurismo mismo claramente entiende que la iglesia se compone de santos —uno de sus argumentos fuertes a favor del Rapto es el contraste entre Jesús venir "por los santos" y Su venida "con los santos". El futurismo enseña que Jesús vendrá por los santos en el tiempo del Rapto de la iglesia. Enseña que Jesús vendrá con los santos cuando Él regrese a la tierra con la iglesia. En ambos casos, el futurismo claramente hace equivalente los santos con la iglesia. (Para más información sobre "por los santos" y "con los santos", ver el Capítulo 15, "El Rapto".)

En el libro de los Hechos y en las epístolas, el término "santos" (plural) se encuentra en cincuenta y nueve versículos. ¿Quién argumentaría que, en casi todos estos textos, los santos mencionados son los miembros de la iglesia de Jesucristo? Cuando el libro de los Hechos y las epístolas hacen referencia a los santos, casi siempre hacen una "referencia a la iglesia".

Con esto en mente, vamos a los capítulos en cuestión —Apocalipsis 4 al 18. Aquí leemos de "las oraciones de todos los santos" (8:3-4), "la paciencia y la fe de los santos" (13:10), y la gran ramera "ebria de la sangre de los santos" (17:6). En total, el término "santos" se encuentra trece veces en estos capítulos. Esto es más veces que las que la palabra "santos" se encuentra en el libro de los Hechos o cualquier epístola individual. Por consecuencia, con estas trece referencias directas a santos, hay que presumir que *sí* se hace referencia a la "iglesia" en Apocalipsis 4 al 18. De hecho, en Apocalipsis 19:7-8 donde la novia/esposa se menciona, se nos dice: "han llegado las bodas del Cordero, y su esposa se ha preparado. Y a ella se le ha concedido vestirse de lino fino, limpio y resplandeciente; porque el lino fino es las acciones justas de los santos". El futurismo acepta la esposa como la iglesia, y este texto, inmediatamente después de los capítulos en cuestión, demuestra que la esposa/iglesia se compone de los santos. Sencillamente, no hay nada de verdad en el reclamo del futurismo de que hay una "ausencia total" de "todo sinónimo de la palabra iglesia" en Apocalipsis 4 al 18.

¿Tiene Jesús Dos Cuerpos?

La escritura proclama que hay "un solo cuerpo" (Efesios 4:4). En contraste a esta doctrina, la presunción falsa de que Apocalipsis 6 al 18 hace referencia a una tribulación de siete años sin la presencia de la iglesia ha llevado a los futuristas a promover una enseñanza falsa que envuelve dos cuerpos. Apocalipsis 7:9-14 indica que multitudes serán salvos durante la gran tribulación. Puesto que la iglesia está supuestamente ausente, el futurismo se ve obligado a empujar un reclamo de que hay dos cuerpos de santos. El futurismo coloca a "santos de la iglesia" en un cuerpo de creyentes y a "santos de la Tribulación" en otro cuerpo de creyentes.

Según el futurismo:

1. "Los santos de la iglesia" son salvos de la ira, que es el equivalente de un futuro siete años de Tribulación.
2. "Los santos de la Tribulación" pueden sufrir ira y la sufrirán.
3. "Los santos de la iglesia" y "los santos de la Tribulación" son dos clases de santos, que forman dos cuerpos de almas salvadas.

Hay que mantener en mente que ninguna interpretación de la profecía es aceptable si contradice la clara doctrina del Nuevo Testamento.

Según las Escrituras ya citadas y otras que vienen a continuación:

1. Los santos de la iglesia son salvos de la ira eterna, *sin embargo,* sufren tribulación en este mundo.
2. Los santos de la tribulación no sufren la ira eterna de Dios.
3. Los santos de la iglesia *son* los santos de la tribulación. Jesús tiene un solo cuerpo.

Todos los Santos son Santos de la Tribulación

El futurismo falla al no distinguir entre ira y tribulación. Como hemos visto, la palabra "ira" en el Nuevo Testamento más a menudo se refiere a la ira de Dios contra los que le desobedecen. En contraste, la palabra "tribulación" en el Nuevo Testamento más a menudo se refiere a lo que los cristianos sufren a manos de los enemigos de Dios. Por ejemplo, en Mateo 24:9 Jesús dijo a Sus discípulos: "os entregarán a tribulación, y os matarán". En otro lugar, Él hace referencia a tiempos cuando "viene la tribulación o la persecución por causa de la palabra" (Marcos 4:17). Pablo dijo de sí mismo: "me esperan cadenas y tribulaciones" (Hechos 20:23). De hecho, veintisiete de las treinta y siete veces que se encuentra en el Nuevo Testamento, "tribulación" hace referencia a persecución, aflicciones, y sufrimiento experimentado por los seguidores fieles de Jesucristo. Es un gran error, por tanto, considerar que la ira sea equivalente a la tribulación. La enseñanza de las Escrituras sobre la protección de los cristianos de la "ira venidera" no tiene nada que ver con los cristianos ser protegidos de la tribulación en la tierra. Como hay que hacer con todas las palabras, cada texto que menciona ira o tribulación tiene que ser estudiado en su propio contexto para aprender exactamente el tema de ese texto.

Pablo escribe en 2 Tesalonicenses 1:4: "tanto, que nosotros mismos nos gloriamos de vosotros en las iglesias de Dios, por vuestra paciencia y fe en todas vuestras persecuciones y tribulaciones que soportáis". En Apocalipsis 2:9 se habla de la tribulación de la iglesia en Esmirna: "Yo sé tus obras, y tu tribulación, y tu pobreza (pero eres rico)".

Muy lejos de enseñar que Dios no permitirá que los cristianos pasemos por tribulación, la Palabra enseña que la tribulación puede ser hasta beneficiosa espiritualmente, independientemente de cuál sea su origen: "Y no sólo esto, sino que también nos gloriamos en las tribulaciones, sabiendo que la tribulación produce paciencia; y la paciencia, carácter probado; y el carácter probado, esperanza" (Romanos 5:3-4). La tribulación puede desarrollar el carácter cristiano en nosotros, si estamos dispuestos a recibir estos resultados. En Romanos 12:12 nos manda a ser "sufridos en la tribulación." La tribulación nos ayuda a crecer en Cristo, si lo permitimos.

Jesús Lo Prometió

Jesús no sólo caminó en el sendero del sufrimiento, Él prometió lo mismo para nosotros. "Estas cosas os he hablado para que tengáis paz en mí. En el mundo tendréis aflicción; pero tened ánimo, yo he vencido al mundo" (Juan 16:33). "En el mundo tendréis aflicción (tribulación)". Jesús lo dijo y eso lo resuelve.

La parábola de Jesús del sembrador se puede considerar una profecía generalizada de lo que sucederá mientras se predica el evangelio. Considere la semilla sembrada en pedregales. "Cuando viene la tribulación o la persecución por causa de la palabra, en seguida sufren tropiezo" (Marcos 4:17). Así que, los cristianos no deben sorprenderse cuando otros cristianos caen por causa de la tribulación. Al mismo tiempo nosotros mismos somos advertidos para que no caigamos de la misma manera. Los cristianos superficiales buscan una vida donde Dios resuelve todos sus problemas. Ellos esperan que la vida cristiana sea un éxtasis emocional continuo. Cuando los tiempos difíciles vienen por causa de servir a Dios, a menudo se dan por vencidos.

Los cristianos maduros, por otro lado, aprenden a manejar la tribulación con la ayuda del Salvador quien dio el ejemplo con todos Sus propios sufrimientos. Los cristianos maduros aprenden a crecer más allá de las murmuraciones y las quejas. Aprenden a decir con el apóstol Pablo:

> Sé vivir en escasez, y sé vivir en abundancia; en todo y por todo he aprendido el secreto, lo mismo de estar saciado de que tener hambre, lo mismo de tener abundancia que de padecer necesidad. Todo lo puedo en Cristo que me fortalece (Filipenses 4:12-13).

Las Escrituras nos dicen que debemos depender de nuestro "Dios... el cual nos consuela en todas nuestras tribulaciones, para que nosotros podamos consolar a los que están en cualquier tribulación" (2 Corintios 1:3-4).

Juan el Apóstol Estaba *en* la Tribulación

Juan, el apóstol, escribió el libro de Apocalipsis algunos veinticinco años después de la destrucción de Jerusalén. En ese tiempo estaba en el exilio por orden de Domiciano, el emperador romano. ¿Cómo veía él su situación?

> Yo Juan, vuestro hermano, y *copartícipe vuestro en la tribulación*, en el reino y en la paciencia de Jesucristo, estaba en la isla llamada Patmos, por causa de la palabra de Dios y el testimonio de Jesucristo (1:9, itálicas mías).

¡Juan dijo claramente que estaba "en la tribulación" y también "en el reino"! Desde el punto de vista de Juan, ni la tribulación, ni el reino quedaban a dos mil años en el futuro. Ya estaba en el reino. Ya estaba en la tribulación. Estas palabras introductorias ciertamente tienen una gran importancia en la interpretación correcta de la tribulación y el reino en el libro entero de Apocalipsis.

Sinónimos

El tiempo no da para discutir todos los textos del Nuevo Testamento que usan la palabra "tribulación", y mucho menos para discutir todos los textos que usan sinónimos de la tribulación. Un diccionario define la tribulación como "aflicción o sufrimiento que resulta de la opresión o la persecución".[4] A estas cuatro palabras (aflicción, sufrimiento, opresión, y persecución) se pueden añadir cuatro más: prueba, pena, problemas, y llevar la cruz. Estos ocho términos se relacionan estrechamente el uno al otro y a la tribulación. Todos ellos tienen que tomarse en cuenta para obtener un entendimiento adecuado de la enseñanza bíblica acerca de la tribulación. Por ejemplo: Pablo junta muchos términos parecidos con la tribulación en 2 Corintios 6:4-5: "nos recomendamos en todo a nosotros mismos como ministros de Dios, en mucha paciencia, en tribulaciones, en necesidades, en estrecheces; en azotes, en cárceles, en tumultos".

Pablo en 2 Timoteo 3:12 escribió: "Y en verdad todos los que quieren vivir piadosamente en Cristo Jesús padecerán persecución". Eso nos dice que una persona que no sabe por experiencia personal lo que quiere decir "padecer persecución", tampoco sabe lo que es "vivir piadosamente en Cristo Jesús". ¿Palabras fuertes? Pero son palabras del Espíritu Santo. El concepto de escapar de la tribulación es contrario a la letra y al espíritu de la Escritura.

Luego tenemos las bellas y poderosas palabras en Romanos capítulo 8:

> ¿Quién nos separará del amor de Cristo? ¿Tribulación, o angustia, o persecución, o hambre, o desnudez, o peligro, o espada? Como está escrito:
>
> 'Por tu causa somos muertos todo el día;
> Somos considerados como ovejas de matadero.'

> Pero en todas estas cosas somos más que vencedores por medio de aquel que nos amó (Romanos 8:35-37).

"Más que vencedores" en la tribulación. Nosotros hoy día, la iglesia, somos los santos de la tribulación. No debemos prometer a la gente que se puede aceptar a Jesús para ser raptado y escapar de la tribulación. Al contrario, debemos prometer a la gente que pueden ser más que vencedores en el mismo medio de la tribulación.

La Tribulación en los Siglos Pasados

La historia demuestra que en los tiempos de comodidad los cristianos pueden ser engañados fácilmente por la idea de que los cristianos no sufrirán tribulación. Sin embargo, tal actitud puede mantenerse sólo al hacer caso omiso a las horribles tribulaciones que los cristianos han soportado en los últimos veinte siglos. ¿Quién no tiene algún conocimiento de las persecuciones y tribulaciones soportados por los cristianos en los primeros tres siglos de la era cristiana? Comenzó con las persecuciones conducidas por los judíos incrédulos como se registra en el libro de Hechos. Siguió por manos del Imperio Romano desde el tiempo de Nerón hasta el tiempo de Diocleciano. El Capítulo 8, "Tres Grandes Tribulaciones", habla de la segunda 'gran' tribulación y cita la obra clásica de Philip Schaff *History of the Christian Church* (Historia de la Iglesia Cristiana). Schaff detalla algunos de los horrores sufridos por los cristianos temprano en el cuarto siglo, cuando Diocleciano intentó borrar el cristianismo de la faz de la tierra.

Luego, cuando la iglesia de Roma tenía poder absoluto en Europa, durante la Edad Oscura, la infame Inquisición fue instituida y siguió por siglos. Todos los "herejes" estaban bajo riesgo —un hereje era cualquier persona que estaba en desacuerdo con Roma. Las últimas dos secciones del Capítulo 14, "El 666: La Marca de la Bestia", documentan algunos detalles de este período infame de la historia de la iglesia cuando la tortura y la muerte dominaban sobre los enemigos de Roma.

Tribulación Verdadera

Famosa perspectiva de las ruinas del Coliseo de Roma para gladiadores y mártires cristianos

Use Su Imaginación

Visualiza tu padre, hija, esposa o esposo esperando indefensos en una de las celdas abajo. Visualiza leones hambrientos marcando pasos en otra celda. Visualiza su encuentro en el redondel. ¡No! ¡No puedes!

¡No! Es demasiado —demasiada tribulación; ¡pero es la clase de tribulación que la iglesia primitiva experimentó!

Vista dentro del Coliseo hoy día con pasadizos subterráneos expuestos

La Tribulación en el Siglo Veinte

Pero todas persecuciones similares son del pasado, ¿verdad que sí? No. Tan reciente como agosto del 1997, Selecciones del Reader's Digest publicó un artículo titulado "La Guerra Global contra los Cristianos". El autor comienza con tres ejemplos específicos: en la China una mujer asesinada; en Paquistán un hombre fusilado; en Bangladés un hombre golpeado —hasta quebrantarle una pierna. "¿Sus crímenes? Ser cristianos. Nunca antes han sido perseguidos tantos cristianos por sus creencias". Se hace mención de "tortura, esclavitud, violación, encarcelamiento, separación forzada de hijos y padres".[5] Los dos enemigos principales de los creyentes hoy día son los militantes musulmanes y los opresores comunistas. Pero el comunismo cayó cuando cayó el muro de Berlín, ¿verdad que sí? Trate de hacerles esa pregunta a los creyentes en la China hoy día.

La tribulación varía con el tiempo y el lugar. Hay creyentes en Cristo que están sufriendo gran tribulación hoy día, hasta la muerte. Aun en el "país libre" de los Estados Unidos de América aparenta haber un incremento en incidentes donde los individuos tienen problemas con las autoridades por hablar en el nombre de Cristo. También, no olviden que la tribulación cristiana puede ser tan sencilla como una burla. O, puede ser perder el trabajo por no mentir. Cualquier forma que tome, Dios nos ha advertido que la persecución y la tribulación son parte del camino cristiano.

Según la Palabra de Dios, la tribulación no se puede limitar a un período de siete años. Según la Palabra de Dios, la iglesia no puede escapar de la tribulación. Los santos no estaremos libres de pruebas, angustia, e ira hasta el fin del mundo y la llegada de la eternidad.

En el mundo tendréis aflicción (tribulación);
pero tened ánimo, yo he vencido al mundo

– Jesús

Capítulo 5

El Tiempo de los Judíos se ha Acabado

Porque habrá entonces gran tribulación, cual no la ha habido desde el principio del mundo hasta ahora, ni la habrá jamás. – Mateo 24:21

¡La imaginación se despierta! ¿De qué tiempo habla la Palabra de Dios? ¿Es presente o futuro? La única manera de averiguarlo es estudiar el contexto. El contexto inmediato es Mateo 24. Sin embargo, es de mucha importancia notar que, en este contexto, Jesús llama la atención a una profecía de Daniel. Un estudio profundo de Daniel 9 prepara al estudiante para un entendimiento mejor de esta "gran tribulación".

Los contextos, tanto de Daniel 9 como de Mateo 24, tratan con los hijos de Israel, los judíos. Algunas personas tienen unos sentimientos especiales a favor de este pueblo único, los judíos. Otras personas tienen sentimientos especiales en contra de ellos. Algunas personas creen que los judíos son el pueblo escogido de Dios. Otras personas quieren exterminarlos de la faz de la tierra.

¿Por qué están en el mundo los judíos? ¿Quiénes son? ¿De dónde vinieron? ¿Son los judíos la nación especial de Dios?

Ninguna Razón para Jactarse

Sin lugar a duda, la nación judía es la nación dominante, no sólo en Daniel 9, sino también en el Antiguo Testamento completo. Era el enfoque del trato de Dios con los hombres por dos mil años —desde el tiempo que Dios prometió a Abraham que una nación especial se levantaría de sus descendientes hasta los tiempos del Nuevo Testamento. Pero, ¿por qué se dio tanta atención a los judíos? ¿Fue porque Dios sencillamente quería bendecir especialmente a sólo una nación de todas las naciones de la tierra? ¿O tuvo Dios otro propósito en mente?

Al examinarla cuidadosamente, no podemos encontrar nada superior acerca de la nación judía en sí misma. La única razón que Israel sobresale en la Biblia y en la historia es porque la atención del Dios Todopoderoso se enfocó en ellos por dos mil años. De hecho, los judíos nunca hubieran existido sin la intervención especial de Dios. Considere los siguientes hechos:

Hecho número uno: para dar inicio a los hijos de Israel, Dios le prometió un hijo a una mujer estéril que ya había pasado la menopausia. Ella se rio a sus espaldas. A pesar de su reacción inicial, Sara tuvo relaciones con Abraham, y dio a luz un hijo. Fue sólo por el poder de Dios. Lea acerca de esto en Génesis 18 y 21.

Hecho número dos: los hijos de Israel salieron de la esclavitud en Egipto para llegar a ser una nación principal en el medio oriente. Esto sucedió, no obstante, solamente por medio de innumerables intervenciones de Dios. Desde las diez plagas en Egipto hasta la caída de Jericó y más allá, el poder de Dios fue la fuerza que los movía en todo tiempo.

A la medida que la nación judía creció y prosperó, no era en ninguna manera superior en sí misma. La grandeza de los judíos fue el resultado directo de la intervención continua de Dios. Con relación a su nivel de moralidad y espiritualidad, no habría suficiente tiempo para hacer una lista de todos los pecados de los Israelitas desde el día que salieron de Egipto hasta que Dios los envió en cautiverio. Desde el principio es claro que Dios no los bendijo por ser buenos: "Por tanto, has de saber que no es por tus méritos por lo que Jehová tu Dios te da esta buena tierra para tomarla; porque pueblo duro de cerviz eres tú" (Deuteronomio 9:6). Siglos después, en los primeros capítulos de la epístola a los Romanos, Pablo disertaba sobre la condición espiritual de todo el mundo. Después de bastante discusión, formuló esta pregunta: "¿Qué, pues? ¿Somos nosotros [los judíos] mejores que ellos [los gentiles]? En ninguna manera; pues ya hemos acusado a judíos y a gentiles, que todos están bajo pecado" (Romanos 3:9). Seamos judíos o gentiles, todos somos pecadores; todos necesitamos la misericordia y la gracia de Dios.

Estas verdades no son para sugerir que no ha habido personas buenas entre los judíos. Considere tales gigantes de la fe como Daniel, Ezequías, Ester, Natán, María, Pedro, y Pablo. Sin embargo, la nación judía en su conjunto llegó a ser especial y se quedó así solamente porque el Dios Todopoderoso la hizo especial. Una de las razones por la que Daniel 9 es tan importante es que predijo tanto el último propósito como el fin de esa relación especial.

Escogidos con el Mundo en Mente

Los judíos muchas veces eran miopes. El futurismo hoy día tiene la misma miopía a favor de los judíos. Piensa que la bendición de Dios hacia los judíos es un fin en sí mismo. Hace una distinción entre el plan de Dios para con los judíos y el plan de Dios para con la iglesia y todo el mundo. ¿Será esto lo que las Escrituras enseñan? ¿O trabajó Dios con los judíos, desde el principio hasta el final, porque Él tenía un plan mucho más grande en mente?

La realidad es que desde el principio el Dios Todopoderoso escogió a Israel pensando en todo el mundo. Cuando Dios por primera vez llamó a Abraham, le prometió, "haré de ti una nación grande". Pero añadió rápidamente, "serán benditas en ti todas las familias de la tierra" (Génesis 12:2-3). Más tarde, por mandato de Dios, Abraham estuvo dispuesto a hacer algo increíble sacrificando a su único hijo. Por causa de tal fe, Dios intervino y confirmó Su promesa: "En tu simiente serán benditas todas las naciones de la tierra" (Génesis 22:18).

¿Pero cómo serían benditas todas las naciones por la simiente de Abraham? ¿Sería por la nación que descendería de Abraham, Isaac, y Jacob (Israel)? O, ¿sería por medio del Mesías que sería descendiente de ellos? ¿Fue el plan de Dios enfocar en una sola nación para su propio beneficio? O, ¿decidió Dios enfocar en una nación —por un tiempo— con el propósito de usar esa nación para traer al mundo el Mesías y así bendecir a todas las naciones? Numerosas Escrituras nos dan las respuestas a estas preguntas vitales. Una de las más importantes es la profecía de Daniel de las setenta semanas (Daniel 9:24-27).

Dios Estableció un Límite de Tiempo

La profecía de las setenta semanas es una predicción de ciertos eventos que tomarían lugar en la nación de Israel. Esta profecía extraordinaria aún se atreve a predecir *¡cuándo!* El versículo 24 fija un límite de tiempo en cuanto al trabajo de Dios por medio de los judíos y Jerusalén, mientras que el versículo 25 fija el tiempo para la llegada del Mesías:

> Setenta semanas están determinadas sobre tu pueblo y sobre tu santa ciudad... Sabe, pues, y entiende, que desde la salida de la orden para restaurar y edificar a Jerusalén hasta el Mesías Príncipe, habrá siete semanas, y sesenta y dos semanas.

Siete más sesenta y dos son sesenta y nueve semanas. Es aproximadamente un año y cuatro meses. Pero, ¿sesenta y nueve semanas desde cuándo y hasta cuándo? Según el texto, las sesenta y nueve semanas comienzan con la orden para restaurar y edificar a Jerusalén. Terminan con la llegada del Mesías.

Daniel recibió esta profecía en el primer año de Darío, 538 a.C. Dos años después (536 a.C.), un monarca persa dio la primera orden para "restaurar y edificar a Jerusalén". Como resultado, los judíos comenzaron a regresar del cautiverio en Babilonia a Jerusalén. El proceso de reconstruir el templo y la ciudad de Jerusalén fue muy largo, unos cien años. En total, cuatro órdenes fueron pronunciadas con relación a la reconstrucción y restauración de Jerusalén y del templo. La orden final de un rey de Persia de restaurar y construir a Jerusalén se emitió en el año 444 a.C. El contar las sesenta y nueve (y las setenta) semanas tiene que comenzar en algún momento durante este período de casi cien años.

Hay los que quisieran hacernos creer que ellos interpretan toda profecía literalmente. Esto sencillamente no es cierto. ¡Nadie lo hace! Creyentes en Cristo, independientemente de su punto de vista con relación a la profecía, están de acuerdo en esto: no se puede tomar las sesenta y nueve (y setenta) semanas literalmente ¿Por qué? Porque el Mesías no vino sesenta y nueve semanas literales (dieciséis meses) después de ninguna de las cuatro órdenes de restaurar a Jerusalén. Nadie puede encontrar un cumplimiento de la profecía dentro de ese período de tiempo —ningún Mesías, nada. La verdad es que la Palabra de Dios, incluyendo la profecía, es similar a nuestro diario hablar. Está llena de lenguaje figurativo.

Hasta donde sea posible, tenemos que dejar que la Escritura misma nos dé las claves para las interpretaciones figurativas. Con relación a lapsos de tiempo, no hay mejor clave que la que Dios dio a Ezequiel, "computándote cada día por un año" (Ezequiel 4:6). Sesenta y nueve semanas son 483 días. Tomando la clave de día por año, 483 días llegan a ser 483 años. Si se comienza en el año 536 a.C., cuando la primera orden fue dada y se cuentan 483 años, se llega al año 53 a.C. Por otro lado, si se comienza en el año 444 a.C., cuando se dio la última orden, y se cuenta 483 años, se llega al año 39 d.C. Así, Daniel profetizó que el Mesías llegaría en algún momento entre 53 a.C. y 39 d.C. ¡El Mesías prometido ciertamente vino durante ese tiempo! Más cálculos y fechas relacionados con esta profecía serán examinados en detalle en el Capítulo 6, "Jesús Cumplió el Programa de Dios a Tiempo".

Los Judíos una Bendición

Un estudio de los años precisos que Daniel predijo es interesante y de valor. Sin embargo, de igual o más importancia es el reconocimiento de que antes de terminar el primer siglo d.C. Dios iba a trabajar en una manera muy especial con los judíos y su santa ciudad, Jerusalén —y todo en torno a la llegada y el trabajo del Mesías.

No es ningún secreto que Jesús fue judío, de la tribu de Judá, de la casa de David, un descendiente de Abraham. No es ningún secreto que la manera más importante en que los judíos han bendecido a las naciones es dándonos al Señor Jesucristo en la carne. A pesar de que los judíos muchas veces pensaron (y todavía piensan) que la esperanza mesiánica era sólo para ellos, no es ningún secreto que la esperanza mesiánica era y es la esperanza del mundo entero. ¡Jesús de Nazaret es el judío que es el Mesías —el Profeta, Sacerdote, y Rey —para todas las naciones de la tierra!

En setenta semanas (490 años), los judíos engendrarían, hablando humanamente, al Mesías exactamente como Daniel profetizó. ¿Qué lograría el Mesías? Eso es el tema del primer versículo de la profecía (9:24). Gabriel anunció a Daniel que Dios había reservado 490 años para cumplir Su trabajo más importante para la raza humana.

Gabriel le dijo a Daniel que Dios había apartado setenta semanas "sobre tu pueblo y sobre tu santa ciudad" (9:24). Quiere decir, que Dios tenía 490 años más para usar a los judíos. El profetizó que Dios, por medio de los judíos y Jerusalén, lograría cumplir seis metas vitales dentro del primer siglo de la era cristiana. El todopoderoso Dios, de hecho, cumplió esta maravillosa profecía. El cumplió Su palabra.

La Obra del Mesías Judío

Seis cosas se lograrían por medio de los judíos y Jerusalén (Daniel 9:24). Serían, de hecho, específicamente logradas por medio de su Mesías, el Príncipe (9:25). Entonces se quitaría la vida al Mesías (9:26).

> Setenta semanas están determinadas sobre tu pueblo y sobre tu santa ciudad, para acabar con las prevaricaciones, y poner fin al pecado, y expiar la iniquidad, para traer la justicia perdurable, y sellar la visión y la profecía, y ungir al Santo de los santos" (Daniel 9:24).

En los primeros tres asuntos, Daniel predice la solución al problema de "prevaricaciones", "pecado", e "iniquidad". Un siglo y medio antes, Isaías había profetizado lo mismo:

> Más él fue herido por nuestras transgresiones... y Jehová cargó sobre él la iniquidad de todos nosotros... Cuando haya puesto su vida en expiación por el pecado... habiendo él llevado el pecado de muchos, e intercedido por los transgresores (Isaías 53:5-6, 10, 12).

Con estas palabras, Isaías predijo el sacrificio supremo de Jesús en la cruz del Calvario. Para lograr esta gran limpieza, tenía que quitarse la vida al Mesías" (Isaías 53:8; Daniel 9:26). Estos dos grandes textos profetizan el mismo gran sacrificio de muerte.

Note que todos los seis asuntos que tenían que cumplirse eran espirituales por naturaleza. Los judíos tenían 490 años por delante. Durante ese tiempo serían utilizados por Dios para traer grandes bendiciones espirituales al mundo entero. Los primeros cuatro de los seis asuntos son doctrinas tan básicas que no hay que explicar mucho para verificar su cumplimiento.

Número Uno: "Para acabar con las prevaricaciones (transgresiones)".

> Y por eso es mediador de un nuevo pacto, para que interviniendo muerte para redención de las transgresiones que había durante el primer pacto, los llamados reciban la promesa de la herencia eterna" (Hebreos 9:15).

Número Dos: "Poner fin al pecado".

> Juan... vio a Jesús que venía hacia él, y dijo, "He ahí el Cordero de Dios, que quita el pecado del mundo (Juan 1:28-29).

> Nuestro viejo hombre fue crucificado juntamente con él, para que el cuerpo del pecado sea reducido a la impotencia, a fin de que no sirvamos más al pecado. Porque el que ha muerto, ha sido justificado del pecado (Romanos 6:6-7).

Predicho por Daniel

Cumplido por Cristo

"Setenta semanas están determinadas sobre tu pueblo y sobre tu santa ciudad:

- Para acabar con las prevaricaciones,
- Y **poner fin al pecado**,
- Y expiar la iniquidad,
- Para **traer la justicia perdurable**...
- se quitará la vida al Mesías, y no por él mismo...
- a la mitad de la semana hará **cesar el sacrificio y la ofrenda**."

- Dan. 9:24-27

"Cristo **murió por nuestros pecados**, conforme a las Escrituras."
- 1 Cor. 15:3

"Pero ahora, aparte de la ley, se ha **manifestado** la **justicia** de Dios, testificada por la ley y por los profetas."
- Rom. 3:21

"Pues donde hay perdón de éstas cosas [pecados], ya **no hay ofrenda** por el pecado."
- Heb. 10:18
(Dios rasgó el velo del templo en dos.)

A la mitad de la semana setenta, Jesús lo cumplió todo en el Calvario.

La tierra tembló; el sol se escondió.

El plan de las edades se cumplió.

¡Daniel 9 es historia gloriosa!

En la consumación de los siglos, [Jesús] ha sido manifestado una vez para siempre por el sacrificio de sí mismo para quitar de en medio el pecado (Hebreos 9:26).

Número Tres: "Expiar la iniquidad".

Jesucristo, quien se dio a sí mismo por nosotros para redimirnos de toda iniquidad (Tito 2:13-14).

Si confesamos nuestros pecados, él es fiel y justo para perdonarnos nuestros pecados, y limpiarnos de toda iniquidad (1 Juan 1:9).

Número Cuatro: "Traer la justicia perdurable".

Pero ahora, aparte de la ley, se ha manifestado la justicia de Dios, testificada por la ley y por los profetas [incluyendo a Isaías 53 y Daniel 9], la justicia de Dios por medio de la fe en Jesucristo, para todos los que creen en él... a quien Dios puso como propiciación por medio de la fe en su sangre, para mostrar su justicia... para que así como el pecado reinó en la muerte, así también la gracia reine por medio de la justicia para vida eterna mediante Jesucristo, nuestro Señor (Romanos 3:21-22, 25; 5:21).

Estos cuatro asuntos se pueden resumir en un versículo: "Cristo murió por nuestros pecados, conforme a las Escrituras" (1 Corintios 15:3). Estas Escrituras incluyen Isaías 53 y Daniel 9.

Sellar la Visión y la Profecía

Los últimos dos asuntos de los seis son más difíciles de entender. Están abiertos a varias interpretaciones, y, por lo tanto, requieren un estudio más profundo.

Número Cinco: "Sellar la visión y la profecía". La palabra sellar puede significar fijar un sello para autenticar o establecer aprobación oficial. (Ester 8:8 es un ejemplo en los tiempos antiguos.) Aun hoy día, ciertos documentos requieren sellos para que tengan fuerza legal. Por otro lado, "sellar" puede significar tapar y cerrar. El sello puede ser simbólico y autoritario por naturaleza como cuando la tumba de Cristo fue sellada. Por otro lado, puede ser físico por naturaleza, como usar un pegamento o una cinta adhesiva para cerrar y sellar una cosa. (Job 41:1, 15-17 describe cómo las escamas del leviatán estaban tan estrechamente selladas.)

¿Cuál es el significado en Daniel? ¿Dar aprobación *o* cerrar y sellar? No es una pregunta fácil. Posiblemente ambas están correctas. Recuerde que la profecía tiene que ver con el pueblo de Daniel, los judíos. Dios les otorgó 70 semanas de años, que tenían que terminar a más tardar durante el primer siglo después de Cristo. Para el primer siglo, la visión y la profecía judía tenían que ser autenticadas o cerradas. O ambas cosas. El cumplimiento clarifica que los dos eventos sucedieron.

En el primer siglo, el Profeta de profetas vino, y el Dios y Padre Todopoderoso puso Su sello de aprobación sobre "el Hijo del Hombre; porque a éste acreditó con su sello Dios el Padre" (Juan 6:27). Este sello de aprobación se expresó por el Padre desde el cielo cuando proclamó: "Tú eres mi Hijo amado; en ti he puesto mi complacencia" (Lucas 3:22).

Dios ha puesto Su sello de aprobación también en todos los profetas del Antiguo Testamento al cumplir sus profecías. Y como Jesús explicó a Sus apóstoles:

> ¡Oh insensatos, y tardos de corazón para creer en todo lo que los profetas han dicho! ¿No era necesario que el Cristo padeciera estas cosas, y que entrara en su gloria? Y comenzando desde Moisés, y siguiendo por todos los profetas, se puso a explicarles en todas las Escrituras lo referente a él (Lucas 24:25-27).

Así, la visión del Antiguo Testamento y la profecía se sellaron en el sentido de recibir el mejor sello de aprobación posible: el cumplimiento.

En adición, la visión y la profecía judía se sellaron al llegar a un fin. "Porque todos los profetas y la ley profetizaron hasta Juan" (Mateo 11:13). Estas palabras tienen un tono de finalidad. Juan el baptizador fue el último profeta de la nación judía. "Dios, habiendo hablado muchas veces y de muchas maneras en otro tiempo a los padres por los profetas, en estos últimos días nos ha hablado en el Hijo" (Hebreos 1:1-2). Juan hizo la preparación final para el Mesías, Jesús. Jesús fue el gran Profeta de "estos últimos días", el superior y final Mensajero de Dios para la edad final, la edad de la iglesia.

Por un tiempo limitado, hubo profetas menores en la iglesia del Señor. Pero estos últimos profetas no fueron profetas del Israel físico. Fueron profetas de la iglesia del Señor, sin tomar en consideración su nacionalidad. En la iglesia del Señor, "no hay judío ni griego" (Gálatas 3:28). El Israel físico dejó de ser el portavoz del mensaje de Dios al mundo.

La visión y la profecía judía fueron selladas en ambos sentidos. Fueron selladas con la aprobación divina por medio del cumplimiento de tantas profecías. Al mismo tiempo, fueron selladas y cerradas en el sentido de llegar a un fin. Esto no significa que todas las profecías del Antiguo Testamento se cumplieron en el tiempo de Cristo. Más bien, ninguna profecía nueva sería proclamada por la nación judía después de que Cristo ascendiera.

Ungir al Santo de los Santos

Número Seis: "Ungir al Santo de los santos". ¿Cuál cosa *santa* o qué persona *santa*? Ni aún los traductores están de acuerdo en cómo traducir la expresión al español. Se pueden encontrar tales traducciones como, "Santo de los santos", "el lugar santísimo", y "el Santísimo".

Ungir era muy común en los tiempos del Antiguo Testamento en una variedad de situaciones que envolvían tanto cosas y personas sagradas como cosas y personas comunes. La palabra "santísimo" por otro lado naturalmente tenía un uso restringido. ¿Cuántas cosas o personas pueden considerarse santísimas? "Santísimo" es una traducción común en los casos en que el texto hebreo usa la palabra "santo" dos veces corridas. Esto ocurre unos cuarenta y cinco veces en el Antiguo Testamento, con algunas variaciones gramaticales. Un estudio de estos cuarenta y cinco casos revela que la expresión siempre se utiliza para describir el tabernáculo (templo) o cosas directamente relacionadas con él. Se utiliza especialmente con relación a las ofrendas y los sacrificios, incluyendo ofrenda por el pecado y expiación. De vez en cuando, las cosas santísimas fueron ungidas. Todas las partes del tabernáculo eran ungidas como también los sacerdotes que ministraban allí.

La profecía de las setenta semanas predice la reconstrucción del templo, pero también predice la destrucción total del mismo templo algún tiempo después de la llegada del Mesías. Algunos creen que "ungir al Santo de los santos" predice el ungir ese templo reconstruido. Dicen que fue ungido por la presencia física de Jesús. Sin embargo, esto aparenta ser contrario a la realidad. A pesar de que Jesús sí enseñó en el templo y sí lo limpió dos veces, ésas eran situaciones temporeras. Cuando Jesús dio Su vida por nosotros en el Calvario, el velo del templo fue milagrosamente rasgado de arriba abajo. Muy lejos de ungir el templo en una forma especial, muy lejos de considerar ese templo santísimo, al rasgar el velo, Dios declaró que estaba terminado con ese templo.

Otros creyentes piensan que el ungir al Santo de los santos hace referencia al Espíritu Santo cuando llenó el templo del Nuevo Testamento, es decir, la iglesia. A pesar de que se pueden hacer varios argumentos a favor de este punto de vista, otros consideran que estos argumentos son deficientes. Están más a favor del tercer punto de vista, es decir, que ungir al Santo de los santos es una referencia a Jesús.

En este caso, el "ungir al Santo de los santos", en la misma manera de los primeros cinco asuntos en Daniel 9:24, encuentra su cumplimiento en la obra redentora de Cristo. Entre otras cosas, Jesús reemplazó las santísimas ofrendas por el pecado en el templo con el sacrificio de sí mismo. El libro de Hebreos está lleno de tal enseñanza:

> Todo sacerdote está día tras día ministrando y ofreciendo muchas veces los mismos sacrificios, que nunca pueden quitar los pecados; pero Cristo, habiendo ofrecido un solo sacrificio por los pecados, para siempre se ha sentado a la diestra de Dios (Hebreos 10:11-12).

Jesús es también el velo (10:20); Jesús es también el Sumo Sacerdote (9:11); Jesús es también la "propiciación" ("propiciatorio") (compare Hebreos 9:5 con Romanos 3:25 en el idioma griego). Jesús mismo, el Santísimo, reemplazó estas viejas cosas santísimas y las funciones del templo del antiguo pacto.

"Cristo" significa el ungido. La misma palabra en hebreo es "Mesías" (Juan 1:41). Cuando confesamos que Jesús es el Cristo, estamos confesando que Jesús es el Ungido. El apóstol Pedro explica que "ungió Dios con el Espíritu Santo y con poder a Jesús de Nazaret" (Hechos 10:38) después de Su bautismo por Juan.

La profecía de Daniel usa el término "Mesías" ("Cristo", "El Ungido") tanto en el 9:25 como en el versículo 26. Ningún creyente cuestionaría que Jesús es Santísimo. Al unir los dos conceptos parece natural considerar que "ungir al Santo de los santos" hace referencia a ungir a nuestro Santo Jesús, Él que también trajo el cumplimiento a los otros cinco asuntos predichos en Daniel 9:24.

El Tiempo de los Judíos se ha Acabado

Por sí solo, los judíos no son ni más ni menos importantes que cualquier otra nación. Dios nunca los escogió con la idea de que serían el único pueblo para recibir bendiciones especiales. Dios los trajo a la existencia para bendecir a todo el mundo. Esta bendición podría venir solamente por medio del Mesías prometido.

Más de cinco siglos antes de que viniera el Mesías, el ángel de Dios, Gabriel, le reveló a Daniel que los judíos, Jerusalén, y el templo tenían sus años contados. Habría solamente 490 años que quedarían para Dios completar Su propósito por medio de ellos.

Hacia el final de esos 490 años, el Mesías, de hecho, vino y se le quitó la vida para quitar el pecado del mundo. Después de que la iglesia del Mesías fue establecida firmemente y los judíos tuvieron suficiente oportunidad para arrepentirse y rendirse a Él, Dios utilizó los ejércitos romanos para destruir completamente su templo y su ciudad en al año 70 d.C. Los judíos que sobrevivieron fueron esparcidos a los cuatro vientos. Su tiempo determinado había llegado a su fin.

Ya que el Mesías ha venido para la salvación del mundo entero, "no hay judío ni griego". Los judíos ya tienen la misma oportunidad que todo el mundo. Como pueblo especial, ya han cumplido su propósito. Dios escogió a la nación judía para bendecirnos a usted y a mí. El cumplió Su promesa. Lo cumplió a tiempo.

Capítulo 6

Jesús Cumplió el Programa de Dios a Tiempo

¿Usted se puede imaginar la predicción de la llegada de un líder mundial varios siglos antes de su llegada? Imagínese predecir, no solamente su llegada, ¡sino también el año exacto de su llegada!

490 Años

La famosa profecía de Daniel de las setenta semanas (9:24-27) predijo la reconstrucción de Jerusalén y la llegada del Mesías, seguido por una segunda destrucción de Jerusalén. Si esto fuera la profecía total, sería suficiente para edificar nuestra fe. Pero, la profecía es aún más precisa. Cuando uno considera los elementos cronológicos de la profecía, ¡el alma rebosa de admiración!

Al comenzar, hay que descartar la idea de que las setenta semanas puedan ser literales (menos de un año y medio). Si uno insiste en una interpretación literal, la profecía sencillamente fracasa. Por eso es que todos los creyentes de la biblia aceptan alguna clase de interpretación figurativa.

Para descubrir cómo interpretar profecías de tiempo, los

estudiantes serios de la Biblia primeramente buscan claves en las mismas Escrituras. En este caso, la clave viene de Ezequiel. Dios le dijo a Ezequiel que se acostara en su lado izquierdo por 390 días y en su lado derecho por 40 días. ¿Por qué? "Yo te he fijado los años de su maldad por el número de los días... computándote cada día por un año" (Ezequiel 4:5-6).

Por tanto, "cada día por un año" es un sólido precedente bíblico para dar una interpretación figurativa en las profecías de tiempo. Esto no significa que esta "clave" se debe aplicar a cada profecía, sino que es una clave dada divinamente que se debe tomar en consideración cada vez que el significado literal de la profecía no tenga sentido.

Una semana tiene siete días. Siete días por setenta son 490 días. Según la clave, un día es un año. Por tanto, 490 días proféticos llegan a ser 490 años de calendario. Esta interpretación ofrece posibilidades reales.

Note lo que se dice de los diferentes períodos de tiempo en esta profecía. Los seis asuntos espirituales dados en Daniel 9:24 tenían que suceder dentro de las 70 semanas (490 años). Según el versículo 25, el Mesías tenía que venir en exactamente "siete semanas y sesenta y dos semanas". Al calcular según la regla de Ezequiel, 69 semanas llegan a ser 483 años (7+62=69; 69x7=483). Durante la última semana (7 años), un pacto sería confirmado. A la mitad de la "semana" los sacrificios cesarían. Todas estas cosas son profetizadas para que sucedan dentro de los 490 años.

Se mencionan dos asuntos adicionales en la profecía que podrían o no ocurrir durante los 490 años. El versículo 26 predice tanto la muerte del Mesías como la destrucción de Jerusalén. El texto introduce ambos eventos con estas palabras: "Y después de las sesenta y dos semanas". No especifica si "después" se refiere a la última semana o algún tiempo más tarde.

Para resumir: según las palabras de la profecía se requiere que muchos de los detalles sean cumplidos dentro de los 490 años. Sin embargo, las palabras usadas no requieren que todo suceda durante ese tiempo.

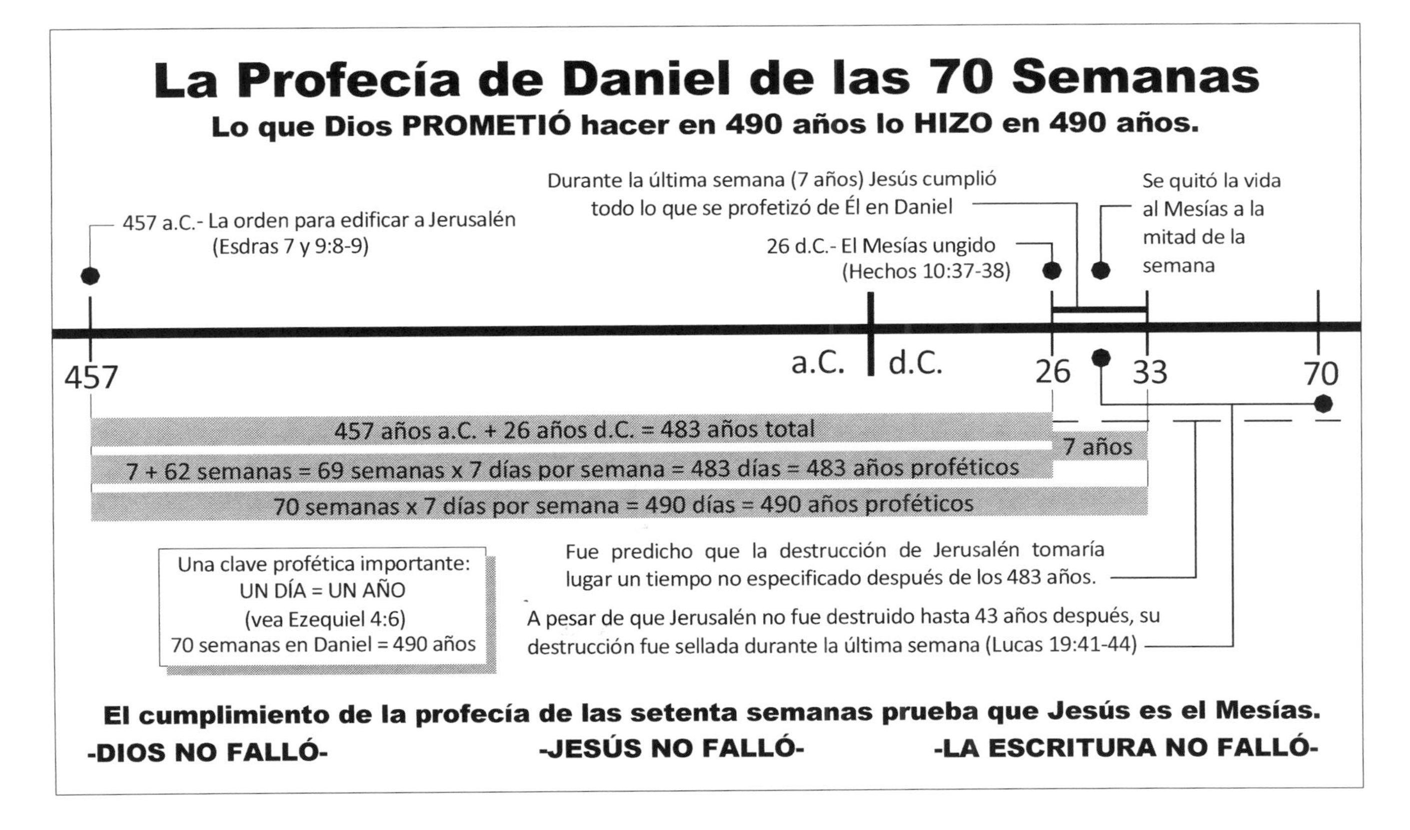
La Profecía de Daniel de las 70 Semanas
Lo que Dios PROMETIÓ hacer en 490 años lo HIZO en 490 años.
457 a.C.- La orden para edificar a Jerusalén (Esdras 7 y 9:8-9)
Durante la última semana (7 años) Jesús cumplió todo lo que se profetizó de Él en Daniel
26 d.C.- El Mesías ungido (Hechos 10:37-38)
Se quitó la vida al Mesías a la mitad de la semana
457
a.C.
d.C.
26
33
70
457 años a.C. + 26 años d.C. = 483 años total
7 años
7 + 62 semanas = 69 semanas x 7 días por semana = 483 días = 483 años proféticos
70 semanas x 7 días por semana = 490 días = 490 años proféticos
Una clave profética importante:
UN DÍA = UN AÑO
(vea Ezequiel 4:6)
70 semanas en Daniel = 490 años
Fue predicho que la destrucción de Jerusalén tomaría lugar un tiempo no especificado después de los 483 años.
A pesar de que Jerusalén no fue destruido hasta 43 años después, su destrucción fue sellada durante la última semana (Lucas 19:41-44)
El cumplimiento de la profecía de las setenta semanas prueba que Jesús es el Mesías.
-DIOS NO FALLÓ-
-JESÚS NO FALLÓ-
-LA ESCRITURA NO FALLÓ-

El Comienzo del Programa

Para contar un período de tiempo, tenemos que saber cuándo comenzar a contar. Gabriel le dijo a Daniel en 9:25:

> Desde la salida de la orden para restaurar y edificar a Jerusalén hasta el Mesías Príncipe, habrá siete semanas, y sesenta y dos semanas.

Como ya se ha visto, 7 más 62 son 69 semanas que son 483 días. Usando la clave día por año, 483 días llegan a ser 483 años. O sea, 483 años "hasta" el Mesías. ¿Comenzando cuándo? "Desde la salida de la orden para restaurar y edificar a Jerusalén".

Cuando Gabriel hablaba a Daniel, Jerusalén estaba totalmente en ruinas. Era el tiempo para los judíos regresar a su Tierra Prometida. Una orden sería dada "para restaurar y edificar a Jerusalén". Puesto que la Biblia registra varias órdenes así, necesitamos buscar la orden específica a la cual la profecía hace referencia.

La Primera Orden: 536 a.C.:

> En el primer año de Ciro rey de Persia... Ciro... hizo pregonar... diciendo, Así ha dicho Ciro rey de Persia: Jehová el Dios de los cielos me ha dado todos los reinos de la tierra, y me ha mandado que le edifique casa en Jerusalén, que está en Judá... Quien de entre vosotros pertenezca a su pueblo... suba a Jerusalén que está en Judá, y edifique la casa a Jehová, Dios de Israel (Esdras 1:1-3).

Esta orden tenía que ver con el templo, que era la parte más importante de Jerusalén. Esdras procede a hablar de este primer regreso y la construcción de los cimientos del templo. Sin embargo, cuando se desarrolló una oposición local, el próximo rey de Persia, mandó parar la construcción. La obra paró.

La Segunda Orden: 520 a.C.:

> Entonces el rey Darío dio la orden... Dejad que se haga la obra de esa casa de Dios; que el gobernador de los judíos y sus ancianos

reedifiquen esa casa de Dios en su lugar. Y por mí es dada orden... para reedificar esa casa de Dios; que de la hacienda del rey... sean dados puntualmente a esos varones los gastos, para que ofrezcan sacrificios agradables al Dios del cielo (Esdras 6:1, 7-8, 10).

Como en la primera orden, esta segunda orden tiene que ver con el templo. Darío, otro rey de Persia, dio el decreto para detener las fuerzas que se oponían. En esta ocasión la obra siguió. Completaron y dedicaron el templo, ayudados por los profetas Hageo y Zacarías en el año 516 a.C.

La Tercera Orden: 457 a.C.:

Esta es la copia de la carta que dio el rey Artajerjes al sacerdote Esdras... Artajerjes rey de reyes, a Esdras, sacerdote... Por mí es dada orden que todo aquel en mi reino, del pueblo de Israel y de sus sacerdotes y levitas, que quiera ir contigo a Jerusalén, vaya... Y tú, Esdras, conforme a la sabiduría que tienes de tu Dios, pon jueces y gobernadores que gobiernen a todo el pueblo (Esdras 7:11-13, 25).

Esdras más tarde reflexiona sobre las bendiciones de Israel:

Nuestro Dios... inclinó sobre nosotros su misericordia delante de los reyes de Persia, para que se nos diese vida para levantar la casa de nuestro Dios y restaurar sus ruinas, y darnos protección (una muralla) en Judá y en Jerusalén (Esdras 9:9).

Estos dos textos cubren muchas actividades para "restaurar y edificar" a Jerusalén. Hablan de establecer la ley y el orden local, y también de reedificar las ruinas del templo y de la muralla.

La Cuarta Orden, 444 a.C.:

En el año veinte del rey Artajerjes... [Nehemías] dije al rey... la ciudad, casa de los sepulcros de mis padres, está desierta, y sus puertas consumidas por el fuego... envíame a Judá, a la ciudad de los sepulcros de mis padres, y la reedificaré... Y agradó al rey enviarme (Nehemías 2:1, 3, 5-6).

Esta última orden de un rey de Persia tenía que ver con la

construcción de los muros de Jerusalén. Casi 100 años habían pasado después de la primera orden, y los muros todavía estaban en ruinas. Ahora, finalmente, Nehemías animó a la gente a reconstruir los muros.

¿Cuál Orden es el Punto de Partida?

¿Cuál de estas cuatro órdenes para "restaurar y edificar" a Jerusalén es la orden a que se refiere la profecía de Daniel? ¡No es una pregunta fácil! Hay los que favorecen una u otra de estas órdenes en particular basado en su concepto de la naturaleza de cada orden. Sin embargo, se debe notar que el templo, el gobierno, y los muros —todos están envueltos en la reconstrucción y la restauración completa de Jerusalén. Por tanto, las palabras de la profecía se pueden satisfacer siempre y cuando una de las órdenes llegue a ser el punto de partida.

La profecía de Daniel de las setenta semanas claramente predice tres eventos históricos importantes:

1. La ciudad y el templo serían restaurados y edificados.
2. El Mesías vendría.
3. La ciudad y el templo serían destruidos otra vez.

La profecía revela también que habría 483 días/años desde "la orden... hasta el Mesías".

Vamos a tomar el año de cada una de estas órdenes y sumarle 483 años para ver si hay algún cumplimiento. Recuerde que al contar un período de años que comienza antes de Cristo y termina después de Cristo, tenemos que sumar los dos números. Es parecido a comparar las temperaturas bajo cero y las temperaturas sobre cero. Si la temperatura estaba en cuarenta grados bajo cero y subió a veinticinco grados bajo cero, hay que restar para llegar a la nueva temperatura de quince grados bajo cero. Si la temperatura estaba en diez grados bajo cero y ahora subió a diez grados sobre cero, se suman los dos números. La temperatura ha subido veinte grados.

1. Al comenzar con el año 536 a.C. y al sumarle 483 años, llegamos al año 53 a.C. No hay Mesías en este año. No había llegado todavía.

2. Al comenzar con el año 520 a.C. y al sumarle 483 años, llegamos al año 37 a.C. Todavía no hay Mesías.

3. Al comenzar con el año 457 a.C. y al sumarle 483 años, llegamos al año 26 d.C. ¡Damos en el blanco para Jesús!

4. Al comenzar con el año 444 a.C. y al sumarle 483 años, llegamos al año 39 d.C. No hay Mesías en ese año tampoco. Había venido y se había ido ya para esa fecha.

Las primeras dos fechas son demasiado tempranas; la cuarta es algunos años tarde. Nadie sugiere un Mesías para estas tres fechas. Así que, la única fecha de las cuatro que queda para examinar es la tercera.

"Hasta el Mesías"

"Hasta el Mesías". Cuando Jesús fue bautizado, "descendió sobre él el Espíritu Santo en forma corporal, como una paloma, y salió del cielo una voz que decía: Tú eres mi Hijo amado; en ti he puesto mi complacencia" (Lucas 3:22).

Varios años después Pedro explicó el mismo evento en esta manera: "lo que se divulgó por toda Judea, comenzando desde Galilea, después del bautismo que predicó Juan: cómo ungió Dios con el Espíritu Santo y con poder a Jesús de Nazaret, y cómo éste pasó haciendo el bien" (Hechos 10:37-38). Pedro mencionó estos tres eventos en el siguiente orden:

1. El bautismo de Juan.
2. Jesús fue ungido por el Espíritu Santo.
3. El ministerio de Jesús.

Esto deja una sola explicación para la unción que Pedro menciona. Después de que Juan le bautizó, Jesús fue ungido con el Espíritu Santo, quien descendió sobre Él en forma de paloma.

¡Ungido! "Mesías" es la palabra hebrea para "ungido" y "Cristo" es la palabra en el idioma griego. El método normal de ungir era con aceite; pero, Pedro, inspirado, dijo que Jesús fue ungido con el Espíritu Santo. Esto significa, en un sentido real, que Jesús llegó a ser el Mesías/Cristo en ese momento.

Muchos de los eruditos hoy día colocarían el bautismo de Jesús en el año 26 d.C. Entre varias piezas de evidencia está la reconstrucción del templo de Jerusalén, que todavía estaba en progreso durante el ministerio de Jesús. Basado en la información de Josefo (historiador judío del primer siglo), Herodes el Grande comenzó su reconstrucción en el año 21-20 a.C. Según Juan 2:13-20, la primera pascua en el ministerio de Jesús fue 46 años más tarde, que sería la primavera del año 27 d.C. Esto colocaría el bautismo de Jesús hacia el final del año 26 d.C. para permitir tiempo para los eventos que ocurrieron entre Su bautismo y esa primera Pascua.

¡El año 26 d.C. es precisamente la fecha a la cual llegamos cuando comenzamos con la orden de 457 a.C.! Esta es más que una coincidencia interesante. ¡Es una predicción y cumplimiento absolutamente sorprendente! No deja lugar a duda de que Jesús de Nazaret es el Mesías prometido de Dios. No deja lugar a dudas de que el evangelio de Jesucristo es la única religión auténtica en todo el mundo. No deja lugar a dudas que Jesús logró lo que Gabriel dijo que se lograría dentro de 490 años. Es decir:

> Para acabar con las prevaricaciones y poner fin al pecado, y expiar la iniquidad, y para traer la justicia perdurable, y sellar la visión y la profecía, y ungir al Santo de los santos" (Daniel 9:24).

La Última Semana de Daniel

La última semana de Daniel (siete días/años) se señala en la profecía para que haya una atención especial. La última semana comienza con la llegada del Mesías. Es de conocimiento común que el ministerio de Jesús duró tres años y medio. Esta es la mitad de la semana profética. La profecía de Daniel no especifica cuándo se quitaría la vida al Mesías. Sencillamente dice que "después" de las siete más 62 semanas. Ahora podemos ver que se le quitó la vida exactamente a la mitad de la semana cuando Él murió en la cruz.

Con esto en mente, note la otra cosa que Daniel dice que tomaría lugar "a la mitad de la semana": "hará cesar el sacrificio y la ofrenda" (9:27). La muerte de Jesús en la cruz puso fin al sistema de sacrificios de la ley:

> Diciendo más arriba: Sacrificio y ofrenda, holocaustos y expiaciones por el pecado no quisiste, ni en ellos te complaciste (las cuales cosas se ofrecen según la ley)... quita lo primero, para establecer lo segundo. En la cual voluntad hemos sido santificados mediante la ofrenda del cuerpo de Jesucristo hecha una vez para siempre... porque con una sola ofrenda ha hecho perfectos para siempre a los que son santificados... porque después de haber dicho:
>
> Este es el pacto que haré con ellos
> Después de aquellos días, dice el Señor...
>
> añade:
>
> Y nunca más me acordaré de sus pecados e iniquidades
>
> Pues donde hay perdón de estas cosas, ya no hay ofrenda por el pecado (Hebreos 10:8-10, 14-18).

El hecho es que aquellos antiguos sacrificios y ofrendas todavía existían físicamente cuando se escribió el libro a los Hebreos; pero con relación a Dios, no tenían ningún significado en comparación con el sacrificio de Jesús.

Dios no sólo dijo esto por medio de su escritor inspirado; Él lo confirmó con acción. "Más Jesús... entregó el espíritu. Y he aquí, el velo del templo se rasgó en dos, de arriba abajo" (Mateo 27:50-51). El templo ya no era la casa de Dios. Los sacrificios del templo ya no tenían valor. El velo de tela se rasgó en dos porque Jesús llegó a ser el velo real —el Mediador entre el verdadero Lugar Santo y el verdadero Lugar Santísimo: "Así que, hermanos, teniendo entera libertad para entrar en el Lugar Santo por la sangre de Jesucristo, por el camino nuevo y vivo que él abrió para nosotros a través del velo, esto es, de su carne" (Hebreos 10:19-20). Por Su muerte, resurrección, y ascensión, Jesús hizo "cesar el sacrificio y la ofrenda". Lo único que quedaba era que físicamente se destruyera el templo pocos años después como prueba final de que el sistema antiguo de sacrificios ya no era válido. Había sido reemplazado por el sacrificio de Su amado Hijo.

El Pacto Confirmado

Antes de mencionar la mitad de la semana, Gabriel dijo que el Mesías "hará que concierte un pacto (confirmará el pacto) (hará un pacto) con muchos por una semana". Esta declaración trae a la mente la predicción de Jeremías de un nuevo pacto (Jeremías 31:31-34). Que Jesús trajo un nuevo pacto, no hay duda. En la última cena Él declaró: "porque esto es mi sangre del nuevo pacto, que va a ser derramada por muchos para remisión de los pecados" (Mateo 26:28).

Así que, parece fácil pensar en la confirmación del pacto por Jesús por la primera mitad de la semana, es decir, durante Su ministerio de tres años y medio. Pero, ¿qué hay de la segunda mitad —los tres años y medio después de Su ascensión? No debe haber dificultad en entender que Jesús siguió confirmando Su nuevo pacto por medio de la obra de los apóstoles después de Su ascensión. Pero, ¿por qué hacer referencia a solamente tres años y medio después de Su ascensión? ¿Qué evento concluye los tres años y medio y así las setenta semanas?

El evento no puede ser la destrucción de Jerusalén porque esto no sucedió hasta el año 70 d.C. Es poco probable que el evento sea la conversión del primer gentil, Cornelio, registrada en Hechos 10. Aunque no sabemos el año exacto, el libro de los Hechos coloca la conversión de Cornelio después de la conversión de Saulo de Tarso (Hechos 9). Los eruditos colocan la conversión de Saulo cerca del año 35 d.C., cinco años después de la muerte de Jesús en el año 30 d.C. Puesto que las conversiones de Cornelio y Saulo son muy tarde para cuadrar con la profecía, tenemos que buscar algún evento o condición significativa antes de Hechos 9.

La profecía había predicho, y Jesús había mandado, que el evangelio fuera predicado en Jerusalén (Joel 2:28-32; Lucas 24:46-49). La iglesia comenzó con tres mil almas y rápidamente creció con cinco mil hombres, todos judíos, en Jerusalén. Quién sabe cuánto tiempo los cristianos habrían quedado en Jerusalén si no hubiera sido por la gran persecución que vino después de que mataron a Esteban. Como resultado de esa persecución, todos los creyentes "fueron esparcidos por las regiones de Judea y de Samaria" (Hechos 8:1).

No sabemos la fecha exacta de la muerte de Esteban y la dispersión resultante. Sin embargo, tiene que haber sido alrededor del año 33-34 d.C., para permitir tiempo para la persecución de la iglesia por Saulo antes de su conversión cerca del año 35 d.C.

Según estos datos, esta dispersión de Jerusalén aparentemente tomó lugar justamente al final de las 70 semanas (490 años). Una gran parte de la profecía de las 70 semanas tiene que ver específicamente con Jerusalén. Aparentemente los tres años y medio son precisamente el tiempo que Dios había apartado para que el nuevo pacto fuera confirmado exclusivamente en Jerusalén y exclusivamente entre los judíos. Este fue el gran momento de Jerusalén. Muchos fueron convertidos antes de que los judíos, dirigidos por Saulo de Tarso, trataran de exterminar el nuevo mensaje.

En vez de exterminar el nuevo mensaje del evangelio, lo que hicieron fue causar que se expandiera más allá de Jerusalén. El primer lugar que se menciona donde se recibió la palabra fue Samaria. Los judíos odiaban a los samaritanos quienes eran una mezcla de razas. El apóstol Juan había querido mandar que descendiera fuego del cielo para consumir una aldea samaritana. Ahora, este mismo Juan impuso las manos sobre los samaritanos para que pudieran recibir el Espíritu Santo.

Se terminó el día de predicar el evangelio exclusivamente en Jerusalén y exclusivamente para los judíos puros y los prosélitos. Las 70 semanas habían terminado. El evangelismo mundial había comenzado. Jerusalén había tenido su oportunidad de oro. Muchos tomaron la oportunidad, y otros solamente sellaron la perdición de su ciudad.

La Desolación de Jerusalén

Esta perdición es el tema de una gran parte de la profecía de las 70 semanas. Esta perdición vendría "después" de las 69 (7+62) semanas. El lenguaje de la profecía requiere que el hecho de quitar el pecado suceda durante las 70 semanas. Requiere que el Mesías venga durante las 70 semanas. Requiere la confirmación del pacto durante la última semana. Sin embargo, no requiere que Jerusalén y el templo sean destruidos dentro de este tiempo. La profecía declara, "después". En ninguna manera se especifica cuánto tiempo después.

Sin embargo, no podemos dejar de notar que la perdición de Jerusalén fue, de hecho, sellada durante las 70 semanas. El rasgar el velo fue la prueba de que Dios había terminado con el templo. Además, los judíos proclamaron su propia perdición en el juicio de Jesús. "Y respondiendo todo el pueblo, dijo: Su sangre sea sobre nosotros, y sobre nuestros hijos" (Mateo 27:25).

Durante Su última semana, Jesús lamentó:

> ¡Jerusalén, Jerusalén, que matas a los profetas, y apedreas a los que te son enviados! ¡Cuántas veces quise juntar a tus hijos, como la gallina junta sus polluelos debajo de las alas, y no quisiste! He aquí que vuestra casa os es dejada desierta (Mateo 23:37-38).

"Vuestra casa". Ya no es "la casa de mi Padre". "Vuestra casa... desierta" nos coloca exactamente en Daniel 9 con "abominación... desolador". El rechazo de Jesús por los judíos durante la semana 70 aseguró que la desolación vendría; que no podría detenerse.

Mientras Jesús miraba a Jerusalén desde el monte de los Olivos,

> Lloró sobre ella, diciendo... Porque vendrán días sobre ti, cuando tus enemigos te rodearán con vallado, y te sitiarán... y no dejarán en ti piedra sobre piedra, por cuanto no conociste el tiempo de tu visitación (Lucas 19:41-44).

"No conociste el tiempo". ¡Rechazaron el tiempo de Dios! ¡Crucificaron a su Mesías! El destino de Jerusalén fue sellado en la semana número setenta.

¿Por Qué la Demora?

Cuando Jesús murió, los sacrificios del templo ya no tenían valor ante los ojos de Dios. Sin embargo, Dios les concedió al templo y a Jerusalén cuarenta años de gracia. Fue Jerusalén que crucificó a Jesús. Fue en las afueras de Jerusalén dónde Jesús resucitó de entre los muertos, y fue en Jerusalén dónde los apóstoles fueron bautizados con el Espíritu Santo. El evangelio tenía que comenzar en Jerusalén. El área del templo era un lugar importante de reunión para predicar el evangelio.

Así después de ser investidos de poder de lo alto, los apóstoles predicaron las buenas nuevas a los judíos que se habían reunido para la fiesta anual de Pentecostés. Estos judíos habían venido de todas partes del Imperio Romano (Hechos 2:8-11). "Porque de Sión saldrá la ley", escribió Isaías, "y de Jerusalén la palabra de Jehová" (Isaías 2:3). La iglesia del Señor necesitaba tiempo para establecerse. Los cristianos judíos necesitaban tiempo para entender la abolición de la ley.

Por causa del evangelio, Dios mostró gracia hacia Jerusalén por cuarenta años. Por causa de los judíos que abrirían sus corazones al Mesías, Dios le mostró gracia a Jerusalén por cuarenta años. Durante estos cuarenta años, Dios permitió que los sacrificios del templo continuaran, aunque ya no tenían ningún significado para Él. Sin embargo, el tiempo rápidamente se acercaba cuando Dios terminaría definitivamente esos sacrificios. No sólo serían una cosa del pasado en la mente de Dios, serían también una cosa pasada en la realidad histórica. Después de cuarenta años de gracia, Dios envió a los romanos para exterminar el sistema mosaico de sacrificios de la faz de la tierra. Dios envió a los romanos para poner fin definitivo a Jerusalén como Su lugar de morada.

Jesús Cumplió el Programa de Dios a Tiempo

El punto culminante de la profecía de Daniel es la semana número setenta. En la semana setenta el Mesías viene, Él trae salvación, y Él hace un pacto eterno con sus seguidores. Es el punto culminante de la historia de la humanidad. Es el momento en que Dios alcanza a la humanidad en un acto increíble de amor. ¡Las setenta semanas terminan en triunfo! La gran obra de redención se cumple. En la ciudad de Jerusalén miles de judíos creyentes nacen de nuevo para inaugurar el eterno reino de Dios.

El Mesías había venido justamente en el tiempo programado. Jesús de Nazaret entró en Su ministerio mesiánico al comienzo de la semana setenta, precisamente según el programa de Dios. Se le quitó la vida a la mitad de la semana, anulando el sistema mosaico de sacrificios, precisamente según el programa de Dios. La muerte de Jesús en la cruz trajo reconciliación y justicia precisamente según el programa de Dios. El tiempo para confirmar el pacto exclusivamente con los judíos en Jerusalén fue cumplido al final de la semana setenta, precisamente según el programa de Dios. Al mismo tiempo que los cristianos judíos salieron de Jerusalén para comenzar a predicar en todo el mundo, las setenta semanas para los judíos y Jerusalén terminaron. El evangelismo a nivel mundial había comenzado. ¡Sólo Dios podía hacer y predecir tal programa! ¡Sólo a través del Hijo de Dios podían cumplirse las predicciones!

Capítulo 7

"No Quedará Piedra sobre Piedra"

Los judíos ya no ofrecen sacrificios de animales como lo hacían hace muchos siglos. ¿Por qué? Porque no pueden. Dios mandó que los sacrificios se ofrecieran únicamente en el templo en Jerusalén. Los judíos no tienen templo. ¡Ellos no han tenido templo por diecinueve siglos!

Jesús lo Profetizó

El año 70 d.C. marcó el fin. Los ejércitos romanos bajo Tito aplastaron el magnífico templo y también la ciudad entera de Jerusalén. Cuarenta años antes de que sucediera, Jesús había profetizado que este evento que sacudiría la tierra sucedería:

> Cuando Jesús salió del templo y mientras iba de camino, se acercaron sus discípulos para mostrarle los edificios del templo. Él respondió y les dijo: ¿Veis todo esto? De cierto os digo, que no quedará aquí piedra sobre piedra, que no sea derribada (Mateo 24:1-2).

Estas asombrosas palabras fueron únicamente la introducción del discurso de Jesús sobre el futuro de Jerusalén y del templo. Entre otras cosas, señaló el hecho de que esta destrucción ya era el tema de una profecía anterior:

> Por tanto, cuando veáis en el lugar santo la abominación de la desolación, anunciada por medio del profeta Daniel (el que lea, entienda), entonces los que estén en Judea, huyan a los montes (Mateo 24:15-16).

Jesús así confirmó y añadió más detalles sobre la profecía hecha por Daniel seis siglos antes. De todos modos ¿cuál era la importancia del templo en Jerusalén?

La Ciudad Más Sagrada del Mundo

Jerusalén es una ciudad única porque hace miles de años ¡el Creador del universo la escogió como Su morada! Dios les dijo a los judíos por medio de Moisés:

> El lugar que Jehová vuestro Dios escoja de entre todas vuestras tribus, para poner allí su nombre para su habitación, ése buscaréis, y allá iréis. Y allí llevaréis vuestros holocaustos, vuestros sacrificios (Deuteronomio 12:5-6).

Quinientos años después —mil años antes de Cristo— Dios reveló Su elección al rey David. Pocos años después en la dedicación del templo en Jerusalén, el rey Salomón citó lo que Dios había dicho a su padre, David: "Mas a Jerusalén he elegido para que en ella esté mi nombre... tu hijo [Salomón] que saldrá de tus lomos, él edificará casa a mi nombre" (2 Crónicas 6:6, 9).

Fue Jehová Dios quien escogió a Jerusalén y el templo. Fue Jehová Dios quien decidió cuándo y cómo bendecir a Jerusalén y el templo. Fue el mismo Jehová Dios quien escogería cómo y cuándo castigar a Jerusalén y destruir el mismo templo que fue Su morada.

El Primer Templo Destruido

Aproximadamente doscientos cincuenta años más tarde, Ezequías llegó al poder. Fue uno de los mejores reyes que jamás tuvo Judá. Pero el hijo de Ezequías, Manasés, fue uno de los peores:

> Y puso [Manasés] una imagen de Aserá que él había hecho, en la casa de la cual Jehová había dicho a David y a Salomón su hijo: Yo pondré mi nombre para siempre en esta casa, y en Jerusalén, a la cual escogí de todas las tribus de Israel… *con tal que* guarden y hagan conforme a todas las cosas que yo les he mandado… Por cuanto Manasés rey de Judá ha hecho estas abominaciones… por tanto, así ha dicho Jehová el Dios de Israel: He aquí yo traigo tal mal sobre Jerusalén y sobre Judá, que al que lo oyere le retiñirán ambos oídos" (2 Reyes 21:7-8, 11-12, itálicas mías).

A pesar de que el nieto de Manasés, Josías, fue un rey muy bueno,

> Con todo eso, Jehová no desistió del ardor con que su gran ira se había encendido… Y dijo Jehová… desecharé a esta ciudad que había escogido, a Jerusalén, y a la casa de la cual había yo dicho: Mi nombre estará allí" (2 Reyes 23:26-27).

El desastre vino por manos del famoso rey de Babilonia, Nabucodonosor. Puede leer esto en 2 Reyes 24 y 25, y en 2 Crónicas 36. Las fuerzas de Nabucodonosor arremetieron contra Jerusalén cuatro veces. Se llevaron a las mejores personas de Judá a Babilonia. Se llevaron un sinnúmero de tesoros de oro, plata, y bronce, incluyendo todos los utensilios del templo. Mataron a multitudes, quemaron el templo y los palacios y derrumbaron los muros. Jerusalén quedó en ruina total.

La Restauración Había Sido Prometida

Puesto que el profeta Jeremías estuvo en Jerusalén, él fue testigo ocular de esta devastación. Él había dicho repetidamente al pueblo que tal devastación vendría sin lugar a dudas. Pero también dijo de antemano que después de setenta años Dios castigaría a los babilonios y regresaría a Su pueblo de la cautividad (vea Jeremías 25:1-12; 29:10-14).

Uno de los jóvenes de buen parecer que fue llevado cautivo a Babilonia fue Daniel. El conocía bien las profecías de Jeremías y alcanzó la vejez sin olvidarlas. Con el tiempo, los persas conquistaron a Babilonia. Daniel se dio cuenta de que este cambio político coincidía con el cumplimiento de los setenta años que Jeremías había predicho.

Era tiempo de orar con ayuno, con cilicio y cenizas. La oración de Daniel (Daniel 9:2-19) tiene tres temas principales. Primeramente: Dios es fiel y justo, y perdona. Segundo, Judá e Israel son pecadores malvados que merecen el castigo de Dios. Tercero, Daniel le ruega a Dios que recordara ahora la desolación de Jerusalén. En la última parte de la oración, Daniel habla con Dios de "tu ciudad", "tu santo monte", "tu pueblo", y "tu santuario". Estos son Jerusalén, Sion, Judá (Israel), y el templo. Los setenta años se cumplieron. Daniel anhelaba la restauración de Jerusalén y del pueblo de Dios.

Mientras Daniel oraba, el ángel Gabriel vino y le habló. Las palabras proféticas de Gabriel se encuentran en Daniel 9:24-27, la famosa profecía de las setenta semanas. No olvide la ocasión de esta gran profecía: Jerusalén está en ruinas, el templo no existe, y el pueblo de Judá está en cautividad.

La Profecía del Segundo Templo

Primero, note que esta profecía (Daniel 9:24-27) tiene que ver con "tu pueblo" y "tu santa ciudad". La profecía está conectada inseparablemente con la oración de Daniel. Segundo, note que se menciona "devastaciones", "abominación", "ruina", y "desolador". Estos términos conectan esta profecía con la profecía de Jesús en Mateo 24:15: "la abominación de la desolación anunciada por medio del profeta Daniel".

Gabriel explicó (Daniel 9:25): "Sabe, pues, y entiende, que desde la salida de la orden para restaurar y edificar a Jerusalén..." ¡Allí está! He aquí la contestación de la oración de Daniel. Esto es todo lo que él quería. Daniel quería que Dios recordara Su promesa de restaurar a Jerusalén después de setenta años. Dios no contesta directamente a Daniel con un "sí". Más bien, la contestación de Dios *presupone* una contestación de "sí". Utilizó el "sí" sencillamente como *punto de partida* para revelar eventos más grandes.

Daniel recibió más de lo que había pedido. Sí, Jerusalén sería reconstruida. Sin embargo, en adición, un día en el futuro distante, otra vez alguien "destruirá la ciudad y el santuario" (9:26). ¿Fue, por tanto, el deseo de Daniel inútil? ¿Por qué reconstruir a Jerusalén y el templo de Dios si van a ser destruidos nuevamente? Sin embargo, esto es exactamente lo que dijo la profecía. Jesús hizo referencia a esta parte de la profecía en Mateo 24 cuando dijo, "no quedará aquí piedra sobre piedra". El templo de Salomón había sido destruido por Nabucodonosor. Un segundo templo, de hecho, sería construido para reemplazar el templo destruido. Sin embargo, ese también sería destruido. ¡Así lo dijo Dios!

La Llegada del Mesías Prometido

La profecía de las setenta semanas predijo que el Segundo Templo acabaría como el Primer Templo. Si esto fuera la totalidad de esta profecía sería en verdad una imagen triste. Sin embargo, hay mucho más. Daniel preguntó acerca del templo, el Monte Sion, Jerusalén, e Israel. En realidad, ninguna de estas cosas de por sí son importantes. La cosa importante es que fueron medios por los cuales Dios traería al Mesías al mundo.

Gabriel le dijo a Daniel *cuando* el Mesías prometido vendría. Sin entrar en cálculos de fechas exactas, ¡el Mesías vendría en algún tiempo entre la construcción y la destrucción del Segundo Templo! Gabriel dijo: "Que desde la salida de la orden para restaurar y edificar a Jerusalén hasta el Mesías Príncipe, habrá siete semanas, y sesenta y dos semanas" (9:25).

Después de ese tiempo, "se quitará la vida al Mesías". (9:26). El mismo versículo añade que alguien vendría y "destruirá la ciudad y el santuario". El bosquejo histórico principal de la profecía es muy claro:

1. Una orden sería dada para reconstruir a Jerusalén.
2. El Mesías vendría y se le quitaría la vida (lo matarían).
3. El Segundo Templo y Jerusalén serían destruidos.

Gabriel reveló estas cosas en el año 538 a.C., el primer año del Imperio Persa. Jerusalén y el segundo Templo fueron destruidos en el año 70 d.C. por los romanos. El Mesías tenía que venir antes del año 70 d.C.

¡Y, de hecho, vino! "Pero cuando vino la plenitud del tiempo, Dios envió a Su Hijo" (Gálatas 4:4). Mientras Jesús comenzaba Su campaña de predicación, Él proclamó, "El tiempo se ha cumplido, y el reino de Dios se ha acercado; arrepentíos, y creed en el evangelio" (Marcos 1:15). Algunos creyeron. Muchos no creyeron.

Al tiempo que Su ministerio llegaba a su fin, Jesús se acercaba a Jerusalén en Su "entrada triunfal" rodeado por multitudes que alababan a Dios enérgicamente a favor de su Rey. Pero cuando Jesús vio a Jerusalén, lloró abiertamente sobre ella. El tiempo del Mesías había llegado, pero debido a que los judíos lo crucificarían dentro de una semana, la perdición de Jerusalén fue sellada:

> Y cuando llegó cerca, al ver la ciudad, lloró sobre ella, diciendo: ¡Si también tú conocieses, y de cierto en este tu día, lo que es para tu paz!... Porque vendrán días sobre ti, cuando tus enemigos... te derribarán a tierra... y no dejarán en ti piedra sobre piedra, *por cuanto no conociste el tiempo de tu visitación* (Lucas 19:41-44, itálicas mías).

El cumplimiento del tiempo había llegado. El tiempo para la llegada del Mesías. El tiempo para el Reino de Dios había llegado. Pero los judíos no reconocieron el tiempo. Jesús les dio muchas evidencias de que Él era el Mesías. La prueba culminante fue Su resurrección. Pero también otra gran prueba vino en el año 70 d.C. con la destrucción de Jerusalén y el Segundo Templo. Con esta destrucción Dios cerró la puerta sobre cualquier posibilidad futura de la llegada del Mesías. ¡Los judíos que hoy día todavía esperan a su Mesías deberían también quitar Daniel 9 de sus Escrituras! Daniel 9 para siempre prueba que están equivocados. El Mesías tenía que venir antes de la destrucción del Segundo Templo.

Jerusalén es Sitiada

Daniel y Jesús lo profetizaron. La historia secular lo registra. Muchas veces tenemos que buscar registros fuera de la Biblia para poder apreciar completamente la Biblia. La Biblia registra en detalle el cumplimiento de la profecía de que

Jerusalén sería reconstruida (vea los libros de Esdras y Nehemías). La Biblia registra en detalle el cumplimiento de la profecía de que el Mesías vendría y le quitarían la vida (vea los cuatro evangelios). Pero ¿qué de la profecía de que el Segundo Templo y todo Jerusalén serían arrasados después de la muerte del Mesías? La Biblia nunca registra el cumplimiento de esta profecía. Tenemos que buscar otras fuentes para encontrar la información.

Estamos especialmente endeudados con Flavio Josefo en este punto. Josefo fue un judío que nació siete años después de la muerte de Jesús. Algunos treinta años después, cuando el fervor de la guerra aumentó grandemente entre los judíos y los romanos, Josefo dirigió las fuerzas judías en Galilea. Cuando allí fue vencido, se rindió a Vespasiano, quien luego llegó a ser emperador en Roma. Vespasiano dejó a su hijo, Tito, como comandante en la campaña contra Palestina. Josefo acompañó a Tito a Jerusalén donde fue testigo ocular de la guerra.

Josefo dedicó sus últimos treinta años para escribir acerca de los judíos. En su primera obra, la *Historia de las Guerras Judías,* él describe en gran detalle la guerra contra Roma, entre los años 66 a 70 d.C.

Josefo habla de las luchas internas entre los judíos. Describe el asedio de la ciudad por los romanos, y cómo los romanos conquistaron la ciudad, muralla por muralla. El habla de la escasez, los ladrones, la miseria, y la muerte. Muchas personas querían entregarse a los romanos, pero otros estaban determinados a seguir batallando contra los romanos costara lo que costara. Estos judíos partidarios de línea dura (Josefo los llama "los sediciosos") se opusieron fuertemente a la rendición. Muchos judíos trataron de escapar de la ciudad, pero cuando los partidarios de línea dura con sólo sospechar que alguien intentaba escapar, ¡le cortaban el cuello!

El Segundo Templo Destruido

Los romanos respetaban los lugares santos de las naciones que conquistaban. Tito no quiso destruir el templo de Jerusalén. En tanto que los romanos capturaban más y más de la ciudad, los extremistas se retiraron al área del templo mismo como su última fortaleza desde donde podían pelear. Tito les rogó:

> "Si vuestra gente muda el asiento y se pone en otro lugar, ni se llegará al templo alguno de los romanos, ni hará cosa alguna que sea para su afrenta; antes, aunque vosotros no queráis, yo guardaré el templo".[1]

Los judíos partidarios de línea dura rechazaron la oferta de Tito. Así que estos judíos incrédulos, intransigentes y duros de corazón, que lucharon hasta la muerte para salvar el templo, ¡llegaron a ser el mismo instrumento del cumplimiento de las profecías de Daniel y de Jesús!

Los romanos tomaron el área del templo, atrio por atrio hasta que lo único que quedaba era la misma casa santa con los claustros alrededor. Algunos soldados romanos prendieron fuego a estos cuartos exteriores. Tito trató de intervenir. Sin embargo, sus soldados estaban tan furiosos por la obstinación de los judíos que no se podían detener. El templo no pudo ser salvado.

Cuando se acercaba el fin, Tito tomó la oportunidad para hablar con los que quedaban de los judíos para ver si querían rendirse. Al comenzar su discurso, él hace una declaración notable. Notable porque nos recuerda de la oración de Daniel y de la profecía de Gabriel. Tito exclamó:

> ¿Estáis ya, pues, hartos del daño y males, oh varones que... con ímpetu mal considerado y furioso *echáis a perder la ciudad, el templo y todo el pueblo*... ? (itálicas mías).[2]

Los judíos rechazaron la oferta. ¡El Todopoderoso Dios Creador del universo había decretado la destrucción! Josefo dice estas palabras en el libro 7:

> No teniendo ya el ejército a quién matar, ni qué robar... mandóles Tito que acabase de destruirla toda y todo el templo también, dejando solamente aquellas torres que eran más altas que todas las otras... y tanto también del muro, cuanto cercaba la ciudad por la

> parte de occidente. Este por que sirviese de fuerte a los que quedasen allí de guarnición... Derribaron todo el otro cerco de la ciudad, y de tal manera la allanaron toda, que cuantos a ella se llegase apenas creerían haber sido habitada en algún tiempo.[3]

Tito regresó a Roma. El y su padre, Vespasiano, y su hermano, Domiciano, fueron el enfoque de una celebración fabulosa. Entre otras cosas llevadas en la marcha triunfal estaban el candelero de siete brazos y la mesa de los panes de la proposición que habían sido tomados del templo en Jerusalén. Luego cuando Domiciano llegó a ser emperador, en el año 81 d.C. él construyó el Arco de Tito en memoria de la conquista de Jerusalén por Tito. El que visita a Roma hoy día, ¡puede ver dentro del arco un bajo relieve de los soldados romanos llevando el candelero!

¿Por Qué Sucedió Esto?

Marcos 13 y Lucas 21 son paralelos con Mateo 24. Nuestro Salvador dijo en Lucas 21:20, 22: "Pero cuando veáis a Jerusalén rodeada de ejércitos, sabed entonces que su desolación ha llegado... Porque éstos son días de venganza, para que se cumplan *todas las cosas que están escritas*" (itálicas mías). "Cosas que están escritas" especialmente por Moisés en Deuteronomio 28 y lo que Daniel escribió en Daniel 9.

"Días de venganza". La venganza del Todopoderoso Dios del cielo. Si no conoce bien el contenido de Deuteronomio 28, sería bueno leerlo. Si el contenido de este capítulo hubiera sido escrito y publicado por un escritor religioso hoy día, ¡ciertamente sería atacado por ser fuertemente antisemita!

Josefo, un judío que no creía en Jesucristo, una y otra vez hace referencia a que la destrucción de Jerusalén fue por la mano de Dios. Por ejemplo, cuando Josefo mismo estaba rogándoles a los judíos que se entreguen a los romanos, él les dice:

> ... rey de Babilonia [Nabucodonosor] de quien antes hemos hablado, el cual destruyó la ciudad después de haberla tomado, y quemó el templo; aunque, según yo pienso, no había cometido

EL ARCO DE TITO EN ROMA, ITALIA

El Arco de Tito con las ruinas del Coliseo al fondo a la derecha.

Escultura dentro del arco que representa el desfile de victoria en Roma cuando Tito regresó después de destruir a Jerusalén en el año 70 d.C. Se pueden ver soldados llevando el candelabro del Templo.

> nuestra gente entonces lo que hemos nosotros osado impía y malamente. Quiero, pues, finalmente, decir que, dejando aparte los Santos [Dios ha huido del Santuario], Dios mismo apartó los ojos de esta ciudad y los puso en éstos, con los cuales ahora vosotros guerreáis [los romanos].[4]

La razón de la venganza de Dios se ve más claro en los comentarios de un escritor del siglo dieciocho Thomas Newton. En su obra *Dissertations on the Prophecies*, él dice:

> Las predicciones [de Mateo 24] son las más claras, puesto que las calamidades fueron las más grandes que el mundo jamás haya visto: y ¿cuál pecado atroz podría traer tales juicios tan fuertes sobre la nación e iglesia judía? ¿Se podría asignar cualquier otro motivo, con la mitad de la probabilidad, como la que la Escritura asigna, que no sea la crucifixión del Señor de la gloria?... y al reflexionar encontraremos alguna correspondencia entre su crimen y su castigo. Ellos mataron a Jesús cuando la nación estaba reunida para celebrar la pascua; y cuando la nación se reunió para celebrar la pascua, Tito los encerró dentro de las murallas de Jerusalén. El rechazo del verdadero Mesías fue su crimen; y el seguir falsos mesías para su destrucción fue su castigo. Ellos vendieron y compraron a Jesús como si fuera esclavo; y ellos mismos fueron después vendidos y comprados como esclavos a los precios más bajos. Ellos prefirieron a un ladrón y homicida en vez de Jesús a quien crucificaron entre dos ladrones y ellos mismos luego fueron invadidos por gangas de ladrones y pillos. Ellos mataron a Jesús para que los romanos no vinieran y destruyeran su lugar y su nación [Vea Juan 11:46-48]; y los romanos sí vinieron y sí destruyeron su lugar y su nación. Ellos crucificaron a Jesús ante las murallas de Jerusalén y ante las murallas de Jerusalén ellos mismos fueron crucificados en tan gran números que se dice que faltaba espacio para cruces y faltaban cruces para los cuerpos. Yo creo casi imposible que cualquiera que considere estas cosas, no concluya que la maldición de los mismos judíos sea cumplida asombrosamente sobre ellos, (Mateo 27:25): 'su sangre sea sobre nosotros y sobre nuestros hijos.'[5]

¿Por qué fue destruido el templo en Jerusalén al extremo de que ni una piedra quedó sobre otra? ¡Porque esto fue lo que Dios quiso! La nación judía rechazó al Hijo de Dios. Dios rechazó a la nación judía. Los sacrificios del templo ya no hacían falta. El Hijo de Dios había hecho el sacrificio perfecto.

Gabriel lo hizo claro a Daniel. Primeramente, el templo y Jerusalén serían reconstruidos. Después el Mesías vendría y moriría. Finalmente, el templo y Jerusalén serían destruidos otra vez. Sólo Dios pudo haber tenido este conocimiento siglos antes. Sólo Dios pudo llevarlo a cabo. Así queda probado que Jesucristo es el Mesías prometido a Israel hacía mucho tiempo. La destrucción de Jerusalén y el templo en el año 70 d.C., llegó a ser una final y contundente prueba de que Jesús de Nazaret fue y es en verdad el Mesías, el Cristo, el Rey y Señor de todos. Servirle es atraer la salvación. Rechazarle es atraer la ira de Dios. ¡Ni una piedra quedó sobre otra!

Capítulo 8

Tres Grandes Tribulaciones

No tan sólo una, ni dos, sino tres "grandes" tribulaciones se profetizan en la Biblia. Examínelas en Mateo 24, Apocalipsis 2, y Apocalipsis 7. Estos tres textos predicen tres tiempos distintos de sufrimiento.

El Nuevo Testamento enseña que desde el primer siglo hasta el fin de los tiempos, los cristianos deben esperar sufrir tribulaciones de muchas clases (ver el Capítulo 4, "¿Cuál Tribulación?"). De todas las diferentes tribulaciones profetizadas en el Nuevo Testamento, tres son denominadas "grandes". Para entender estas tribulaciones, hay que estudiar cada una en su contexto.

LA PRIMERA "GRAN" TRIBULACIÓN

La mejor conocida de las tres grandes tribulaciones es la que fue anunciada por Jesús en Mateo 24 poco antes de Su crucifixión. El futurismo empujaría todo lo de Mateo 24 a nuestro futuro. El preterismo extremista lo empujaría todo a nuestro pasado. Un tercer punto de vista dice que ninguno de los extremos satisfice las demandas del texto, sino que el capítulo tiene que ver con dos períodos separados, uno que ya pasó y otro que está en el futuro. Todos los puntos de vista que interpretan por lo menos parte de Mateo 24 como ya cumplido están de acuerdo en que el evento predicho fue la destrucción de Jerusalén y su templo por los romanos en el año 70 d.C.

Una vez que se dé cuenta de que Mateo 24, en parte o en su totalidad fue una predicción de lo ocurrido en el año 70 d.C., no es muy difícil concluir que la "gran tribulación" de este capítulo (24:21) hace referencia al mismo período. La realidad es que el contexto de Mateo 24 sencillamente no nos permite hacer caso omiso a la destrucción de Jerusalén por los romanos en el año 70 d.C. ¿Por qué? Note el orden de los eventos:

1. Los discípulos mostraron a Jesús el templo magnificente en Jerusalén.
2. Jesús los estremeció diciendo, "no quedará aquí piedra sobre piedra".
3. Los discípulos le preguntaron a Jesús cuándo serían "estas cosas".
4. Jesús les contestó.
5. Cuarenta años después (el año 70 d.C.) se cumplió literalmente la profecía de Jesús acerca de las piedras.

Cualquier interpretación aceptable de Mateo 24 tiene que comenzar con estos cinco hechos. Muchas veces se pasan por alto el primero, el segundo, y el quinto. Sin embargo, es imposible entender el tercer y cuarto puntos sin tomar en cuenta los primeros dos. Explicado en otra manera, las preguntas de los discípulos y las respuestas de Jesús se tienen que ver en el contexto de los primeros dos versículos del capítulo:

> Se acercaron sus discípulos para mostrarle los edificios del templo. Él respondió y les dijo: ¿Veis todo esto? De cierto os digo, que no quedará aquí piedra sobre piedra, que no sea derribada (24:1-2).

El contexto completo se relaciona con la destrucción total del templo que existía hasta entonces. Por otra parte, es más probable que malentendamos a Mateo 24 si hacemos caso omiso a los textos paralelos en Marcos y Lucas.

A menudo, los registros en los Evangelios tienen pasajes paralelos. Marcos 13 y Lucas 21 son pasajes paralelos a Mateo 24; y cada uno ofrece información adicional. Ayuda mucho examinar lo que cada Evangelio registra sobre lo siguiente:

1. El comentario de Jesús con relación a las piedras.
2. Las preguntas de los discípulos con relación a Su comentario.
3. La contestación de Jesús a sus preguntas.

Jesús dijo, "no quedará aquí piedra sobre piedra". Los discípulos entonces preguntaron, "¿cuándo sucederán estas cosas?" Según Mateo 24:3 los discípulos también preguntaron, "¿y cuál será la señal de tu venida, y del final de esta época?" Sin embargo, no hay registro de estas últimas dos preguntas en Marcos ni en Lucas. En Marcos 13:4 preguntan, "¿cuándo serán estas cosas y cuál será la señal cuando todas estas cosas estén para cumplirse?" El registro en Lucas es casi idéntico al de Marcos. Mateo es el único Evangelio que registra las preguntas acerca de la venida de Jesús y el fin del siglo. Nadie sabe en verdad cuáles eran los conceptos de los discípulos acerca de la venida de Jesús y el fin del siglo: no es de ningún beneficio especular.

Por otro lado, los tres evangelios registran la pregunta, "¿cuándo serán estas cosas?" (que no quedará aquí piedra sobre piedra). Se tiene que concluir, entonces, que el asunto principal fue la destrucción total del templo que en ese momento existía. Muchas veces se omite este hecho sencillo y básico. En este contexto, "estas cosas" sólo pueden referirse a la destrucción total del templo que en ese tiempo existía en Jerusalén —"no quedará aquí piedra sobre piedra".

Además, en los versículos 15 y 16 de Mateo 24, Jesús específicamente hace referencia al "lugar santo" y a Judea. En el versículo 16, Él dijo a los creyentes en Judea que "huyeran". En el versículo 20, Él sigue hablando de "vuestra huida". El versículo 21 comienza con la palabra "porque", que introduce la razón de huir: "porque habrá entonces gran tribulación, cual no la ha habido desde el principio del mundo hasta ahora, ni la habrá jamás".

Jesús decía que debían huir de la gran tribulación en Judea cuando "la abominación de la desolación" estuviera en "el lugar santo". El pasaje en Marcos 13:14-19 es casi idéntico a

“Jerusalén, Jerusalén...

Fotografía © por Todd Bolen, http://lugaresbiblicos.com. Usada con permiso.

... ¡Cuántas veces quise juntar a tus hijos, como la gallina junta sus polluelos debajo de las alas, y no quisiste! He aquí que vuestra casa os es dejada desierta... se acercaron sus discípulos para mostrarle los edificios del templo. Él respondió y les dijo: ¿Veis todo esto? De cierto os digo, que no quedará aquí piedra sobre piedra, que no sea derribada.” - Mateo 23:37-24:2

30 d.C. – Jesús hizo el lamento y la profecía arriba.
70 d.C. – Los romanos destruyeron el templo.
691 d.C. – Los musulmanes terminan la Cúpula de la Roca.
Hoy día – La Cúpula de la Roca todavía está en el Monte del Templo.
Hoy día – El Muro de Lamentos es todo lo que queda del Monte del Templo. No era parte del templo en sí sino sólo parte de un muro de contención para detener el monte.

“He aquí que vuestra casa os es dejada desierta.”

Mateo 24:15-21. Sin embargo, los versículos paralelos en Lucas 21:20-24 contienen algunas diferencias importantes. En vez de las palabras "gran tribulación", encontramos las palabras "días de venganza", "gran calamidad en la tierra, e ira contra este pueblo", y "Jerusalén será pisoteada". Jesús delineó la razón por este sufrimiento venidero: "Porque éstos son días de venganza, para que se cumplan todas las cosas que están escritas". Es un asunto de la venganza de Dios sobre Israel por rechazar y crucificar al Mesías.

La "gran tribulación (calamidad)" de Mateo 24, Marcos 13, y Lucas 21 fue inseparablemente conectada con la predicción de Jesús de que habría una destrucción total del templo que existía entonces en Jerusalén. El cumplimiento de estas palabras espantosas tomó lugar en el año 70 d.C., al mismo tiempo que no quedó piedra sobre piedra —literalmente.

"Cual No La Ha Habido... Ni La Habrá"

¿Qué quería decir Jesús cuando dijo: "porque habrá entonces gran tribulación, cual no la ha habido desde el principio del mundo hasta ahora, ni la habrá"? Muchos creen que estas palabras no pueden estar haciendo referencia al año 70 d.C. Sin embargo, es esencial a la buena interpretación bíblica mantener estas palabras en su contexto. Hemos visto ya que el contexto es el templo que Jesús y los discípulos habían estado mirando. Estas palabras de alguna manera tienen que conectarse a la destrucción de ese templo.

Algunos ven en la expresión "no la ha habido... ni la habrá" como una expresión judía proverbial. Por ejemplo, dos reyes que en verdad siguieron a Dios en Judá fueron Ezequías y Josías. De Ezequías se dice, "En Jehová Dios de Israel puso su esperanza; ni después ni antes de él hubo otro como él entre todos los reyes de Judá" (2 Reyes 18:5). Apenas cinco capítulos después, el escritor sagrado habla de Josías:

> No hubo otro rey antes de él, que se convirtiese a Jehová de todo su corazón, de toda su alma y de todas sus fuerzas, conforme a toda la ley de Moisés; ni después de él nació otro igual (2 Reyes 23:25).

¡Nadie como él, ni antes ni después, se dijo de ambos reyes!

Así, "ni antes de... ni después de" en estos casos debe ser una figura retórica llamada hipérbole (una declaración exagerada para enfatizar un punto). Para un ejemplo paralelo en el español moderno: ¿cuántas veces usted ha dicho, "nunca he visto una cosa así"? En otras ocasiones, sin lugar a duda, Jesús usó la hipérbole en tales declaraciones como "la viga en su propio ojo". Así que, no se puede eliminar la posibilidad del uso de la hipérbole en este contexto.

Otros, sin embargo, prefieren otro enfoque. Señalan que cuando queremos que a algo se le llame "la más grande", tenemos que preguntar "¿más grande en cuál aspecto?" ¿En magnitud? ¿En duración? ¿En naturaleza? Podemos legítimamente preguntar en qué aspecto fue la destrucción de Jerusalén y el templo en el año 70 d.C. la "más grande" de todas las tribulaciones. Hay varias posibilidades.

Primeramente, hay que pensar que no se habla de una guerra mundial. Está hablando de una ciudad. La tribulación más grande para una ciudad. Haga una comparación con Hiroshima donde aproximadamente setenta y cinco mil personas fueron muertas por la bomba atómica en el año 1945. ¡Horrible! Sin embargo, en gran contraste, en el sitio de Jerusalén en el año 70 d.C. ¡un millón de personas murieron!

Segundo, fue la tribulación espiritual más grande que Jerusalén y la nación judía entera jamás hayan sufrido. La guerra del año 70 d.C. ¡una vez y para siempre destruyó lo que había sido la morada de Dios en la tierra! Trajo un fin completo al sistema mosaico de sacrificios de animales y ritos del templo. La religión judía jamás ha sido igual desde entonces.

Tercero, a través de la historia del mundo, ha habido tribulaciones causadas por invasiones de extranjeros y tribulaciones causadas por guerras civiles. Los judíos sufrieron ambas al mismo tiempo. Mientras que los romanos sitiaron a Jerusalén, los judíos tuvieron un peor sufrimiento por la guerra, destrucción, y miseria dentro de la ciudad a manos de sus propios compatriotas. Esto resultó en un tiempo de grandísima tribulación para no decir la más grande de todos los tiempos. Esto se hará más claro en las citas a continuación.

En varias maneras, nunca ha habido nada como la destrucción de Jerusalén en el año 70 d.C. Independientemente de la interpretación que uno pueda dar a la predicción de Jesús sobre "gran tribulación, cual no la ha habido... ni la habrá", el contexto de Mateo 24 dicta que la interpretación tiene que ser relacionada con la destrucción del mismo templo que Jesús y los apóstoles estaban mirando.

Josefo lo Registra

Juan Crisóstomo, famoso predicador del cuarto siglo en Antioquía de Siria, ciertamente entendía Mateo 24 mejor que el futurismo de hoy día. El vio que el capítulo trata tanto del año 70 d.C. como de la segunda venida de Cristo. Él también reconoció que estudiar los escritos de Josefo era un paso importante hacia la plena apreciación de las profecías de Jesús. Note lo que Crisóstomo dijo del testimonio de Josefo:

> No piense alguno que esto [Mateo 24:21] se dijo por hipérbole. Lea los libros del historiador Josefo, y conozca la verdad de los hechos. Ni puede decir alguno que éste, porque era fiel al cristianismo, amplificó las desgracias, para sacar verdaderos los dichos de Jesús, pues era judío y se contaba entre los más fervorosos cultivadores del judaísmo, entre los que hubo después de la venida de Cristo.
>
> Y ¿qué es lo que Josefo refiere? Que aquellas desgracias superaron todas las tragedias; y que nunca jamás a ninguna nación una guerra causó tan enorme ruina.[1]

"¿Lea los libros del historiador Josefo?" Absolutamente. Estamos endeudados con Flavio Josefo por su relato tan detallado como testigo ocular que dramáticamente documenta el cumplimiento de las profecías de Jesús y Daniel. En el Capítulo 7, "No Quedará Piedra sobre Piedra", examinamos parte del testimonio de Josefo. Crisóstomo nos exhorta a investigar más.

En su *Historia de las Guerras Judías,* Josefo escribió:

> "¡Oh ciudad desdichada y miserable! ¿Qué sufriste de los romanos para comparar con esto? los cuales entraron por limpiarte de tus cubiertas maldades con fuego y con llamas. No era ya templo ni

> lugar donde Dios habitase.[2]

> Si finalmente quisiéramos comparar todas las adversidades y destrucciones que después de criado el universo han acontecido con la destrucción de los judíos, todas las otras son ciertamente inferiores y de menos tomo.[3]

Josefo creía en Dios, pero no en Jesús. Por tanto, su declaración es más notable en la medida que se asemeja a lo que nuestro Señor predijo.

Judío contra Judío

La violencia estalló entre los romanos y los judíos en la Palestina en el año 66 d.C. A la medida que las cosas se tornaron de mal en peor, Nerón envió a Vespasiano para conducir una guerra total contra la nación judía. Cuando llegó el tiempo que Vespasiano fue proclamado emperador en el año 69 d.C., él había subyugado toda Galilea y Judea menos la capital. Regresó a Roma, y dejó a su hijo Tito para conquistar a Jerusalén. Antes de que Tito y sus ejércitos llegaran, multitudes de judíos entraron a Jerusalén para celebrar la Pascua. Tito rápidamente los encerró, cercando la ciudad. Por dentro de los muros hubo tres facciones rivales guiados por Eleazar, Juan, y Simón, que no solamente se pelearon entre sí, sino que también pelearon contra cualquiera que se les opusiera. Era una situación horrorosa. Josefo registra que Juan y Simón pelearon uno contra otro y

> las casas llenas de trigo, poníalas fuego, con todas las otras cosas que hallaba destinadas para el servicio… destruyendo todo cuanto estaba preparado y proveído contra el cerco de estos… y fue quemado casi todo el trigo, que pudiera haber bastado para muchos años a los cercados (Tomo II, Libro Sexto, I, 126).

> El pueblo estaba dividido en partes, no menos que si fuera un cuerpo grande, siendo combatida la ciudad, parte por los… [maleantes] y traidores que entre ellos había [las tres pandillas], y parte también por los vecinos y gente que cerca moraban. Los viejos y las mujeres espantadas y atónitas con tantos males como dentro padecían, hacían solemnes votos por la victoria de los ro-

manos, y deseaban la guerra de los de fuera, por verse libres del daño que en sus casas de sus naturales recibían (Tomo II, Libro Sexto, I, 126).

Estando, pues, estos puestos en guerra y discordias, como dijimos, por dominar al pueblo... ambas parcialidades los robaban. Simón tenía toda la parte alta de la ciudad... estaba Juan apoderado del templo... cada uno por sí peleaba, haciendo todo lo que los romanos, que los tenían cercado deseaban. Porque no mostraron tanto rigor ni usaron los romanos de tanta crueldad con ellos, cuanta ellos mismos unos contra otros ejecutaban... y los que la ganaron [a Jerusalén] hicieron algo más y de más nombre, porque juzgo haber sido destruida [la ciudad] por las sediciones y revueltas que dentro había, las cuales fueron combatidas y deshechas por los romanos (Tomo II, Libro Sexto, VII, 154).

Porque el hambre mataba y estragaba más gente que los enemigos... de esta manera quitaban lo que comían, de la boca, las mujeres a los maridos, los hijos a los padres... pues no faltaba luego quien sabía los que comían tales cosas y se las hurtaban porque si veían cerrada alguna casa, luego con este indicio pensaban que comían los que estaban dentro, y rompiendo en la misma hora las puertas, se entraban y casi les sacaban los bocados medio mascados de la boca, ahogándolos por ellos. Los viejos eran heridos si querían defender esto" (Tomo II, Libro Sexto, XI, 178-9).

Para decir de lo mucho que querría lo menos que podré, no pienso que hubo ciudad en algún tiempo en todo el mundo que sufriese, ni creo que hubo nación en el mundo tan feroz y tan bastante para toda maldad (Tomo II, Libro Sexto, XI, 180).

El Fin de Jerusalén

Los soldados romanos empezaron a capturar a los que escaparon para crucificarlos —¡Quinientos por día! El área fuera de los muros se llenó de cruces. "Habían ya tomado tanta gente, que faltaba lugar donde poner las horcas [cruces], y aún faltaban también horcas [cruces] para colgar a tantos como había" (Tomo II, Libro Sexto, XII, 182). Josefo continúa:

Estaban las casas llenas de mujeres muertas de hambre, y de niños, y las estrechuras de las calles estaban también llenas de hombres viejos [muertos] (Tomo II, Libro Sexto, XIV, 190).

Entre los de Siria fue hallado uno que sacaba dinero y oro de su cuerpo [del excremento de los vientres judíos], porque, según antes dijimos, se lo tragaban de miedo que los amotinados y resolvedores lo robasen... los árabes y sirios que había, amenazábanles que le habían de abrir los vientres (Tomo II, Libro Sexto, XV, 194-5).

"El número de todos los pobres que habían sido muertos de más de seiscientos mil... pero no pudiendo bastar a sacar los muertos pobres, habían sido los cuerpos recogidos en casas muy grandes... fueron algunos necesitados y forzados a escudriñar los albañales y se apacentaban con [comían] el estiércol antiguo de los bueyes, el estiércol cogido (Tomo II, Libro Sexto, XVI, 197).

Un hecho he de contar no oído jamás entre griegos ni bárbaros, increíble a los que lo oyeron; espantable y horrible al que lo cuenta...

Una mujer de las que vivían de la otra parte del río Jordán, llamada María por nombre, hija de Eleazar... y moríase ya de hambre... mató a su hijo y coció la mitad y ella misma se lo comió [ver Deuteronomio 28:52-57], guardando la otra mitad muy bien cubierta. Los amotinados entran en su casa, y habiendo olido aquel olor tan malo y tan dañado de la carne, amenazábanla que luego la matarían si no les mostraba lo que había aparejado por comer. Respondiendo ella que había aún guardado la mayor parte de ello, entrególes lo que le sobraba del hijo que había muerto. Ellos viendo tal cosa, les tomó un tan temeroso horror y perturbación... y eran llamados bienaventurados los que antes de padecer tal morían (Tomo II, Libro Séptimo, VIII - IX, 224-6).

Y todos los otros que hubo mayores de edad de diecisiete años, enviólos muy atados con buena guarda a Egipto a que trabajasen [Ver Deuteronomio 28:68; Lucas 21:24]. Distribuyó la mayor parte Tito por todas aquellas provincias para que fuesen muertos en los espectáculos y fiestas por las bestias fieras; los que se hallaron de menor edad de diecisiete años fueron vendidos...

Llegó el número de cautivos que fueron presos en toda esta guerra al número de noventa y siete mil; y los que murieron durando el tiempo del cerco de la ciudad, llegaron a once veces cien mil [1,100,000] hombres. Los más de éstos fueron naturales ju-

> díos, pero no todos naturales de Jerusalén, porque juntados de todas partes para los días de las fiestas o de su Pascua, fueron súbitamente cercados de guerra...
>
> ... Vence, pues, y excede en gran manera toda pestilencia, así humanamente venida, como por Dios enviada, el número grande de los que murieron públicamente... y los romanos quemaron las partes postreras de la ciudad y derribaron los muros del todo (Tomo II, Libro Séptimo, XVI - XVII, 252-4).

"Gran tribulación". "No quedará piedra sobre piedra". La historia ha hablado. Las palabras de Jesús son vindicadas. El cumplimiento de Daniel y las predicciones de Jesús ofrecen un fundamento sólido para la fe. La primera "gran tribulación" es un horrible hecho histórico ya cumplido.

LA SEGUNDA "GRAN" TRIBULACIÓN

La segunda "gran" tribulación se predijo en Apocalipsis 7:14. Es imposible combinar la "gran tribulación" de Mateo 24 con la "gran tribulación" de Apocalipsis 7. Incluyen circunstancias muy diferentes y los registros tienen aspectos contradictorios y no complementarios. He aquí unas porciones destacadas de Apocalipsis 7:

> Después de esto miré, y vi una gran multitud, la cual nadie podía contar, de todas naciones, tribus, pueblos y lenguas, que estaban de pie delante del trono y en la presencia del Cordero, cubiertos de ropas blancas... diciendo: La salvación pertenece a nuestro Dios que está sentado en el trono, y al Cordero... Entonces uno de los ancianos tomó la palabra, diciéndome: Estos que están cubiertos de ropas blancas, ¿quiénes son, y de dónde han venido? Yo le dije: Señor, tú lo sabes. Y él me dijo: Éstos son los que han venido procedentes de la gran tribulación, y han lavado sus ropas, y las han emblanquecido en la sangre del Cordero ((7:9-10, 13-14).

Considere las diferencias. En Mateo 24, los judíos sufren la tribulación. En contraste, en Apocalipsis 7, los gentiles (la gente de "todas naciones") sufren la tribulación. En Mateo 24, los que no creyeron en Jesús, y por tanto, hicieron caso omiso a Su advertencia de huir de Jerusalén, sufrieron la tribulación —eran judíos incrédulos. En contraste, en Apocalipsis 7, las personas que creían completamente en Jesús y tenía sus pecados lavados en la sangre del Cordero sufrieron la tribulación —eran gentiles creyentes. En un caso, judíos incrédulos sufrieron gran tribulación como castigo de Dios, en el otro caso, cristianos creyentes de todas las naciones fueron bendecidos eternamente por Dios porque se mantuvieron fieles a Él a pesar de sufrir gran tribulación.

Apocalipsis 7 dice que "éstos son los que han venido procedentes de la gran tribulación" (7:14). En el contexto, ¿qué quiere decir esto? Comenzando con estos versículos, tenemos que buscar en los versículos anteriores hasta que encontremos la respuesta. La primera parte del capítulo 7 no presenta ninguna tribulación de ninguna clase. El sexto sello (6:12-17) ciertamente es un tiempo de tribulación. Habla de la "ira del Cordero" (6:16) sobre los reyes y los esclavos por igual. Sin embargo, no indica ni fe ni arrepentimiento para salvación.

Solamente al volver al quinto sello (6:9-11) encontramos información satisfactoria. Aquí encontramos "las almas de los que habían sido muertos por causa de la palabra de Dios" (6:9). Ciertamente, un tiempo de tribulación. ¿De qué se vestían en 6:11? "Y se les dieron vestiduras blancas", exactamente como se dice en 7:13-14. En el contexto, ¿qué mejor respuesta se puede encontrar para saber de cuál gran tribulación se habla en Apocalipsis 7:14? La tribulación de los santos del quinto sello, que "habían sido muertos por causa de la palabra de Dios y por el testimonio que tenían".

La interpretación historicista del libro de Apocalipsis ve el cumplimiento del quinto sello en la persecución de la iglesia primitiva por el Imperio Romano. Esta persecución culminó en el intento del emperador Diocleciano para exterminar el cristianismo en los años 303-311 d.C.

En su obra clásica *History of the Christian Church* (Historia de la Iglesia Cristiana), Philip Schaff ofrece algunos detalles:

> Todas las anteriores persecuciones de la fe se olvidan cuando los hombres ven el horror de la última y más grande [la de Diocleciano]...

> ... las iglesias cristianas tenían que ser destruidas; todas las copias de la Biblia tenían que ser quemadas; todos los cristianos serían quitados de oficios públicos y perderían sus derechos civiles; y como último, sin excepción, tenían que sacrificar a los dioses bajo pena de muerte...
>
> ... Se emplearon todos los dolores que se podrían infligir con hierro y acero, fuego y espada, aparatos de tortura y cruz, bestias salvajes y hombres bestiales.[4]

Aunque uno rechace esto como el cumplimiento del quinto sello, de todas formas, el quinto sello es un tiempo de persecución de los cristianos hasta la muerte. Los que recibieron las ropas blancas fueron los cristianos mártires. Después de Apocalipsis 6:11, se mencionan estas ropas blancas en 7:14 como habiendo sido recibido por "los que han venido procedentes de la gran tribulación".

La gran tribulación de Mateo 24 tenía que ver con los judíos. Fue el castigo de Dios sobre ellos por su incredulidad y su rechazo al Mesías. La gran tribulación de Apocalipsis 7 tenía que ver con creyentes de todas las naciones. Fue el martirio de los cristianos perpetrado por incrédulos, pero a los mártires que son los verdaderos vencedores se les da ropas blancas y viven en paz para siempre con Dios. Dos grandes tribulaciones que no están relacionadas en ninguna manera.

LA TERCERA "GRAN" TRIBULACIÓN

Hay un tercer texto que habla de "gran" tribulación. Se encuentra en Apocalipsis 2:20, 22 en la carta a la iglesia de Tiatira:

> Pero tengo unas pocas cosas contra ti: que toleras que esa mujer Jezabel, que se dice profetisa, enseñe y seduzca a mis siervos a fornicar... la arrojo en cama, y en gran tribulación a los que con ella adulteran, si no se arrepienten de las obras de ella.

Esta "gran tribulación" fue para castigar a una falsa profetisa en la iglesia del Señor en Tiatira junto con los que la seguían. Cristo advirtió que, si ella y sus seguidores no se arrepentían, los echaría en "gran tribulación". Sería el castigo del Señor sobre cristianos específicos que pecaban. No hay forma de hacer que esto encaje con el contexto de Mateo 24 ni tampoco con Apocalipsis 7.

Hasta donde yo sepa, no hay registro del cumplimiento de esta gran tribulación. De hecho, no es directamente una profecía, sino una advertencia a lo que pasaría "si no se arrepienten". No sabemos si hubo arrepentimiento. No sabemos si esta tribulación llegó a ser una realidad. Sin embargo, de cumplirse, Jesús, el autor verdadero de Apocalipsis, dijo que sería una "gran tribulación".

"TENDRÉIS AFLICCIÓN (TRIBULACIÓN)"

Según el futurismo, el Rapto es la esperanza del cristiano, porque por medio del "Rapto" escapará de la "Gran Tribulación". Sin embargo, no hay una, sino tres "grandes" tribulaciones que se profetizan en el Nuevo Testamento, y cada una envuelve circunstancias muy diferentes entre una y otra. Por otra parte, las tres hacen referencia a tiempos pasados que ya son historia. La primera tribulación trataba de judíos incrédulos del primer siglo. La segunda trataba de cristianos fieles, muy probablemente en los primeros cuatro siglos. La tercera, si es que se llevó a cabo, trataba de cristianos malvados al final del primer siglo. Como ya se ha visto en el Capítulo 4, "¿Cuál Tribulación?" tribulación de una forma u otra es algo que se espera en la vida de todos los cristianos.

Según la palabra de Dios, no hay manera de limitar la tribulación a un período futuro de siete años. Según la palabra de Dios, la iglesia a través de los siglos sufrirá tribulación. En Juan 16:33, Jesús dijo a Sus discípulos: "En el mundo tendréis aflicción (tribulación); pero tened ánimo, yo he vencido al mundo".

Capítulo 9

¿Detuvo Dios el Reloj Profético?

¡La profecía de Daniel de las setenta semanas es una de las grandes pruebas de que Jesús de Nazaret es el Mesías! Es una de las profecías más claras para detallar la obra del Mesías. También es una predicción sobresaliente del juicio final de Dios sobre Jerusalén y el templo.

Como se ha visto en los capítulos pasados, la semana final, la semana número setenta de Daniel 9 es el corazón de este mensaje profético. Vimos pruebas de que esta semana se cumplió entre el año 26 y el año 33 d.C. La muerte de Jesús por nuestros pecados ocurrió en la misma mitad de estos años, en el año 30 d.C. Vimos, además, pruebas de que el desenlace final de esta profecía se cumplió en el año 70 d.C., cuando los romanos destruyeron a Jerusalén y el templo. El capítulo 9 de Daniel ha sido total y maravillosamente cumplido.

"No es así", dice el futurismo. La interpretación futurista dice que la semana final de Daniel ¡todavía está en el futuro!

"El Reloj Profético se Detuvo"

Según la interpretación futurista, "el reloj profético de Dios" siguió funcionando sin fallar por 69 semanas (483 años).

Luego, repentinamente el reloj se detuvo y no ha dado un solo paso desde aquel entonces.

Otra metáfora que se usa frecuentemente es que nuestra época presente de la iglesia está en un paréntesis o una brecha. El futurismo reclama que el plan profético mayor de Dios por todas las edades se relaciona con el Israel físico en la tierra física. Dicen que cuando los judíos rechazaron a Jesús, Dios detuvo estos planes para Israel e instituyó la iglesia.

En su libro "The Rapture" (*el Rapto)*, que fue un best seller, Hal Lindsey escribe:

> Dios obviamente detuvo el "reloj profético" después de que había marcado 483 años… Puesto que Israel falló al no aceptar a su Mesías y "lo cortaron" al crucificarlo, Dios paró la cuenta regresiva siete años antes de completarla. Durante el consiguiente paréntesis en el tiempo, Dios ha cambiado Su enfoque hacia los gentiles y creó la iglesia.[1]

Las declaraciones de Lindsey son muy preocupantes. Él indica que cuando los judíos crucificaron a Jesús, ¡Dios tuvo que cambiar sus planes! Esto quiere decir que el ministerio de Jesús fue un fracaso, que Jesús no logró hacer lo que vino a cumplir en la tierra. En otras palabras, él dice que el reino milenario para los judíos había estado en la plataforma de lanzamiento por 483 años sin ningún problema. Faltaban solamente siete años cuando de repente Dios tuvo que detener la cuenta regresiva. El plan de Dios para los judíos se puso en espera; ¡y ha estado en espera por más de mil novecientos años! Este concepto es una de las piedras fundamentales del sistema futurista (dispensacionalista).

"En el Rapto, el Reloj Comenzará de Nuevo"

Además, el futurismo dice que Dios no puede seguir con sus planes relacionados con Israel mientras la iglesia de Jesús permanezca en el mundo. El futurismo dice que "el Rapto" tiene que suceder antes de que el plan profético de Dios pueda encaminarse nuevamente. Hal Lindsey lo explica de esta manera: "El Señor raptará a los creyentes que pertenecen a la Iglesia antes del comienzo de la semana setenta de Daniel".[2]

Después de sacar la iglesia de en medio, dice el futurismo, Dios puede reanudar Su trato con los judíos por siete años más y así completar la semana final de Daniel. El futurismo llama a este período de siete años "la Tribulación". Daniel 9 es el único texto ofrecido por el futurismo para apoyar su idea de que la Tribulación será por siete años. Hal Lindsey escribe de "este período, que durará siete años. Los estudiantes de la profecía comúnmente han llamado este tiempo 'la Tribulación'... El profeta Daniel da la estructura para la era de la tribulación en Daniel 9:24-27".[3]

Existe una pequeña variación de la interpretación futurista que dice que el período de siete años no comienza exactamente en el Rapto, sino poco después del Rapto cuando el Anticristo firme un pacto con Israel. Hablando de este pacto entre el Anticristo e Israel, Tim LaHaye dice: "la firma del mismo gatillará el reloj profético de Dios, y de ahí en adelante a la raza humana le quedarán solamente siete años sobre la tierra".[4] Hablando del mismo pacto en *El Comando Tribulación*, "Dejados Atrás" #2 , LaHaye y Jenkins ponen estas palabras en las bocas del Comando Tribulación: "El pacto de los siete años... señala en realidad el comienzo del período de siete años de la tribulación... Pero una vez que acontezca, el reloj empieza a moverse... hacia la instalación que hace Cristo de su reino en la Tierra".[5] El futurismo está diciendo que hasta el Rapto y la firma del pacto después del Rapto, el reloj profético de Dios está detenido.

Para entender la importancia de este asunto al criticar la serie "Dejados Atrás", uno tiene que reconocer que la serie completa se basa sobre esto. La trama completa se basa en esta presunción futurística: el reloj de Dios se detuvo mientras Jesús estaba en la tierra la primera vez, y el reloj comenzará a funcionar poco después del Rapto. Si el detenimiento del reloj de Dios es, de hecho, una teoría sin pruebas, entonces no hay ningún fundamento bíblico para la serie "Dejados Atrás".

La interpretación futurista dice que ninguno, o solamente una porción de los seis asuntos mencionados en Daniel 9:24 se cumplieron en la primera venida de Jesús. Dice que Jesús tiene que regresar para cumplir completamente Daniel 9:24.

El futurismo enseña que la iglesia no es el reino, que Israel sigue siendo la nación escogida de Dios y en la Edad Milenaria habrá un futuro reino terrenal judío que comenzará después de la Tribulación.

En pocas palabras, la interpretación futurista coloca la mayoría de la profecía de Daniel de las setenta semanas en la misma categoría que coloca la mayor parte del libro de Apocalipsis y la mayor parte de la profecía bíblica —en algún tiempo en nuestro futuro. Según el futurismo, el Rapto tiene que suceder antes de que la mayor parte de la profecía bíblica pueda comenzar a cumplirse. Los planes de Dios en el presente están en espera.

La Profecía No Dice "350 Semanas"

El dispensacionalismo futurista premilenarista es el único método de interpretación de la profecía que mantiene una teoría de paréntesis (brecha, reloj detenido). Es también el método que tan fuertemente afirma que la interpretación literal es la roca de fondo de su sistema. El futurismo dice que las profecías del Antiguo Testamento acerca de Israel tienen que ser interpretadas literalmente.

¿En verdad pueden sostener una interpretación literal? Hay que mantener en mente que la profecía de las setenta semanas es uno de los textos proféticos principales que trata con Israel. ¿Cómo aplica el futurismo el principio de interpretación literal a la profecía de las setenta semanas? Primeramente, el futurismo reclama que días representan años; la interpretación historicista está de acuerdo. Sin embargo, ¡esto no es una interpretación literal! El futurismo enseña que una vez que se convierten en años, 483 días representan 483 años literales desde la orden de reconstruir a Jerusalén hasta la llegada del Mesías; la interpretación historicista está de acuerdo. El futurismo reclama que los últimos siete años son siete años literales; la interpretación historicista está de acuerdo. Sin embargo, el acuerdo se acaba completamente en este punto porque el futurismo coloca una gran brecha de tiempo entre los 483 años y los finales 7 años. ¿Está de acuerdo esta brecha con el método literal de interpretación? Considere lo siguiente:

La profecía predice setenta semanas. Una semana tiene siete días. Setenta veces siete son 490. Daniel 9 es una profecía acerca de 490 años. Sin embargo, el futurismo detiene la profecía en 483 años e interpone más de 1,900 años reclamando que los últimos 7 años todavía están en nuestro futuro. ¡Casi 2000 años intercalados! ¡Estos son más de cuatro veces el total de 490 años que son el tema de la profecía en Daniel! Para que fueran números literales, Daniel hubiera dicho, "350 semanas están determinadas". (350 es el número aproximado de "semanas" necesarias para finalizar la profecía temprano en el siglo veintiuno). Sin embargo, Daniel no dijo "350 semanas". Él dijo, "70 semanas están determinadas". El futurismo sencillamente no es tan literal como trata de hacernos creer. En efecto, el futurismo afirma que 70 = 350 a pesar de que nunca lo expresarían de esta manera. La interpretación historicista afirma que 70 = 70.

El concepto de un "reloj profético" en sí es una figura y de hecho una figura que nunca se encuentra en las Sagradas Escrituras. ¿Qué pasó con este reloj? ¿Por qué se paró? ¿Falló o fue un artefacto de engaño? ¿Cuál? Dicho de otra manera, ¿sabía Dios que el reloj pararía o no lo sabía? Ninguna de las posibilidades nos agrada. Según el futurismo, por más de mil novecientos años Dios no ha reparado Su reloj. De todos modos ¿qué pasó? ¿Cuál escenario está usted dispuesto a defender?

Primer escenario: El reloj tenía defectos y falló; no funcionó bien. Dios no sabía que iba a fallar y no tenía poder para remediar la situación. El reloj paró; Dios no tenía control sobre él.

Segundo escenario: Se fabricó el reloj para engañar. Dios sabía que iba a parar, pero no quería arreglarlo. Dios permitió que el reloj funcionara por un tiempo como un reloj confiable, sabiendo desde el principio que era un producto defectuoso.

¿Con cuál escenario podría usted vivir? Cuando considere seriamente las implicaciones, ¡es ridículo decir que el reloj profético de Dios no funcionó bien! ¿Fue una sorpresa para Dios? O, ¿sabía Dios que Su plan fracasaría, pero era una víctima indefensa? O, ¿acaso fue el plan de Dios engañar a los judíos?

¿Setenta Son Setenta?

Alguien ha explicado lo absurdo que es la teoría del paréntesis de esta manera: Usted planifica un viaje de Los Ángeles a Chicago. Cuando sale de Los Ángeles, ve un rótulo con la inscripción: Chicago – 70 kilómetros". Usted viaja por 69 kilómetros y ve otro rótulo que señala hacia atrás con la inscripción "Los Ángeles – 69 kilómetros" y señala adelante con la inscripción: "Chicago – 1 kilómetro". Debajo de eso, hay otra línea en letra pequeña que dice: "(más 2000 kilómetros)". ¿Quién creería tal escenario?

He aquí otra manera de considerarlo. Se toma una regla. Se le corta el último centímetro. Se une el centímetro con la otra parte de la regla con un elástico. Ahora tenemos una regla nueva. Estira el elástico un poquito o mucho según su antojo. Ahora esta regla es una regla muy literal: consiste de 99 centímetros literales más un centímetro literal para un total de 100 centímetros. Es una regla muy literal, ¿verdad que sí? Pero, ¿qué del elástico en el medio? ¡Qué importa! todavía es una regla buena, ¿verdad que sí? Con los 100 centímetros completos. ¿Quisiera usted hacer negocios con el dueño de esta regla?

Cuando este servidor estuvo en Guatemala, enseñaba una clase bíblica semanal a un joven en su hogar. Puesto que conocía mucho de la Biblia, las preguntas proféticas siempre salían, incluyendo Daniel 9.

Un día le pregunté: "Julio, ¿qué pensaría si yo le pidiera prestado a usted mil quetzales? [El quetzal es la moneda nacional.] Yo prometo pagarle en ocho semanas. Cuando pasan siete semanas, vengo y le digo a usted, 'Julio, hay un asunto pequeño que no le mencioné. Entre la séptima y la octava semana de nuestro acuerdo, hay un espacio de diez años.' ¿Qué pensaría de mí?" Sin titubear, Julio César dijo, "Usted sería un estafador".

Con estos ejemplos en mente —el rótulo de falso kilometraje, la regla falsa, el estafador— es fácil ver que el método futurista de tratar con las setenta semanas va mucho más allá de una cuestión de lo literal o lo figurativo. No hay ningún simbolismo que pueda convertir 70 semanas en 350 semanas o convertir 490 años en 2,450 años. No hay ninguna interpretación figurativa que puede aceptar una brecha en una profecía de tiempo. Si es una profecía de tiempo, es una profecía de tiempo. Colocar una brecha en ese tiempo sería falsificar la profecía. *Sí*, hay justificación bíblica para que un día represente un año. *No* hay ninguna justificación bíblica para convertir 70 en 350. Hay justificación bíblica para brechas, de brincar de un evento a otro en algunas clases de profecía. No hay ninguna justificación para una brecha en una profecía *de tiempo*. Colocar una brecha en una profecía de tiempo es destruir la misma profecía —el tiempo predicho es invalidado.

¿Recuerda usted que fueron los apóstoles (no el mismo Jesús) que pensaban que todo se paró cuando su Maestro fue crucificado? Jesús luego tuvo que aparecérseles a ellos, no solo para probar Su resurrección, sino para probar que nada había parado. Jesús dijo que todo estaba a tiempo exactamente como Dios había profetizado:

> Así está escrito, y así era necesario que el Cristo padeciese, y resucitase de los muertos al tercer día; y que se predicase en su nombre el arrepentimiento y el perdón de pecados a todas las naciones, comenzando desde Jerusalén (Lucas 24:46-47).

Ningún reloj se detuvo. Ningún plan cambió. Ningún paréntesis fue introducido. Todo estuvo a tiempo exactamente como "está escrito" —70 semanas son 70 semanas; 490 años son 490 años.

Insertar lo que No Está

El futurismo inserta varios conceptos en la profecía de las setenta semanas que sencillamente no están ahí, como los siguientes:

1. El Anticristo hará un pacto con los judíos por siete años.
2. Estos siete años serán llamados la Tribulación.

3. Antes de o durante la primera parte de los siete años, los judíos reconstruirán el templo.
4. A la mitad de los siete años, el Anticristo quebrantará este pacto y hará cesar los sacrificios.
5. Jerusalén y el tercer templo serán destruidos.

Sin embargo, una lectura cuidadosa de Daniel 9:26-27 revela que ninguno de estos conceptos se menciona. No hay ninguna tribulación, no hay ninguna segunda reconstrucción del templo, no hay ninguna segunda restauración de sacrificios, no hay ningún Anticristo que hace un pacto con los judíos, no hay ningún quebrantamiento de tal pacto, y no hay nada de dos destrucciones de Jerusalén. Ninguna de estas cosas es profetizada. Más bien, son ideas que el futurismo ha insertado en el texto. Son ideas que se presumen ser verídicas. El texto, luego, se lee con estas presunciones en mente. Leer el texto sin estas presunciones resulta en un entendimiento muy diferente de lo que Daniel profetizaba.

Además, el futurismo intenta imponer un orden a los eventos en el texto que no es justificado. El futurismo dice que las cosas tienen que suceder en el orden en que son mencionadas. Muchas veces esto puede ser el caso, pero no es necesariamente así. En la profecía de las setenta semanas, el futurismo nota que cuatro cosas son mencionadas en el siguiente orden:

1. las sesenta y nueve semanas,
2. la muerte del Mesías,
3. la destrucción de Jerusalén, y
4. la semana setenta.

Basado en esta lista, reclaman que estos cuatro eventos tienen que tomar lugar en el orden dado. Por tanto, puesto que los eventos #2 y #3 se mencionan entre la semana sesenta y nueve y la semana setenta, el futurismo reclama que esto prueba que hay una brecha entre las últimas dos semanas de la profecía. Si esto fuera el caso, habría una brecha de por lo menos cuarenta años desde el 30 d.C., cuando el Mesías murió, y el año 70 d.C., cuando Jerusalén fue destruida. Una vez que el futurismo "descubrió" una brecha de cuarenta años, no vio ningún problema con estirar la brecha de cuarenta años para convertirla en dos mil años.

Sin embargo, tal argumento basado en el orden en que se escribieron las cosas sencillamente no es una regla sólida de interpretación de la Biblia o ninguna otra clase de literatura. La historia y la profecía (predicción de la historia) frecuentemente presentan los eventos fuera del orden cronológico. Para ver un ejemplo bíblico, lea la gran profecía mesiánica de Isaías 53 desde el principio hasta el final. Cualquier persona puede ver numerosas declaraciones que están fuera del orden cronológico. Cuando cualquier texto claramente indica que un evento sigue a otro, entonces ese orden tiene que ser aceptado. Sin embargo, cuando indicaciones claras están ausentes, es posible que podamos descubrir o no el orden cronológico de los eventos.

En realidad, no es necesario buscar más allá de Daniel 9 para mostrar que tal argumento de "orden" no puede probar nada por sí mismo. Note el orden de las cosas en el versículo 25:

1. siete semanas,
2. sesenta y dos semanas, y
3. la edificación de la plaza y el muro.

Ni el futurismo ni ningún otro punto de vista reclama que este orden de palabras prueba que los eventos tomarían lugar en ese orden. Todo creyente con conocimiento (incluyendo los futuristas) está de acuerdo de que la edificación de la plaza y el muro tomó lugar *durante* las primeras siete semanas (siglos antes de Cristo). No tomó lugar *después* de las sesenta y dos semanas (que hubiera sido en el tiempo de Cristo). Tenemos que tener mucho cuidado para no poner ideas en el texto que sencillamente no están allí.

Seis Asuntos en Setenta Semanas

La interpretación futurista además dice que no todos los asuntos listados en Daniel 9:24 fueron cumplidos durante la primera venida de Jesús; por lo tanto, el cumplimiento tiene que tomar lugar en algún tiempo en nuestro futuro. Por esta razón, el futurismo dice, se requiere un paréntesis entre las semanas sesenta y nueve y la semana setenta. El argumento se presenta de esta manera (tomando el segundo asunto de Daniel 9:24 como un ejemplo): la profecía dice "poner fin al pecado"; puesto que todavía hay pecado en Israel, la profecía no se cumplió; no se cumplirá hasta el Milenio.

Como respuesta a este ejemplo de enseñanza futurista, considere un texto paralelo. Juan el Bautista dijo, "He ahí el Cordero de Dios, que quita el pecado del mundo". Si imponemos un cumplimiento absoluto sobre las bellas palabras de Juan como el futurismo impone un cumplimiento absoluto sobre Daniel 9:24, entonces tenemos que decir que las palabras de Juan no se cumplieron en el Calvario. ¿Por qué? Porque todavía hay pecado en el mundo. ¿Quién se atrevería a enseñar tal cosa? Una gran parte del Capítulo 5, "El Tiempo de los Judíos se ha Acabado", demuestra cómo es que cada uno de los seis asuntos de Daniel 9:24 se cumplieron durante la primera venida de Jesús a la tierra. Numerosos textos del Nuevo Testamento se citan para probar su cumplimiento.

El versículo 24 claramente dice que los seis asuntos se cumplirían durante las setenta semanas:

> Setenta semanas están determinadas sobre tu pueblo y sobre tu santa ciudad, para acabar con las prevaricaciones, y poner fin al pecado, y expiar la iniquidad, para traer la justicia perdurable, y sellar la visión y la profecía, y ungir al Santo de los santos.

Según esta profecía, seis asuntos importantes tenían que cumplirse dentro de las setenta semanas (490 años). Sin embargo, el futurismo coloca el cumplimiento de algunos o todos los seis asuntos fuera de las setenta semanas. La idea es que una brecha es necesaria entre la semana sesenta y nueve y la semana setenta, para que lo que no se cumplió durante las sesenta y nueve semanas se pueda cumplir en una futura semana setenta. Sin embargo, un estudio cuidadoso de la propia enseñanza del futurismo demuestra que algunas de las seis cosas no se cumplen durante ninguna de las setenta semanas.

Hay varias interpretaciones dentro del futurismo sobre exactamente cómo y cuándo los seis asuntos en Daniel 9:24 se cumplen. Uno de los puntos de vista es que por lo menos la base del cumplimiento de los primeros tres asuntos se logró por Jesús en la cruz. Sin embargo, la enseñanza futurista común es que la semana sesenta y nueve terminó con la entrada triunfal cinco días antes de la muerte de Jesús. Por lo tanto, según la teoría del paréntesis de tiempo, Jesús murió en la brecha entre la semana sesenta y nueve y la semana setenta. Imagínese: ¡el futurismo realmente enseña que cinco días *después* de que el reloj profético de Dios se detuvo, Su Hijo murió en El Calvario! Eso coloca la muerte de Jesús fuera del plan profético de Dios. El futurismo no sólo coloca a la iglesia en el paréntesis, ¡sino que también coloca la muerte, sepultura, y resurrección del Mesías en el paréntesis! Esto contradice directamente el hecho de que Dios planificó la muerte de Jesús antes de la fundación del mundo. Pedro hizo referencia a "la sangre preciosa de Cristo, como de un cordero sin mancha y sin contaminación, ya provisto desde antes de la fundación del mundo" (1 Pedro 1:19-20).

El futurismo enseña que la semana setenta es una Tribulación futura seguida por el Milenio. A pesar de que los futuristas no están de acuerdo en todos los aspectos de los seis asuntos de Daniel 9:24, parecen tener unanimidad al decir que por lo menos algunos de los seis asuntos no serán plenamente realizados hasta el Milenio. Esto presenta un problema real. Según el mismo programa del futurismo, el Milenio viene *después* de la semana setenta. Así que, si cualquier cosa en Daniel 9:24 será cumplida durante el Milenio, sería otra vez fuera de las setenta semanas que son los límites para cumplirlo todo según la profecía.

En Daniel 9:24 se indica que todos los seis asuntos tienen que cumplirse *dentro* de las setenta semanas. A pesar de que maestros futuristas manejan los seis asuntos en Daniel 9:24 en maneras diferentes, parece que todos colocan la mayoría del cumplimiento o en la brecha misma o después de la semana final pero no durante las setenta semanas. Esto sencillamente no satisface los requisitos de la profecía. En vez de aceptar tal teoría, es más aceptable creer que Dios sabía lo que Él profetizó. Es mucho más fácil creer que Daniel 9:24 se cumplió por Jesús exactamente a tiempo —en Su *primera* venida.

El Templo del Nuevo Pacto

El punto de vista futurista admite que en ninguna parte de la Biblia se profetiza la reconstrucción del templo después del año 70 d.C. ¿Sobre qué, entonces, se basa la presunción de que habrá un tercer templo, por no hablar de un cuarto templo en el Milenio? Se dice que Daniel 9, Mateo 24, 2 Tesalonicenses 2, y Apocalipsis 11 no pueden cumplirse sin un templo reconstruido.

Los primeros dos textos, Daniel 9 y Mateo 24, son ejemplos excelentes de la necesidad de examinar la profecía en su contexto. A pesar de que el futurismo presta muy poca atención a Daniel 9:26, está de acuerdo que Daniel 9:26 hace referencia a la destrucción del Segundo Templo en el año 70 d.C. Sin embargo, la interpretación futurista dice que el próximo versículo, 9:27, hace referencia a la destrucción de un tercer templo en nuestro futuro.

Al leer sólo casualmente a Daniel 9:24-27 se resaltan tres grandes eventos históricos. Recuerde que cuando Gabriel habló este mensaje a Daniel, Jerusalén y el templo estaban en ruinas. En ese contexto, Gabriel predijo lo siguiente:

1. Jerusalén y el templo serían reconstruidos.
2. El Mesías (Cristo) llegaría y moriría.
3. La ciudad y el templo serían destruidos otra vez.

Ahí está. ¿Notó usted que entre los versículos 26 y 27 el templo fue reconstruido *otra vez*? No, no lo pudo notar, porque no está allí. Aún la interpretación futurista reconoce que Daniel 9 habla de una sola reconstrucción de Jerusalén —la que tiene su cumplimiento registrado en los libros de Esdras y Nehemías. Puesto que no se anuncia una segunda reconstrucción, el versículo 27 necesariamente ofrece más detalles de la destrucción predicha en el versículo 26.

No hay ningún lugar ni en el Antiguo ni en el Nuevo Testamento donde se profetiza que una reconstrucción del templo en Jerusalén tomaría lugar después de la destrucción que fue programada para el año 70 d.C. Daniel 9 profetiza una reconstrucción, no dos. Sin una segunda reconstrucción no puede haber una segunda destrucción. Hasta que alguien encuentre una Escritura que claramente prediga una segunda reconstrucción, tendremos que entender que Daniel 9:26-27 hace referencia al año 70 d.C.

En Mateo 24, cualquier declaración que Jesús hizo con relación a Jerusalén y el templo tiene que entenderse a la luz de su contexto. Mientras Jesús y Sus discípulos observaban el Segundo Templo, Jesús dijo: "no quedará aquí piedra sobre piedra, que no sea derribada" (24:2). Él obviamente hablaba del templo en pie en aquel entonces. Jesús habló sólo de la destrucción de ese templo; no da ni siquiera un pequeño indicio de una reconstrucción futura. Hasta que alguien encuentre una Escritura que claramente prediga una reconstrucción después del año 70 d.C., cualquier cosa que dijo Jesús acerca de la destrucción de Jerusalén y el templo, tiene que referirse al templo que Él y los apóstoles estaban mirando cuando hizo Su declaración.

Hay los que, hoy día, tienen sumo interés en ver el templo en Jerusalén reconstruido. Aunque fuera reconstruido, no sería el cumplimiento de ninguna profecía de las Escrituras; ninguna existe. Tampoco sería aprobado por Dios. Al contrario, sería un desafío directo contra el mismo Dios que utilizó a los romanos para destruir el templo en el año 70 d.C. Si los judíos ofrecieran toros y machos cabríos otra vez, sería un insulto absoluto contra el Mesías Jesús, quien hace dos mil años ofreció el sacrifico perfecto tanto para el judío como para el gentil:

> En la cual voluntad hemos sido santificados mediante la ofrenda del cuerpo de Jesucristo hecha una vez para siempre. Y en verdad todo sacerdote está día tras día ministrando y ofreciendo muchas veces los mismos sacrificios, que nunca pueden quitar los pecados; pero Cristo, habiendo ofrecido un solo sacrificio por los pecados, para siempre se ha sentado a la diestra de Dios (Hebreos 10:10-12).

Los últimos dos textos que el futurismo utiliza para presumir un futuro templo reconstruido, 2 Tesalonicenses 2 y Apocalipsis 11, son ejemplos excelentes de la necesidad de establecer la sana doctrina de las Escrituras antes de intentar interpretar la profecía. Ambos textos hablan del "templo (santuario) de Dios". Ambos textos son parte del Nuevo Testamento. El templo de piedra en Jerusalén dejó de ser el templo de Dios cuando Dios mismo rasgó en dos el velo interior a la muerte de Jesús. Aquel templo fue destinado a destrucción como Daniel y Jesús lo profetizaron. No hay ninguna Escritura que profetice una reconstrucción después de eso.

En el nuevo pacto hay un nuevo templo. Pablo preguntó a la iglesia en Corinto: "¿No sabéis que sois santuario (templo) de Dios, y que el Espíritu de Dios mora en vosotros?" (1 Corintios 3:16). Le dijo a la iglesia en Éfeso:

> Así que ya... sobreedificados sobre el fundamento de los apóstoles y profetas, siendo la principal piedra del ángulo Jesucristo mismo, en quien todo el edificio, bien ajustado, va creciendo para ser un santuario (templo) sagrado en el Señor (Efesios 2:19-21).

Con la sana doctrina apostólica, no hay licencia ni hay necesidad para fabricar otra reconstrucción del templo judío de piedra. Tanto 2 Tesalonicenses 2 y Apocalipsis 11 contienen profecías acerca de la iglesia del Señor. Aquella iglesia es donde Dios mora ahora. Esa iglesia es el templo de Dios.

Jesús Hizo lo que Vino para Hacer

¡Qué mucha oposición enfrentó! ¡Qué muchos obstáculos Él tuvo que vencer! Sin embargo, lo hizo. Jesús cumplió lo que vino a hacer. Los judíos no podían detenerle. Satanás y todos sus demonios no podían frustrarle. El mismo Hades no podía retenerlo. Jesús cumplió lo que vino a hacer.

La noche que Él fue entregado, Jesús le dijo al Padre, "he llevado a término la obra que me diste a realizar" (Juan 17:4). Él había acabado todo —hasta ese momento, y estaba preparado para terminar lo que estaba por venir pronto. Previamente Él había dicho a los apóstoles:

¿Detener el “reloj profético”?

Dios no lo hizo.

El hombre no puede hacerlo.

Dibujo © por CrossDaily.com (Ron Wheeler). Usado con permiso.

Jesús vino <u>a tiempo</u>.

Jesús murió y resucitó <u>a tiempo</u>.

Jesús comenzó el reino <u>a tiempo</u>.

> Jesús le dijo al Padre:
> “He llevado a término la obra que me diste a realizar”.
> – Juan 17:4

> He aquí que subimos a Jerusalén, y se cumplirán todas las cosas escritas por los profetas acerca del Hijo del Hombre. Pues será entregado a los gentiles, y será escarnecido... después que le hayan azotado, le matarán; mas al tercer día resucitará (Lucas 18:31-33).

Los profetas lo predijeron. Jesús lo predijo. Él lo hizo. Los apóstoles predicaron que Jesús cumplió lo que vino a hacer:

> Porque los habitantes de Jerusalén... las cumplieron [las palabras de los profetas] al condenarle. Y... pidieron a Pilato que se le matase. Y habiendo cumplido todas las cosas que estaban escritas acerca de él, bajándolo del madero, lo pusieron en el sepulcro... Y nosotros también os anunciamos la Buena Nueva de que la promesa hecha a nuestros padres, Dios la ha cumplido a los hijos de ellos, a nosotros, resucitando a Jesús (Hechos 13:27-29, 32-33).

Todo en el ministerio de Jesús se cumplió según el plan. El rechazo de parte de los judíos había sido profetizado; era parte del plan. Su muerte había sido profetizada; era necesaria para redimirnos del pecado. Los judíos no podían detener a Dios para que no cumpliera sus promesas, ni tampoco pudo hacerlo Satanás ni el Hades. Creemos en Jesús y lo seguimos precisamente porque estuvo dispuesto y capaz de hacer lo que vino a hacer.

No Sabían Leer la Hora

Jesús lloró. No por sí mismo sino por Jerusalén. En el ojo de la mente, saltó Su crucifixión que se aproximaba rápidamente y se enfocó en la destrucción total de la santa ciudad programada para el año 70 d.C. En menos de una semana, la ciudad clavaría a Jesús en una cruz. Sin embargo, Jesús no lloraba porque era un fracaso. Lloraba porque los judíos fallaron en reconocer a su Mesías que los amaba.

El futurismo reclama que, por el rechazo de Jesús por los judíos, Dios hizo un cambio drástico en sus planes. Reclama que el reino predicho por Daniel tuvo que ser pospuesto por miles de años. Jesús, el maestro real de la profecía, tenía otro punto de vista muy diferente. Él nunca dijo que el rechazo de los judíos causaría que el reino fuera pospuesto. ¡Nunca! Más bien, Él dijo que el rechazo de los judíos causaría la destrucción total de Jerusalén. Escuche Sus palabras:

> Y cuando llegó cerca, al ver la ciudad, lloró sobre ella, diciendo... vendrán días sobre ti, cuando tus enemigos... te derribarán a tierra... y no dejarán en ti piedra sobre piedra, por cuanto no conociste el tiempo de tu visitación" (Lucas 19:41-44).

Los judíos no conocieron el tiempo. Era el tiempo para la llegada del Mesías. Era el tiempo para la llegada del reino. Era el tiempo para cumplir muchas grandes profecías. Dios visitaba Su pueblo, pero Jesús acusó a los judíos de no entender el tiempo de Dios.

Si tu hijita no supiera leer la hora, ¿detendría el reloj hasta que aprendiera? Absurdo. Tampoco Dios detuvo Su supuesto reloj profético cuando los judíos no sabían leer la hora. Más bien, ¡destruyó su ciudad! Daniel ya lo había profetizado. Dios sabía siglos antes cuál sería la reacción de los judíos. Con Dios todo estaba exactamente a tiempo, pero los judíos no podían leer la hora. ¿Podemos leer la hora hoy día?

El Verdadero Paréntesis

La teoría del paréntesis o del lapso está patas arriba y al revés. ¿Por qué? Porque el futurismo ha colocado el eterno plan de Dios entre paréntesis, mientras hacen que el plan que Dios puso entre paréntesis sea Su plan principal. Según el futurismo el plan de Dios para con los judíos es el tema principal de la profecía bíblica. Según este punto de vista, la edad del evangelio en que nosotros vivimos es sencillamente un paréntesis entre el trato de Dios con Israel en el pasado y el trato de Dios con Israel en el futuro.

Sin embargo, la Escritura claramente sostiene el punto de vista opuesto. El tema principal de la Biblia es el plan eterno de Dios para la época de la iglesia. Lo que estaba en paréntesis era el Antiguo Pacto de los judíos. El libro de Gálatas fue escrito porque algunos de los primeros cristianos no entendieron el lugar correcto para la ley mosaica. No entendieron la verdadera doctrina de una brecha. No entendieron de qué se trataban las promesas a Abraham. Pablo les explica:

> Y la Escritura, previendo que Dios había de justificar por la fe a los gentiles, dio de antemano la buena nueva a Abraham, diciendo: En ti serán benditas todas las naciones (Gálatas 3:8).

Las Escrituras previeron la salvación de los gentiles. Todas las naciones son bendecidas en Abraham. ¿Cómo? Por medio de la predicación del evangelio. Los judíos eran un envase usado por Dios para llevarnos al Salvador. Pablo sigue explicando:

> Ahora bien, a Abraham fueron hechas las promesas, y a su simiente. No dice: Y a las simientes, como refiriéndose a muchos, sino a uno: Y a tu simiente, la cual es Cristo (Gálatas 3:16).

La promesa fue hecha a Abraham. El cumplimiento vino por medio de Cristo. El paréntesis verdadero en la Biblia es el lapso de tiempo entre Abraham y Cristo. Escuche el próximo versículo:

> El pacto previamente ratificado por Dios para con Cristo, la ley que vino cuatrocientos treinta años después, no lo abroga, como para invalidar la promesa (Gálatas 3:17).

He aquí el orden de los eventos:

1. El pacto y la promesa dados a Abraham.
2. La nación judía recibe la ley
3. Cristo cumple la promesa a Abraham.

La ley, el asunto #2, llenó la brecha. Así que surge la pregunta:

> ¿Para qué sirve la ley? Fue añadida a causa de las transgresiones, hasta que viniese la simiente a quien estaba destinada la promesa (Gálatas 3:19).

He aquí la brecha (paréntesis) que enseña la Biblia. La ley de Moisés es el paréntesis entre la promesa a Abraham y el cumplimiento de la promesa por medio de Cristo. El paréntesis verdadero de Dios no envolvía ningún reloj defectuoso. No hubo ningún cambio de planes. Todo sucedió a su tiempo según fue planificado:

> Pero cuando vino la plenitud del tiempo, Dios envió a su Hijo, nacido de mujer, nacido bajo la ley, para que redimiese a los que estaban bajo la ley, a fin de que recibiésemos la adopción de hijos (Gálatas 4:4-5).

Se Puede Confiar en el Reloj de Dios

La muerte de Jesús no abre un paréntesis. Sino que cierra el paréntesis divino que Dios colocó entre Abraham y Jesús. Cuando Jesús murió, el reloj profético de Dios no se paró. ¡La ley mosaica se paró! Fue clavada en la cruz. ¡Los sacrificios aceptables en el templo cesaron! El velo del templo se rasgó en dos. Todo sucedió según el tiempo de Dios.

Dios les dio setenta semanas (490 años) a los judíos. Ningún reloj engañoso puede extender aquel tiempo. Jesús les dijo a los judíos: "Porque vendrán días sobre ti, cuando tus enemigos... no dejarán en ti piedra sobre piedra, por cuanto no conociste el tiempo de tu visitación" (Lucas 19:43-44). Antes de que los 490 años fueran cumplidos, su destino estaba sellado. No hubo problema alguno con el reloj de Dios. El problema fue con los judíos. ¡No sabían leer la hora!

Dios sabía de antemano que los hombres rechazarían a Su Hijo. Fue profetizado en el Salmo 2:

> ¿Por qué se amotinan las gentes,
> Y los pueblos piensan cosas vanas?
> Se levantan los reyes de la tierra,
> Y los príncipes conspiran juntamente
> Contra Jehová y contra su ungido [Mesías, Cristo]...
> El que mora en los cielos se reirá (2:1-2, 4).

Esta profecía notable se cumplió cuando Jesús vino a la tierra la primera vez. En Hechos 4:25-28, podemos leer dónde los apóstoles citan y explican una porción de estos mismos versículos:

> Que por boca de David tu siervo dijiste:
> ¿A qué fin se amotinan las gentes,
> Y los pueblos piensan cosas vanas?
> Acudieron los reyes de la tierra,
> Y los príncipes se coaligaron
> Contra el Señor, y contra su Cristo.
> Porque verdaderamente se aliaron en esta ciudad contra tu santo Siervo Jesús, a quien ungiste, Herodes y Poncio Pilato, con los gentiles y el pueblo de Israel, para hacer cuanto tu mano y tu designio había predestinado que sucediera.

¿Paró Dios Su reloj? ¿Cambió Dios sus planes? ¡De ninguna manera! Más bien, Dios hizo exactamente lo que Él había "predestinado que sucediera" y se rió de los que se opusieron a Su Ungido.

¡Pero espere! Esta no es la historia completa. A través de la Biblia Dios siempre ha trabajado con un remanente. Algunos judíos *sí* leyeron la hora. Ellos tomaron ventaja del día de salvación que había sido profetizado por tanto tiempo. Fue en Jerusalén de los judíos que la iglesia comenzó. Los doce apóstoles eran todos judíos. Los primeros tres mil convertidos eran todos judíos. Poco después el número de los convertidos creció para llegar a ser cinco mil hombres, todos judíos. La mayor parte del Nuevo Testamento fue escrito por judíos. Es exactamente como Pablo preguntó y respondió: "¿Acaso ha desechado Dios a su pueblo? ¡En ninguna manera! Porque también yo soy israelita, de la descendencia de Abraham, de la tribu de Benjamín" (Romanos 11:1).

El evangelio y la iglesia no son meramente un programa insertado entre paréntesis. Son el verdadero programa eterno de Dios, abierto tanto para los judíos como para los gentiles. Son el propósito principal de la promesa a Abraham. Son la razón por la cual Jesús vino a la tierra. La profecía de las setenta semanas de Daniel ha sido cumplida gloriosamente. ¡Gloria a Dios!

Tercera Sección

La Conexión Romana

Capítulo 10

¿Por qué Roma?

La mayoría de los estudios sobre Apocalipsis mencionan a Roma tarde o temprano. Puede ser Roma en el pasado, en el presente o en el futuro. Puede ser Roma como un poder político o Roma como un poder religioso. Puede ser Roma como actor principal o Roma como actor secundario en los eventos predichos. De una manera u otra, Roma normalmente forma parte del escenario. ¿Por qué Roma?

La Imagen Impresionante de Nabucodonosor

Todo comenzó hace dos mil seiscientos años cuando el Creador del universo utilizó un tirano del medio oriente para hacer una revelación maravillosa. Nabucodonosor, dictador del antiguo Imperio Babilónico, fue un vaso especial utilizado por Dios para castigar a Israel. Él también fue especialmente escogido por Dios para recibir uno de los más conocidos sueños de todos los tiempos —aunque no entendió ni una sola palabra del sueño. De hecho, ni siquiera podía recordar lo que soñó.

Como algunos políticos modernos, Nabucodonosor llamó a los astrólogos para consultarlos. Les pidió que le dijeran el sueño. Los astrólogos, por supuesto, pidieron que el rey les dijera el sueño para que ellos pudieran dar la interpretación.

Sin embargo, Nabucodonosor tenía mucho más sentido común que muchos miembros ingenuos de las iglesias hoy día. No iba a creer cualquier cosa que le dijeran aun cuando fueran las autoridades espirituales respetadas. Él quería evidencia de que los astrólogos en verdad tenían el poder para interpretar los sueños. Por esta razón les demandó: "Decidme, pues, el sueño, para que yo sepa que me podéis dar su interpretación" (Daniel 2:9).

Se puede entender el trastorno de los "sabios" de Babilonia con la demanda del rey. "No hay hombre sobre la tierra que pueda declarar el asunto del rey", dijeron, "no hay quien lo pueda declarar al rey, salvo los dioses que no viven entre los seres de carne" (Daniel 2:10-11). Más tarde Daniel entró y estuvo de acuerdo de que los astrólogos eran incapaces de revelar el sueño. Sin embargo, Daniel demostró que estaban equivocados en el último punto. El Dios del cielo sí moraba con los hombres —específicamente con los profetas de Israel. Así, Daniel, inspirado por Dios, fue capaz de explicar el sueño.

Cinco Reinos

Una imagen maravillosa... cabeza de oro... pecho de plata... vientre de bronce... piernas de hierro. En adición había una piedra extraordinaria. Después de aplastar la impresionante imagen, la piedra llegó a ser una montaña tan grande que llenó toda la tierra.

Daniel le dijo claramente a Nabucodonosor: "tú eres aquella cabeza de oro" (Daniel 2:38). Daniel siguió, "Y después de ti se levantará otro reino... luego un tercer reino... Habrá un cuarto reino... [y por último] el Dios del cielo levantará un reino" (2:39-40, 44) —cinco reinos en total. Al decir tercer y cuarto *reino*, es claro que la cabeza de oro es más que simplemente el rey Nabucodonosor. La cabeza incluye el reino entero de Babilonia. Cinco reinos en total son representados: la imagen representaba cuatro reinos de este mundo, y la piedra representaba el reino de Dios.

La identidad de los primeros cuatro reinos es la parte más sencilla de la profecía. Prácticamente todos los creyentes de la

Biblia, desde los tiempos antiguos hasta los tiempos modernos, están de acuerdo de que los 4 reinos son Babilonia, Medo-Persia, Grecia, y Roma. ¿Tienen razón estos creyentes?

Años después de la muerte de Nabucodonosor, Belsasar, rey de Babilonia, tenía un banquete real. ¿Quién no ha escuchado la expresión pintoresca: "él vio la escritura en la pared"? Pero, para Belsasar, rey de Babilonia, fue muy lejos de ser pintoresca. Él se espantó tanto cuando vio la mano escribiendo en la pared que sus rodillas daban la una contra la otra. En la explicación que dio Daniel sobre la escritura estas palabras se incluyen: "Tu reino ha sido roto, y dado a los medos y a los persas" (Daniel 5:28). Así que, el segundo reino es el de los medos y de los persas, un hecho también confirmado en los registros históricos fuera de la Biblia.

La historia confirma que el tercer reino es Grecia; el libro de Daniel está de acuerdo. El capítulo 8 contiene una visión de un macho cabrío que totalmente se apoderó y pisoteó a un carnero. Los versículos 20 y 21 señalan: "En cuanto al carnero... los reyes de Media y de Persia. El macho cabrío es el rey de Grecia". Identificación positiva. El gran cuerno del macho cabrío fue, por supuesto, Alejandro Magno. Alejandro murió prematuramente: "aquel gran cuerno fue quebrado, y en su lugar le salieron otros cuatro cuernos bien visibles hacia los cuatro vientos del cielo" (8:8). Esta es una referencia obvia a la división del imperio de Alejandro en cuatro partes entre sus cuatro generales.

El libro de Daniel no identifica el cuarto reino; pero cualquier estudiante de la historia sabe que el Imperio Romano fue el próximo en el escenario. Roma estaba en el poder cuando Jesús de Nazaret caminó sobre esta tierra. Lucas hace esto claro cuando registra que Jesús nació en los días de Augusto César (Lucas 2:1). También se ve en el registro de Lucas al comienzo del ministerio de Jesús: "En el año decimoquinto del reinado de Tiberio César, siendo Poncio Pilato gobernador de Judea" (Lucas 3:1). Tiberio es muy conocido como el segundo emperador del Imperio Romano. En la vida del apóstol Pablo, hay frecuentes referencias al reinado de Roma. De hecho, Pablo utilizó su ciudadanía romana para encontrar un juicio justo bajo César en Roma (ver Hechos 25:10-12). Aunque no se nombra en las Escrituras, el César en ese tiempo fue el infame Nerón.

¿Fue Roma el Cuarto Imperio?

Puesto que el Imperio Romano fue el próximo en el escenario del mundo después del imperio griego, es muy natural que los creyentes consideren a Roma como el cuarto reino profetizado. Sin embargo, no todo el mundo cree que el cuarto reino, representado por las piernas de hierro fuera Roma. Algunas personas hoy día creen que las piernas de hierro todavía están en el futuro. ¿Será eso posible? Están de acuerdo que los primeros tres reinos fueron Babilonia, Medo-Persia, y Grecia. Sin embargo, colocan una brecha de más de dos mil años entre el vientre de bronce de la imagen y sus piernas de hierro. ¿Será esta interpretación factible? Vamos a examinar las razones específicas por las cuales los creyentes pasados y presentes están prácticamente unánimes en creer que las piernas de hierro seguramente son una profecía del Imperio Romano.

Nabucodonosor vio una sola imagen en Daniel 2. Tenía la forma de un solo hombre completo con una cabeza, un torso, dos brazos, y dos piernas. Todos los creyentes están de acuerdo de que los primeros tres reinos (imperios) se siguieron inmediatamente uno tras otro, lo cual cuadra con el simbolismo de un cuerpo. Sin embargo, si el cuarto imperio no sigue inmediatamente después del tercero, entonces el cuarto reino hubiera sido una imagen separada. Si hay dos mil años de historia mundial entera entre el tercer y el cuarto reino, se hubiera presentado el sueño con dos imágenes separadas. Sin embargo, el sueño no fue así. Nabucodonosor vio una sola imagen, un hombre completo con todas las partes de su cuerpo conectadas normalmente una con la otra. Dios no nos ha dado a ninguno una sierra, con la libertad de amputar las piernas de la imagen para apartarlas y ponerlas solas.

El sencillo hecho de dar números a los reinos es una confirmación de que están conectados. Después de discutir la cabeza de oro, Daniel 2:39-40 dice, “después de ti se levantará otro reino... luego un tercer reino... Habrá un cuarto reino”.

Daniel 2	Cumplimiento	Daniel 7	Apocalipsis 13
	**Babilonia** 606–538 a.C.	León	boca como de León
	Medo-Persia 538–331 a.C.	Oso	pies como de Oso
	Grecia 331–31 a.C.	Leopardo	semejante a un Leopardo
	Roma 31 a.C.– 476 d.C.	Bestia	BESTIA
	Roma después de 476 d.C.	con diez cuernos	con diez cuernos y siete cabezas

Dibujo © por Holly Deyo, https://standeyo.com/News_Files/Trib_Time/Beasts.html. Usado con permiso.

Tanto "tercer" como "cuarto" se especifican. El texto no dice "octavo" o "duodécimo", ni tampoco dice sencillamente "otro" y "otro". Dice "tercer" y "cuarto".

La relación estrecha entre los cuatro reinos se expresa además en las siguientes palabras a Nabucodonosor: "cabeza de oro... otro reino... un tercer reino... un cuarto reino... quebrantará todo (todos éstos)" (Daniel 2:38-40). En este contexto, "todo (todos éstos)" se refiere a los tres reinos anteriores. No tiene sentido en este sueño que "todo (todos éstos)" pueda referirse a algunos reinos no nombrados que vendrían dos mil años en el futuro. Al decir que el cuarto reino quebrantaría "todo (todos éstos) (los otros tres reinos), se requiere una conexión histórica con los primeros tres.

Como se tratará más adelante, algunos argumentan que Roma no fue un reino universal; por tanto, ellos esperan un imperio o reino futuro para cumplir esta parte de la profecía. Sin embargo, Daniel 2 no dice "el cuarto reino universal". Sencillamente dice "cuarto reino" (2:40). Estemos de acuerdo o no de que Roma fue un reino universal, Daniel dice, "cuarto reino". Estemos de acuerdo o no de que Roma fue fuerte como hierro, Daniel dice, "cuarto reino". Independientemente de nuestras ideas preconcebidas de cómo debe ser ese reino, Daniel dice que sería el *cuarto* reino. Hablando históricamente, no hay duda de que Roma fue el cuarto reino.

Daniel 7 —Los Cinco Reinos Revisitados

El sueño de Nabucodonosor en el capítulo 2 de Daniel no está solo. En el capítulo 7, Daniel registra visiones relacionadas que él mismo recibió. Dios le dijo a Daniel que las cuatro bestias representaban cuatro reyes (7:17) o reinos (7:23). Esto se parece a Daniel 2. La diferencia es que en un caso hay una imagen y en el otro caso, cuatro animales. Sin embargo, hay un problema en el capítulo 7. Ninguno de los reinos se identifica abiertamente; así que ¿dónde comienza la profecía? Daniel 2 llega a ser la imprescindible clave para entender a Daniel 7.

Ambos capítulos predicen cuatro reinos terrenales. Ambas profecías se hicieron durante el imperio babilónico. Ambos capítulos colocan mucho más énfasis en el cuarto reino que en los tres que le preceden. Ambos capítulos usan el hierro como un símbolo del cuarto reino —en uno, las piernas son de hierro; en el otro, la cuarta bestia tiene dientes de hierro. Ambas profecías enfatizan la fuerza y destrucción causada por el cuarto reino:

> Habrá un cuarto reino fuerte como hierro, semejante al hierro que rompe y desmenuza todas las cosas... así él lo quebrantará todo (2:40).

> La cuarta bestia será un cuarto reino... devorará toda la tierra, la pisoteará y la trillará (7:23).

En adición, el reino de Dios es el siguiente y último reino representado en ambos capítulos.

Al combinar toda la evidencia, la única manera significativa de interpretar el capítulo 7 es hacerlo en la forma que casi todo el mundo siempre lo ha interpretado. Hay muchas razones para creer que los cuatro reinos en las dos profecías son los mismos. De hecho, no hay razón para creer de otra manera. Puesto que Daniel 2 positivamente identifica el primer reino como el poder de Babilonia, esta llega a ser la única posibilidad que tenga sentido para comenzar la interpretación del capítulo 7. Así que, el león es Babilonia, el oso es Persia, el leopardo es Grecia, y la bestia terrible es Roma.

Testimonio de Cristianos de los primeros siglos

A pesar de que los cristianos de los primeros siglos diferían en muchos puntos relacionados con la profecía, muchos estaban de acuerdo que vivían durante el tiempo de las piernas de hierro de la imagen —el tiempo de la cuarta bestia. Reconocían a Roma como el cumplimiento tanto de Daniel 2 como de Daniel 7. Hipólito, que vivió entre los años 170 y 236 d.C., ofrece un ejemplo de este punto de vista. Al discutir Daniel 2 y 7, él escribe:

> La cabeza de oro de la imagen y la leona denotaban a los babilonios; los hombros y los brazos de plata, y el oso, representaban a los persas y a los medos; el vientre y los muslos de bronce, y el

> leopardo, significaban a los griegos, los cuales mantenían la soberanía desde los tiempos de Alejandro; las piernas de hierro, y la bestia espantosa y terrible, expresaban los romanos, que mantienen la soberanía al presente; los dedos de los pies que eran en parte de barro y en parte de hierro, y los diez cuernos, eran símbolos de los reinos que todavía se levantarán.[1]

En el Capítulo 12, "Hombre de Pecado –la Historia" se dan algunas citas adicionales de los cristianos de los primeros siglos. Thomas Newton escribió en el siglo dieciocho: "Todos los escritores de la antigüedad, tanto judíos como cristianos, están de acuerdo con Jerónimo al explicar que el cuarto reino es el romano".[2]

En el tercer siglo d.C., el pagano Porfirio adoptó un punto de vista contrario y reclamó que el tercer reino fue solamente el de Alejandro Magno, mientras que el cuarto reino consistía de los sucesores de Alejandro. Los "teólogos" liberales modernos han seguido el ejemplo pagano. Como Porfirio, ellos desesperadamente tratan de eliminar toda la profecía de Daniel. Su método es reclamar que el libro de Daniel es una falsificación hecha por un judío desconocido en el segundo siglo antes de Cristo. Ellos afirman que las profecías de Daniel ya eran historia para el tiempo en que el libro fue escrito. Al otro extremo existieron algunos escritores en el siglo diecinueve que reclamaron que Roma fue el tercer reino y el cuarto todavía queda en el futuro. Todas las interpretaciones que niegan que Roma sea el cuarto reino son puntos de vista de una minoría que se compone mayormente de incrédulos.

Casi todos los creyentes de la biblia a través de la historia han creído que Roma es el cuarto reino. Ellos mantuvieron este punto de vista por muchas razones excelentes que se presentan en este capítulo. Sin embargo, después de reconocer que es Roma, hay mucha divergencia con relación al significado de este hecho. Algunos creyentes colocan todo el cumplimiento, o en el primer siglo, o en los primeros cuatro siglos. Otros creyentes colocan el cumplimiento a través de la historia desde el primer siglo hasta el presente. Otros colocan la mayoría del cumplimiento en nuestro futuro. Así que hay mucha divergencia. El punto aquí es sencillamente sustanciar el hecho de que Daniel profetizó acerca de Roma. Este es el primer paso vital hacia el entendimiento de muchas profecías, tanto en Daniel como en Apocalipsis.

"Toda la Tierra"

En varias maneras, Daniel 2 y 7 indican que el cuarto reino tendría poder sobre toda la tierra (2:40; 7:23). Algunos argumentan que esto no fue el caso con el Imperio Romano; por tanto, estas profecías no pueden referirse a Roma. Sin embargo, hay declaraciones similares de universalidad tanto con relación al primer reino como al tercer reino (2:37-39). En adición, considere expresiones cotidianas como "todo el mundo estaba allí", "el pueblo entero salió", "viajó por todo el mundo". Todos entendemos que tales expresiones no son cien por ciento absolutas. Son generalizaciones —exageraciones para dar énfasis. El término técnico es "hipérbole". Un buen ejemplo bíblico es Mateo 3:5: "Y acudían a él de Jerusalén, de toda la Judea, y de toda la región de alrededor del Jordán".

Con relación al Imperio Romano, noten lo que Lucas dice cuando introduce el nacimiento de Jesús: "Por aquellos días, salió un edicto de parte de César Augusto, para que se hiciera un censo de toda la tierra habitada... Y todos marchaban a inscribirse en el censo, cada uno a su propia ciudad" (Lucas 2:1, 3). Sea lo que sea la interpretación que uno quiere dar a las expresiones en Daniel 2 y 7 con relación a "toda la tierra", hay que dar la misma interpretación en Lucas 2. Sea lo que sea el significado que Daniel quiere dar con relación al alcance del primer, el segundo y el cuarto reino, Lucas 2 dice la misma cosa con relación al reino que tenía poder en ese tiempo, el Imperio Romano. En los días de Augusto, el primer emperador de Roma, el Imperio Romano era un reino tan universal como Daniel había profetizado. La Biblia dice así.

Tiempo para el Quinto Reino

Durante los días tempranos del Imperio Romano, Jesús proclamó que llegó el tiempo para establecer el reino de Dios: "El tiempo se ha cumplido, y el reino de Dios se ha acercado"

(Marcos 1:15). Para decirlo en otra manera: "El tiempo ha venido para la llegada del reino de Dios". ¿El tiempo ha venido? ¿El tiempo cumplido? ¿El reino de Dios? Sin duda, Jesús hacía referencia a las predicciones de los profetas inspirados de Israel, muchos de los cuales hablaban de un reino venidero. Entre estos, no hay profecía que destaque y apunte con precisión el tiempo para la llegada del reino como lo hace Daniel.

Después de describir con bastantes detalles las piernas, pies y dedos del cuarto reino, Daniel le dijo a Nabucodonosor: "Y en los días de estos reyes el Dios del cielo levantará un reino que no será jamás destruido" (2:44). Dios prometió establecer Su reino en los días del cuarto reino terrenal. Cuando Jesús dijo que el tiempo había llegado para establecer el reino de Dios, Él reclamaba indirectamente que vivía en los días de los reyes del cuarto reino. ¡El cuarto reino había llegado! Si el cuarto reino no hubiera llegado no sería tiempo para la llegada del reino de Dios. Nadie disputa que Roma era el imperio en el poder cuando Jesús habló; por tanto, el Imperio Romano es el cuarto reino de Daniel 2 y Daniel 7.

Jesús no fue el único que anunció el acercamiento del reino. Juan el Bautista, los apóstoles, y "los setenta" todos salieron predicando, "el reino de los cielos se ha acercado", "se ha acercado a vosotros el reino de Dios" (Mateo 3:2; 4:17; 10:7; Lucas 10:9). Además, Jesús también predijo: "hay algunos de los que están aquí que no probarán la muerte hasta que vean el reino de Dios cuando haya venido con poder" (Marcos 9:1). En otras palabras, el reino de Dios, profetizado en Daniel 2 y en otras partes, llegaría durante la vida de los presentes. Puesto que su vida fue durante el Imperio Romano, el Imperio Romano tiene que ser "estos reyes", las piernas de hierro.

Uno de tantos versículos sobresalientes que confirman la llegada del reino de Jesús en el primer siglo es el que Pablo escribió a los hermanos en Colosas mientras Nerón era emperador: "el cual nos ha librado de la potestad de las tinieblas, y trasladado al reino de su amado Hijo" (Colosenses 1:13). "Nos ha librado... y trasladado" —tiempo pasado, hecho cumplido. "Al reino". El reino predicho de Dios era una realidad presente cuando Pablo escribió. Por consecuencia, Nerón fue uno de "estos reyes" predichos en Daniel 2.

Información Extendida en el Capítulo 7

A la medida que profundizamos más en estas profecías, tenemos que mantener en mente que Daniel 7 ofrece información con relación a la cuarta bestia que se extiende más allá de la información dada en el capítulo 2 con relación a las piernas y pies de la imagen. En el capítulo 7 no solamente tenemos una bestia, sino que la bestia tiene diez cuernos:

> Los diez cuernos significan que de aquel reino se levantarán diez reyes; y tras ellos se levantará otro [cuerno pequeño], el cual será diferente de los primeros, y derribará a tres reyes (7:24).

Estos diez cuernos nos proveen información no incluida en la imagen del capítulo 2.

El capítulo 2, de hecho, habla de un reino "dividido". Un cauteloso estudiante de la biblia, sin embargo, notará que el texto no dice nada acerca de diez dedos que representen diez divisiones. Los diez dedos de los pies de la imagen no tienen ningún significado profético como tampoco lo tienen los diez dedos de la mano ni las dos orejas. El capítulo 2 claramente identifica la división: "Y lo que viste de los pies y los dedos, en parte de barro cocido de alfarero y en parte de hierro, será un reino dividido... el reino será en parte fuerte, y en parte frágil" (Daniel 2:41-42). La división no son los diez dedos de los pies, sino el hierro y el barro. El reino será al principio fuerte como hierro (las piernas). Sin embargo, en sus últimas etapas (los pies y los dedos), será debilitado como la representación de barro mezclado con hierro. Nada en el capítulo 2 trata con los eventos en Roma después de la caída del Imperio Romano. Todo lo que se representa en la imagen es el Imperio Romano mismo y su caída cuando se desmenuza por la piedra. De hecho, el capítulo 2 ni siquiera dice que la imagen tenía diez dedos; es una presunción que así fue. El "diez" no viene al caso en el capítulo 2.

En contraste, los diez cuernos de la bestia terrible en el capítulo 7 definitivamente vienen al caso. Como ya se ha visto, este capítulo específicamente dice que los diez cuernos son "diez reyes". Pero, ¿cuál es el significado de "reyes"? Puesto que un rey es cabeza y es el representante principal de un reino, "rey" a veces significa "reino". En Daniel 7:17 dice que las cuatro bestias son cuatro reyes. Sin embargo, Daniel 7:23 dice que la cuarta bestia es un "cuarto reino". La cuarta bestia es un cuarto rey que representa un cuarto reino. Por tanto, los diez cuernos no son necesariamente diez reyes individuales, sino que bien pueden ser una predicción de diez reinos que se levantarían del Imperio Romano. Muchos estudiantes de la Palabra entienden que estos diez cuernos y el cuerno pequeño (7:8) nos llevan proféticamente a los tiempos históricos después de la caída del Imperio Romano, y describe su división en muchas partes. Es decir, el poder de Roma continúa, pero en una forma diferente. Muchos de nosotros vemos claramente que el cuerno pequeño representa el poder religioso organizado que se levantó en Roma de las cenizas del Imperio Romano.

Las Bestias de Apocalipsis 13

La mayoría de las personas se interesan mucho más en el libro de Apocalipsis que en el libro de Daniel. Sin embargo, una gran parte de Apocalipsis sería aún más difícil de interpretar si no fuera por el fundamento puesto en Daniel. Esto se aplica especialmente a las bestias de Apocalipsis 13 y 17.

Daniel ofrece la clave para interpretar las bestias simbólicas. Los registros de las bestias en la profecía no se pueden tratar como parábolas como algunos creyentes enseñan. Las parábolas enseñan verdades espirituales genéricas que son aplicables a muchos tiempos y lugares. La profecía bíblica, por otro lado, predice eventos específicos en tiempos y lugares específicos. El uso de bestias en Daniel ofrece prueba clara de esta verdad. En Daniel 7 y 8, Dios nos dice que estas bestias proféticas hacen referencia a unos poderes políticos específicos en tiempos específicos de la historia (7:17, 23; 8:20-21). En otras palabras, estas visiones que presentan bestias no son sencillamente un relato de la batalla entre el bien y el mal —¡son profecías! Predicen poderes políticos específicos en tiempos específicos de la historia: Babilonia, Medo-Persia, Grecia, y Roma. Además de ser profecías por derecho propio, Daniel 7 y 8 son la clave bíblica para abrir nuestro entendimiento de las bestias en Apocalipsis 13 y 17. Con Daniel como autoridad, las bestias en Apocalipsis tienen que interpretarse como potencias mundiales específicas en tiempos específicos de la historia.

Si esta clave para interpretar las bestias proféticas fuera la única ayuda que Daniel nos ofreciera para la interpretación de Apocalipsis, sería substancial. Sin embargo, Daniel 7 ofrece mucho más ayuda. En Apocalipsis 13, la primera bestia se describe como una que "tenía diez cuernos y siete cabezas... semejante a un leopardo... oso, y... león" (13:1-2). ¡Extraordinario! Las cuatro bestias nombradas en Apocalipsis 13 son exactamente las mismas cuatro bestias de Daniel 7. Además, están listadas precisamente en el mismo orden, pero al revés. Seguramente, Apocalipsis nos está dirigiendo a Daniel 7 para la clave de la interpretación. La bestia de Apocalipsis 13 tiene ciertas características de todas las cuatro bestias de Daniel 7. El único reino que tendría características de todos los cuatro reinos sería el último. Puesto que el último mencionado en Daniel 7 es el Imperio Romano, obviamente la primera bestia de Apocalipsis 13 es precisamente ese mismo poder.

Roma en su Desarrollo Posterior

Roma era la potencia mundial cuando Juan escribió el libro de Apocalipsis, hacia el final del primer siglo. En el capítulo 17, otra vez encontramos una bestia que "tenía siete cabezas y diez cuernos" (17:3). A pesar de que la bestia es escarlata, seguramente hay una conexión con la bestia con siete cabezas y diez cuernos del capítulo 13. La información acerca de los diez cuernos en el capítulo 17 es más instructiva: "Y los diez cuernos que has visto, son diez reyes, que aún no han recibido reino" (17:12). Hemos aprendido que la bestia es Roma, que tenía el poder en aquel entonces. Sin embargo, aquí el texto dice que los diez cuernos de la bestia (también mencionados en Daniel 7 y Apocalipsis 13) estaban todavía en el futuro para Juan. Representaban un desarrollo que tomaría lugar en el segundo siglo o después. La bestia ya existía, pero la fase de los diez cuernos no había comenzado.

Ireneo, el cual escribió en el segundo siglo siguió viendo los diez cuernos como un desarrollo futuro del Imperio Romano. El habla de que Juan en Apocalipsis escribe "de los diez reyes [que se levantarán] que se dividirán el reino que ahora impera [sobre la tierra]"[3] En otras palabras, los diez cuernos tienen que ver con la división del Imperio Romano. Temprano en el tercer siglo, Hipólito se veía viviendo bajo el cuarto reino, pero veía a los diez cuernos como algo en su futuro: "los diez cuernos, eran símbolos de los reinos que todavía se levantarán".[4]

Para el quinto siglo d.C., el decadente Imperio Romano se desintegró en diez partes bárbaras inaugurando la Edad Media. Fue un tiempo de convulsión; los poderes y las fronteras eran inestables. Por esta razón, no todos los eruditos dan los mismos nombres, ni exactamente diez. Sin embargo, la siguiente lista típica de las gentes envueltas, se puede confirmar generalmente por cualquier libro de historia que cubre la caída del Imperio Romano: los burgundios, los francos, los hérulos, los hunos, los lombardos, los ostrogodos, los sajones, los suevos, los vándalos, y los visigodos. El Imperio Romano Occidental se había desintegrado; los diez cuernos predichos habían llegado a ser una realidad histórica.

En la imagen de Daniel 2, no hay nada que nos lleve más allá del Imperio Romano como tal, que cayó en el año 476 d.C. cuando el último emperador de Roma fue derribado. Sin embargo, Daniel 7 y Apocalipsis claramente nos llevan mucho más allá de ese punto en la historia. El Imperio Romano es solamente el punto de partida para interpretar las bestias de Daniel 7 y las de Apocalipsis 13 y 17.

Un Imperio Romano Revivido

Con relación a la primera bestia, Apocalipsis 13:3 dice: "Vi una de sus cabezas como herida de muerte, pero su herida mortal fue sanada". Luego en los versículos 11 y 12 se presenta otra bestia: "Después vi otra bestia... tenía dos cuernos semejantes a los de un cordero... Y ejerce toda la autoridad de la primera bestia en presencia de ella... la primera bestia, cuya herida mortal fue sanada". La primera bestia, Roma imperial, recibe una "herida mortal". *Mortal* significa fatal, que causa la muerte. Sin embargo, la herida fue sanada.

Apocalipsis así profetizó que Roma imperial prácticamente moriría, pero, el poder romano seguiría viviendo. Esto nos lleva más allá del año 476 d.C. Después de ese tiempo, una bestia como cordero se levantaría que tendría toda la autoridad de Roma imperial y ejercería ese poder en presencia de una Roma revivida. Lo único que uno tiene que hacer es leer la historia para ver claramente lo que pasó en Roma después de la caída del Imperio Romano Occidental. Tratar en detalle con esa historia es más allá del alcance de *Nadie Será Dejado Atrás,* pero se darán algunos puntos sobresalientes en los próximos cuatro capítulos.

Los desarrollos profetizados en Apocalipsis 13 y 17 son los mismos a los cuales ya se hizo referencia en Daniel 7. En Daniel 7, hay un poderoso cuerno pequeño que suplanta tres de los diez cuernos y actúa brutal y blasfemamente. Un estudio cuidadoso y una comparación de los textos nos llevan a la conclusión de que este cuerno pequeño de Daniel 7 es una profecía del mismo poder que representa la bestia que es como cordero en Apocalipsis 13. El cuerno pequeño es un desarrollo relacionado con Roma que toma lugar algún tiempo después de la división del Imperio Romano en diez partes.

Entre otras deficiencias, la teoría futurista de un moderno "Imperio Romano revivido" hace caso omiso totalmente a la historia de la antigüedad y a la historia medieval. Un Imperio Romano revivido no es algo que se debe buscar en los tiempos modernos; ya es historia. Roma imperial cayó. Sin embargo, a diferencia de Nínive y Babilonia de la antigüedad, *la ciudad* de Roma no llegó a quedar en ruinas. Por lo contrario, Roma revivió después del año 476 d.C. y siguió ejerciendo gran poder sobre Europa y mucho más lejos. La herida mortal fue sanada, la bestia siguió viviendo después de que hubiera sido muerta.

Estas verdades en Daniel 7 y Apocalipsis 13 se expresan en otra manera en Apocalipsis 17:8: "la bestia que era y no es, aunque es inminente su presencia" Note las tres etapas:

1. "La bestia que era": el Imperio Romano.
2. "Y no es": Roma cayó.

3. "Aunque es inminente su presencia": el emperador de Roma fue reemplazado por el obispo de Roma, que más tarde fue llamado el Papa.

Roma siguió viviendo, y durante la Edad Media (la Edad Oscura), Roma reinó sobre las posesiones y las almas de los hombres. A pesar de que el poder de Roma se ha disminuido sustancialmente, hasta el día de hoy hay súbditos leales en casi todas las naciones del mundo que rinden su fidelidad al hombre que se sienta en el Palacio del Vaticano en Roma.

La Gran Ciudad de las Siete Colinas

Apocalipsis 17:9 interpreta: "Las siete cabezas son siete montes, sobre los cuales se sienta la mujer". Más tarde, versículo 18 dice: "Y la mujer que has visto es la gran ciudad que reina sobre los reyes de la tierra". La mujer se sienta sobre siete montes, y la mujer es la gran ciudad. Desde los tiempos antiguos, Roma se ha conocido como la ciudad de las siete colinas: El monte Palatino, el Aventino, el Celio, el Esquilino, el Viminal, el Quirinal, y el Capitolino. A pesar de que estos nombres no tienen ningún significado para nosotros, el hecho de que Roma es una ciudad de siete colinas es bien conocido. ¿Puede haber duda sobre el hecho de que la ramera y la bestia escarlata están relacionadas con Roma?

Identificación adicional de Roma se encuentra en las profecías del "666" y del "hombre de pecado". Los siguientes tres capítulos ofrecen un estudio profundo de la profecía del "hombre de pecado". El Capítulo 14 explora la profecía intrigante del "666".

Capítulo 11

El Hombre de Pecado –la Profecía

Todos somos pecadores. Sin embargo, solo un hombre en toda la historia se señala como "el hombre de pecado, el hijo de perdición... aquel inicuo". No es una descripción agradable. Pero ¿por qué hablar de él? Porque la Palabra de Dios habla de él.

La mayoría de los estudiantes de las Escrituras, pasados y presentes, ven una conexión entre el "hombre de pecado" de 2 Tesalonicenses capítulo 2 y "el cuerno pequeño" de Daniel capítulo 7. También ven una conexión con una o más de las bestias de Apocalipsis capítulo 13 y con "la gran ramera" y "Babilonia" en Apocalipsis capítulos 17 y 18. Desde los tiempos antiguos, estas profecías sobresalientes se han agrupado bajo el título común de "el Anticristo".

A pesar de que existe este acuerdo, los puntos de vista con relación al cumplimiento varían drásticamente. ¿Es este enemigo de Dios alguien en el pasado, el presente, o el futuro? El punto de vista más popular hoy día, el futurismo, dice que todavía está en el futuro. Al otro extremo hay un punto de vista que está ganando popularidad, el preterismo, que cree que él es una reliquia de la historia antigua. Sin embargo, a través de cientos de años la gran mayoría de los creyentes de la biblia sin desviarse han proclamado que "el hombre de pecado" es una realidad presente.

Puesto que hay tantos puntos de vista contradictorios, muchos creyentes no se preocupan por tratar de descifrar quién es el hombre de pecado en 2 Tesalonicenses 2. Sin embargo, si leemos el contexto con cuidado, encontramos que esto no es meramente un estudio vano de curiosidad. Hay asuntos eternos en juego aquí.

¿Qué Diferencia Hace Esto?

Número Uno: Cristo *contra* "el hombre de pecado" (versículos 2-3). Se enfrentan nuestro Señor Jesucristo por un lado y "el hombre de pecado" por el otro. Pablo asegura a sus lectores no solamente que Cristo viene, sino que "el hombre de pecado" también viene. Lo mejor y lo peor. El Hijo de Dios contra un hijo de Satanás (versículo 9). Lo que está envuelto es nada más y nada menos que la eterna batalla entre las fuerzas del bien y del mal. La batalla eterna entre Dios y Satanás.

Número Dos: "no os dejéis mover fácilmente" *contra* "la apostasía" (versículos 2-3). Algunas personas piensan que el estudio de la profecía no tiene mucho que ver con el cristianismo "práctico". ¿Cuánto más práctico puede ser estar firme o caerse? El problema es que muchos creyentes creen que apostasía tiene que ver solamente con la borrachera, el adulterio, el dejar de congregarse, y cosas semejantes. Sin embargo, Pablo habla de dejarse mover al no saber si el día de Cristo está en el pasado o en el futuro. Pablo habla de "la apostasía" que envuelve la adoración en el santuario (templo) de Dios. Tenemos que investigar para ver de qué se trata todo esto.

Número Tres: "el amor de la verdad" *contra* "no recibieron el amor de la verdad" (versículo 10). Ame a Dios. Ame a Jesús. Ame a su hermano. Ame a su cónyuge. Ame a su prójimo. Ame a su enemigo. Y también —ame a la verdad. Para algunas personas "amar" significa "sexo". Para otros, "amar" significa "aceptar sin condiciones" lo que haga o crea otra persona. "El amor de la verdad" no es popular en nuestra sociedad relativista y materialista. No es popular con el club de hacer-lo-que-te-haga-sentir-bien. Si uno ama a la verdad, la buscará diligentemente como tesoro escondido (Proverbios 2:1-4).

Número Cuatro: "la verdad" ***contra*** **el "engaño, "un espíritu engañoso", y "la mentira"** (versículos 10-11). Vivir la vida cristiana es más que practicar la moralidad. Tiene que ver con lo que creemos. Tiene que ver con la verdad contra el error. En el jardín de Edén, fue la verdad de Dios contra la mentira de Satanás. Todavía lo es. Eva permitió que sus deseos nublaran la verdad. Pablo le dice a Timoteo y a los corintios que Eva fue engañada (1 Timoteo 2:13-14; 2 Corintios 11:3). En la misma manera millones hoy día son engañados por "el hombre de pecado". No estamos tratando aquí con una vana curiosidad profética. Estamos tratando con el asunto de la verdad contra las mentiras. Jesús es la verdad. Satanás es el padre de la mentira. De esto se trata esta profecía.

Número Cinco: los "salvos" ***contra*** **los "condenados"** (versículos 10 y 12). La eternidad está envuelta en la profecía del "hombre de pecado". Salvo o perdido; bendecido o condenado. Muchos cristianos tratan de esquivar algunos temas diciendo, "Pues, no es asunto de la salvación". Sin embargo, los asuntos de esta profecía en particular tienen mucho que ver con la salvación. Esta profecía tiene mucho que ver con entender las características de los que son salvos y de los que son condenados. Es asunto con consecuencias eternas.

Número Seis: la justicia ***contra*** **"la injusticia"** (versículo 12). La moralidad sí importa. No se puede creer correctamente y vivir incorrectamente. El asunto aquí tiene que ver con los que "se complacieron en la injusticia". Esto nos recuerda de los "amadores de los deleites" de 2 Timoteo 3:4. El pecado es divertido —divertirse ahora, pagar después. Si no fuera divertido ahora, ¿por qué la gente se molestaría con él? Moisés escogió "antes ser maltratado con el pueblo de Dios, que gozar de los deleites temporales del pecado" (Hebreos 11:25). El hombre de pecado tiene que ver con una religión divertida. Es divertida porque uno puede tener un pie en la iglesia y otro pie en el mundo. Ellos rinden culto y a la misma vez "se complacieron en la injusticia".

Estas son seis razones sólidas para probar que la profecía del "hombre de pecado" amerita un estudio serio de parte de cada persona que se preocupa por su relación con el Dios del universo y con Su Hijo precioso.

Esclarecimiento de Asuntos Importantes

Antes de tratar de encontrar el cumplimiento de la profecía del hombre de pecado, tenemos que prestar atención con cuidado a exactamente lo que se predice. Hay que considerar todos los elementos de la profecía, no solamente algunos seleccionados. Las palabras y expresiones tienen que definirse correctamente. Un diccionario en español puede ayudar; pero también, los términos tienen que interpretarse a la luz de lo que el resto de la Biblia enseña. La interpretación de la profecía siempre tiene que estar de acuerdo con la sana doctrina de las Escrituras. En adición, las profecías en otras partes de la Biblia pueden ofrecer las claves importantes para llegar a una interpretación correcta de simbolismos proféticos. Con estas consideraciones en mente, vamos a examinar algunos asuntos importantes en la profecía del hombre de pecado, prestando atención cuidadosa al mismo texto como también al resto de las Escrituras.

¿Cuál "Templo de Dios"?

Una de las preguntas más importantes en esta profecía es el significado de "el santuario (templo) de Dios", puesto que es el lugar donde el hombre de pecado se sentaría. Un milenio antes de Cristo, Salomón construyó un gran templo para Dios en Jerusalén. Cuatro siglos más tarde, Dios envió a Nabucodonosor, rey de Babilonia, para derribar ese templo y toda Jerusalén por los pecados de Judá. Tres grandes profetas de Dios, Isaías, Jeremías, y Daniel, predijeron la reedificación de Jerusalén y del templo después de esa destrucción. Esdras y Nehemías registran los hechos históricos de la reedificación que fue terminada más de cuatro siglos antes de Cristo.

A pesar de que el templo fue reedificado, tanto Daniel como Jesús profetizaron la destrucción de ese segundo templo, de la misma manera que el primero fue destruido. Estas predicciones fueron cumplidas poderosamente en el año 70 d.C., cuando los romanos aplastaron la rebelión judía. En verdad fue Dios quien trajo juicio sobre Jerusalén y el templo porque la nación judía rechazó a Cristo (Lucas 19:41-44).

Los que reclaman que un tercer templo se va a edificar en el futuro basan su opinión solamente sobre inferencia. Sus argumentos son más o menos así: puesto que el hombre de pecado se sentará en el santuario (templo) de Dios, el templo en Jerusalén tiene que ser reedificado para que se pueda cumplir la profecía. Sin embargo, uno puede preguntar con mucha razón: ¿Cuál es la prueba de que "El santuario (templo) de Dios" en 2 Tesalonicenses 2 tiene que ser un templo físico en la Jerusalén física? De hecho, hay por lo menos tres razones para rechazar tal interpretación.

Primeramente, es un hecho claro de que ninguna Escritura hace tal predicción. No hay ni una sola profecía bíblica que predice una reconstrucción del templo en Jerusalén después de su destrucción en el año 70 d.C.

Segundo, uno tiene que considerar la naturaleza del templo en Jerusalén en el Nuevo Testamento. Todo el mundo entiende que el templo en Jerusalén fue el templo de Dios cuando Jesús llegó al escenario. Jesús mismo dijo del templo, "Quitad de aquí esto; no hagáis de la casa de mi Padre casa de mercado" (Juan 2:16). Fue en el templo donde los animales eran sacrificados y su sangre derramada para perdón de los pecados del pueblo. Sin embargo, Jesús vino al mundo para ofrecer Su propio cuerpo y sangre como el perfecto sacrificio por los pecados. Así, en el momento de Su muerte, Dios actuó de una manera sin precedente: "Y he aquí, el velo del templo se rasgó en dos, de arriba abajo; y la tierra tembló, y las rocas se partieron" (Mateo 27:51). En esta manera gráfica Dios declaró que cuando Jesús murió, había terminado con ese templo físico.

Después de rasgar el velo, el término "casa de Dios" nunca más se refiere al templo en Jerusalén. Un templo físico no ha existido ya por más de mil novecientos años. Cualquier templo

"El Templo de Dios"

El Camino Viejo (un edificio)

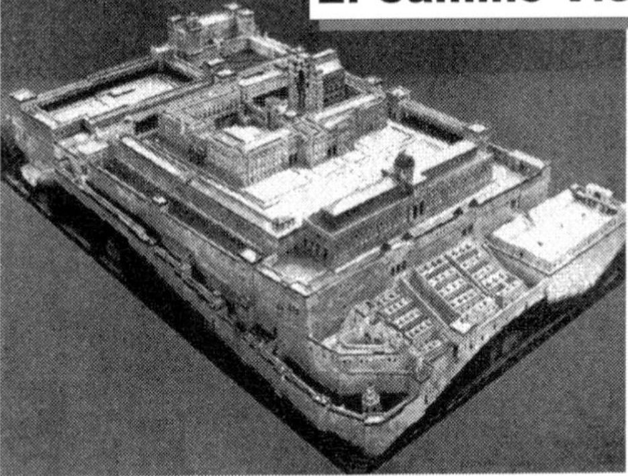

"Los venidos de la cautividad edificaban el templo de Jehová Dios" (Esdras 4:1).

"Y entró Jesús en el templo de Dios, y echó fuera a todos los que vendían y compraban en el templo" (Mateo 21:12).

La Cruz Hizo la Diferencia

- Dios rasgó el velo del viejo templo en dos cuando Jesús murió.
- Dios reemplazó los sacrificios del viejo templo con la sangre de Jesús.
- Dios usó a los romanos para destruir el viejo templo en el año 70 d.C.
- Dios ahora habita en Su pueblo. La iglesia es Su templo ahora.

El Camino Nuevo (Personas)

"Sois santuario (templo) de Dios" (1 Cor. 3:16).

"Un santuario (templo) sagrado en el Señor; en quien también vosotros sois juntamente edificados para morada de Dios" (Ef. 2:21-22).

Las personas representadas son modelos. la foto se utiliza sólo con propósitos ilustrativos

"La casa de Dios, que es la iglesia del Dios viviente" (1 Tim. 3:15).

Por tanto: Después de la cruz, cualquier profecía acerca del templo de Dios no puede referirse al templo destruido en el año 70 d.C., sino a la iglesia del Dios viviente.

físico que se construya hoy día para restaurar la adoración del Antiguo Testamento sería como una bofetada en la cara de Jesús, quien derramó Su sangre para acabar con los sacrificios de los animales en el templo. El segundo Templo que existió en los días de Jesús, cesó de ser templo de Dios, en el momento en que Jesús murió. Cuarenta años después, Dios envió a los romanos para destruir totalmente ese templo. Si un tercer templo, se construyera, no sería templo de Dios, ni siquiera por un instante.

Tercero, 1 Timoteo 3:15 dice claramente: "para que si tardo, sepas cómo debes conducirte en *la casa de Dios, que es la iglesia* de Dios viviente, columna y baluarte de la verdad" (itálicas mías). La Escritura no puede decir más claramente lo que es "la casa de Dios" hoy día —la iglesia de Dios.

Lo mismo aplica a la expresión "santuario (templo) de Dios". Un examen demuestra que después de la muerte de Jesús, "santuario (templo) de Dios" nunca más hace referencia al templo físico en la Jerusalén física. Más bien, hace referencia a la iglesia de Dios. Parece que nuestros hermanos en Corinto no estaban muy claros en este punto. Así que Pablo les preguntó, "¿No sabéis que sois santuario (templo) de Dios, y que el Espíritu de Dios mora en vosotros?" (1 Corintios 3:16). Hoy día haríamos unas preguntas parecidas: Cuando estudian la profecía acerca del templo de Dios, ¿no saben ustedes que, desde la muerte de Jesús, el pueblo de Dios es el templo de Dios? ¿No saben que la casa de Dios es la iglesia de Dios?

Esta es sana doctrina. Usando la sana doctrina como la base para el estudio de la profecía, el estudiante cuidadoso del Nuevo Testamento reconocerá que cuando 2 Tesalonicenses capítulo 2 habla proféticamente del "santuario (templo) de Dios", tiene que estar profetizando acerca de la iglesia. Algo malvado iba a pasar en la iglesia de Jesús.

¿Qué es la Apostasía?

Otro asunto importante es el significado de la expresión "la apostasía" (2 Tesalonicenses 2:3). Varias versiones en inglés la traducen figurativamente: "la caída". Más literalmente, un diccionario de la lengua española da el significado como: "abandono de las creencias en que uno ha sido educado".

Un hombre no puede caerse de un acantilado si nunca estuvo en el acantilado. Un niño no puede caerse de un tren si nunca se montó al tren. Hablando literalmente, alguien no puede abandonar algo que no ha poseído. Dado que esta profecía tiene algo que ver con el "santuario (templo) de Dios", la iglesia, es, por tanto, la predicción de una caída de la iglesia verdadera, el abandono de la fe verdadera. Es una profecía acerca de la apostasía, una profecía acerca de apartarse de la fe dada "una vez por todas" (Judas 3). La profecía no puede estar hablando acerca del judaísmo, porque vino antes de la iglesia de Cristo. No puede estar hablando del islam, porque es una religión completamente distinta sin relación al evangelio de Cristo. Tenemos que estudiar la historia de la iglesia para encontrar la caída, la apostasía.

La profecía tampoco se trata de cualquier caída. Profetiza "la" caída, "la" apostasía. Parece indicarnos que para encontrar el cumplimiento tenemos que encontrar la iglesia falsa más sobresaliente de toda la historia.

Junto con la idea de la caída, está "aquel inicuo" (2 Tesalonicenses 2:8-9). Una versión en español traduce así: "ese impío (sin ley)" (paréntesis de ellos). Otra versión traduce: "hombre de anarquía". En otras palabras, daría la espalda a la ley de Cristo, y establecería sus propias leyes. Una persona es inicua (pecadora) al quebrantar una sola ley. Sin embargo, "aquel inicuo" conlleva la idea de alguien que repetidamente y de manera grande se opone a los mandamientos del Nuevo Testamento. Esta profecía no se trata de cualquier apostasía pequeña del evangelio verdadero. Predice una apostasía de mayores proporciones.

Pablo escribió a los tesalonicenses hace más de mil novecientos años. Antes de pensar que el "hombre de pecado" pueda estar en el futuro, un creyente debe rebuscar los mil novecientos años de historia de la iglesia para ver si la profecía ha sido ya cumplida. Cuando las personas hacen caso omiso a diecinueve siglos del cristianismo, es más fácil que sean engañados con la idea de que el cumplimiento queda todavía en el futuro.

¿Un Hombre o un Grupo de Hombres?

¿Cuántas personas están envueltas en la expresión "el hombre de pecado"? Puede aparentar ser una pregunta extraña puesto que el texto claramente dice "el hombre" de pecado (2 Tesalonicenses 2:3). Sin embargo, en la profecía bíblica, una persona muchas veces representa un grupo de personas. Por ejemplo, la mayoría de los estudiantes están de acuerdo que las cuatro bestias en Daniel 7 representan a Babilonia, Persia, Grecia, y Roma. Cada bestia representa un imperio completo. En Daniel 7:23 dice que la cuarta bestia sería "un cuarto reino en la tierra". Pero, el versículo 17 dice, "Estas cuatro grandes bestias son cuatro reyes". Así que una bestia representa un hombre, y ambos representan un reino. Este simbolismo bíblico no es tan extraño como algunos piensan. ¿Ha oído del "tío Sam" que representa a los EE.UU.? ¿Y qué del elefante y del burro que representan los partidos políticos: los republicanos y los demócratas?

Este mismo tipo de simbolismo se encuentra en Apocalipsis 17. ¿Quién argumentaría que "la gran ramera" es una profecía de una prostituta literal de un prostíbulo? De hecho, la profecía misma aclara cualquier duda cuando el versículo 18 dice, "Y la mujer que has visto es la gran ciudad que reina sobre los reyes de la tierra". Una mujer representa una ciudad entera. Ella representa especialmente el poder de los líderes de esa ciudad para ejercer control sobre muchas naciones.

Tanto Daniel como Apocalipsis hacen claro que un individuo proféticamente podría representar una ciudad entera o un imperio entero, especialmente los poderes gubernamentales.

Un Asunto de Religión

No se puede hacer caso omiso al hecho de que el "culto" está envuelto en esta profecía (2 Tesalonicenses 2:4). Independientemente del poder político que pueda tener, "el hombre de pecado" es una figura religiosa. Se presenta como Dios para ser "objeto de culto". Además, hace esto en el santuario de

Dios, que es la iglesia.

Dios no desea cualquier religión. El primer homicidio en la raza humana fue por motivo religioso. "Y miró Jehová con agrado a Abel y a su ofrenda; pero no miró con agrado a Caín y a la ofrenda suya. Y se ensañó Caín en gran manera, y decayó su semblante" (Génesis 4:4-5). El primer pecado registrado de Caín no fue homicidio, ni siquiera odio para con su hermano. El primer pecado de Caín fue una adoración falsa.

La Biblia está llena de registros de conflictos religiosos. Jesús, por ejemplo, le dijo a la mujer samaritana, "Vosotros adoráis lo que no sabéis" (Juan 4:22). Jesús dijo de los líderes religiosos de Su día, "en vano me rinden culto, enseñando doctrinas, que son preceptos de hombres" (Mateo 15:9). "El hombre de pecado" tiene mucho que ver con la adoración falsa.

Milagros por Satanás

La iglesia apóstata aquí prevista sería "por la actuación de Satanás, con gran poder y señales y prodigios mentirosos" (2 Tesalonicenses 2:9). Esto eliminaría a muchas personas y organizaciones apóstatas como candidatos para "el hombre de pecado". "El hombre de pecado" hace milagros. Que Satanás haga milagros no es nada nuevo en la Biblia. Tan temprano como en los tiempos del Éxodo, los magos de Faraón eran capaces de duplicar las señales de Moisés de convertir las varas en culebras, de convertir el agua en sangre y de producir una plaga de ranas (Éxodo. 7:8 a 8:19). Sí, Moisés por la mano del Todopoderoso hizo más que ellos. Sin embargo, no se equivoque sobre esto. Estos magos paganos hicieron milagros verdaderos.

Hay muchas maneras en que el pueblo de Dios puede distinguir entre los milagros de Dios y los milagros de Satanás. Una manera es exactamente lo que se registra en Éxodo 8:18: "Y los hechiceros hicieron así también, para sacar piojos con sus encantamientos; pero no pudieron". Ellos habían hecho muchos milagros, pero llegó el momento cuando trataron y fracasaron. Cualquiera que trata de hacer un milagro y fracasa no es de Dios. Su fracaso demuestra que los milagros que en verdad hicieron eran de origen Satánico.

Poder Engañoso

No debemos pasar por alto el hecho de que "un espíritu engañoso" (2 Tesalonicenses 2:11) es parte del escenario. No espere que la gente del mundo se convenza fácilmente de que alguna iglesia falsa sea "el hombre de pecado". No espere que el movimiento ecuménico lo crea. No espere que los que ponen la unidad por encima de la doctrina pura lo crean. "El hombre de pecado" es muy religioso; él hace milagros, y muchos consideran que está en la verdadera iglesia de nuestro Señor. Las multitudes serán poderosamente engañadas.

Comenzó en los Días de Pablo

Pablo lo hizo claro que en su tiempo ya estaba "en acción el misterio de la iniquidad" (2 Tesalonicenses 2:7). Por tanto, al buscar el cumplimiento de esta profecía, tenemos que buscar algún espíritu, alguna actividad que ya estaba actuando en el primer siglo. No tiene sentido empezar a buscar en el año 2000 y buscar hacia atrás. Mucho menos sentido tiene teorizar sobre alguna posibilidad futura. ¿Cómo podemos creer que algo que ya estaba trabajando en los días de Pablo no haya podido salir a la luz por más de mil novecientos años?

Más bien, es más sabio comenzar la búsqueda en el primer siglo y seguir hacia adelante en el tiempo. Tenemos que examinar el desarrollo de la historia de la iglesia desde su origen. Tenemos que buscar algo que ya estaba actuando en los días de Pablo que con el tiempo llegó a ser una iglesia completamente apóstata. Cuando encontremos esto, y si cumple todos los detalles de la profecía, entonces hemos encontrado "el hombre de pecado".

Viene Antes de que Jesús Venga

¿Quién viene primero, Jesús o el hombre de pecado? La Escritura nos dice claramente: "Y entonces será revelado aquel inicuo, a quien el Señor... reducirá a la impotencia con la manifestación de su venida" (2 Tesalonicenses 2:8). Puesto que Jesús destruirá el inicuo cuando venga otra vez, el inicuo tiene que estar aquí primero.

El futurismo reclama que la "venida" en el versículo 1 de 2 Tesalonicenses 2 es el Rapto, y la "venida" en el versículo 8 es "la Segunda Venida" que será siete años más tarde. Sin embargo, la palabra griega para "venida" en el versículo 1 es la misma palabra que se usa en el versículo 8. El texto no da ningún indicio de dos venidas diferentes de Jesús, una segunda venida seguida por una tercera venida. En el versículo 1, Pablo introduce el tema: "Pero con respecto a la venida de nuestro Señor Jesucristo..." En los versículos 1 y 2, Pablo sencillamente dice que no deben pensar que la venida de Jesús ya haya sucedido. En el versículo 3 él da una razón por la cual no deben pensar que Jesús ya haya venido: Jesús no volverá hasta que venga el hombre de pecado. En los versículos 4-7, Pablo da muchos detalles con relación a este hombre de pecado. En el versículo 8 Pablo declara, "Y entonces será revelado aquel inicuo, a quien el Señor... reducirá a la impotencia con la manifestación de su venida". En pocas palabras, Pablo enseña que el Señor no viene hasta que el hombre de pecado venga, y cuando el Señor venga, destruirá al hombre de pecado, el inicuo. El hombre de pecado viene primero, Jesús viene más tarde.

Qué Buscar

Un estudio cuidadoso de la profecía del hombre de pecado en su contexto bíblico lleva a varias conclusiones importantes:

- Después de la muerte de Cristo, la expresión "santuario (templo) de Dios" en las Escrituras siempre se refiere a la iglesia de Jesús.
- La palabra "apostasía" significa la caída. La profecía se trata de una iglesia apóstata o caída.
- El "culto" está envuelto, pero es un culto falso de alguien que se presenta como Dios.
- El que guía esta iglesia apóstata se llama el hombre de pecado o inicuo. Una comparación con otras Escrituras proféticas demuestra que un "hombre", singular, puede representar un grupo de hombres.
- Esta iglesia apóstata y su liderazgo tienen el poder de hacer milagros.

• Las tendencias que llevaban en esta dirección ya estaban en acción en los días de Pablo y serían completamente desarrolladas antes de la venida de Jesús.

La búsqueda para el cumplimiento de la profecía del hombre de pecado tiene que tomar en consideración todas estas conclusiones basadas en la Biblia. La profecía del hombre de pecado es una predicción de una iglesia y liderazgo apóstatas plenamente desarrolladas que tomaría lugar antes de la venida de Jesús para Su iglesia. Ya había un movimiento hacia la apostasía antes de que Pablo escribiera. La búsqueda por un cumplimiento tiene que comenzar en los días de Pablo y seguir adelante en la historia de la iglesia hasta que se encuentre una gran iglesia apóstata que hace milagros y que tiene un liderazgo que reclama tener las características de Dios.

Testigo del Siglo Dieciocho

"Ningún comentarista nunca concibió que la prostituta de Babilonia significara una sola mujer: ¿por qué entonces se debe tomar el hombre del pecado como un solo hombre?... bajo la dispensación del evangelio de Dios el templo de Dios es la iglesia de Cristo: y el hombre de pecado sentado implica que gobierna y preside allí, y sentado allí como Dios implica que reclama autoridad divina tanto en cosas espirituales como las temporales, y haciéndose pasar por Dios implica que lo hace con gran orgullo y pompa, con gran ceremonia y ostentación.

—Thomas Newton, 1704-1782
Dissertations on the Prophecies
(Disertaciones Sobre las Profecías), 390-91

Capítulo 12

El Hombre de Pecado –la Historia

Pablo advirtió: "Ya está en acción el misterio de la iniquidad" (2 Tesalonicenses 2:7). Así que el cumplimiento de esta profecía había comenzado en el primer siglo. Algo ya estaba obrando en los días de Pablo que con el tiempo produciría "el hombre de pecado, el hijo de perdición... aquel inicuo" (2:3,8).

"Todos los Caminos Conducen a Roma"

Desde el segundo siglo hasta el siglo veintiuno, la mayoría de los estudiantes de la profecía han entendido que el cuerno pequeño de Daniel 7 y las bestias de Apocalipsis 13 y 17 están relacionados con Roma. Hoy día hay tres puntos de vista principales con relación al tiempo en la historia cuando Roma cumple estas profecías. El preterismo coloca el cumplimiento en nuestro pasado, el futurismo lo coloca en nuestro futuro, y el historicismo lo coloca en nuestro pasado, presente, y futuro.

La mayoría está de acuerdo que 2 Tesalonicenses 2 es parte del mismo cuadro profético. Esto significa que "el hombre de pecado" se encontrará en Roma. La evidencia ya presentada en el Capítulo 11 señala la conclusión de que "el hombre de pecado, el hijo de perdición" hace referencia a la iglesia apóstata más sobresaliente en la historia. Añadir Roma a la ecuación, y el cumplimiento de la profecía llega a ser obvio.

"Os Decía Esto... Vosotros Sabéis"

La Biblia no fue sellada en un vacío tan pronto fuera escrita, sin leerse, sin estudiarse hasta que llegara a cada uno de nosotros en el siglo veintiuno. Hacerles caso omiso a los siglos que intervienen sería corto de vista y egoísta. Si no aprendemos de otros, ¿cómo vamos a esperar que otros aprendan de nosotros?

"Os decía esto... vosotros sabéis", dijo Pablo, "lo que lo detiene" (2 Tesalonicenses 2:5-6). Esto es sorprendente. Los santos en Tesalónica lo sabían. Pablo les había enseñado en persona. Pero el Espíritu Santo impidió que Pablo lo escribiera. ¿Hay otro lugar en las Escrituras como éste? El escritor dice que los lectores saben de lo que él está hablando, pero se niega a escribirlo. Llega a ser irresistible hojear los escritos de los cristianos en los primeros siglos para aprender lo que ellos nos pueden decir sobre este asunto. ¿Cabrá la posibilidad de que los cristianos del primer siglo no pasarían esta información hacia adelante?

Antes de examinar los escritos de los primeros cristianos, tenemos que estar conscientes de tres cosas:

1. Ellos no eran inspirados. Por tanto, expresan muchos puntos de vista contradictorios, tanto en la profecía como en otros asuntos.
2. Antes de que una profecía en particular sea cumplida, no podemos esperar que los cristianos la entiendan a su plenitud. Por ejemplo, los apóstoles, no entendían correctamente muchas profecías mesiánicas a pesar de que Jesús estaba en medio de ellos.
3. Después de cumplirse una profecía, siempre habrá los que niegan su cumplimiento. Por ejemplo, los judíos, hasta el día de hoy, niegan que Jesús de Nazaret sea el Mesías prometido.

Con estas precauciones en mente, todavía es muy iluminador descubrir lo que los cristianos a través de los siglos han creído acerca de varias profecías. Esto es especialmente verídico en este caso cuando Pablo dice, "vosotros sabéis..."

No Se Cumplió en el Primer Siglo

El punto de vista preterista enseña que el hombre de pecado apareció en el primer siglo. Aplica todos los detalles de 2 Tesalonicenses 2 a eventos que rodean la destrucción de Jerusalén en el año 70 d.C. Cita autoridades con puntos de vista idénticos, pero nunca, ninguna autoridad más temprano que el siglo diecisiete. ¿Por qué no antes? La razón es sencilla. No hay ninguna autoridad antes de esa fecha que mantenga ese punto de vista.

Ningún escritor antes del año 1600 d.C., jamás mencionó a nadie que creyera que la profecía del "hombre de pecado" se cumpliera en el primer siglo. Noten:

1. Los tesalonicenses sabían quién detenía la revelación del inicuo.
2. Muchos escritores cristianos entre el segundo y el quinto siglo escribieron en detalle acerca de esta profecía.
3. Ni un solo escritor de los primeros siglos pensaba que la profecía del "hombre de pecado" se hubiera cumplido en el primer siglo.
4. Los escritores de los primeros siglos muchas veces discutían los puntos de vista contrarios a los suyos. Ninguno de ellos menciona a nadie que aplicara esta profecía al primer siglo.

En el siglo dieciocho, Tomás Newton diserta sobre 2 Tesalonicenses capítulo 2 en detalle en su famosa *Dissertations on the Prophecies.* Él menciona a cinco escritores de los siglos diecisiete y dieciocho que reclaman que la profecía del "hombre de pecado" fue cumplida en el primer siglo. Él señala no solamente el hecho de que están en desacuerdo con la mayoría de los intérpretes, sino también, están en desacuerdo el uno contra el otro y contra todos los que eran antes de ellos. Luego comenta:

> Si esta profecía [2 Tesalonicenses 2] fue cumplida como estos críticos conciben, antes de la destrucción de Jerusalén, es sorprendente que ninguno de los padres [los escritores cristianos de los

primeros siglos] estuviera de acuerdo con algunos de ellos en la misma aplicación, y que el descubrimiento se hiciera primeramente mil seiscientos o mil setecientos años después de su cumplimiento. Los padres pueden estar en desacuerdo o estar equivocados en las circunstancias de la profecía que todavía no se hubiera cumplido, pero que una profecía se cumpliera sorprendentemente antes de su tiempo y que ellos estuvieran ignorantes de esto, y que hablaran del cumplimiento todavía en el futuro no se puede creer fácilmente.[1]

Los Cristianos de los Primeros Siglos Hablan

Una búsqueda entre los escritos de los cristianos de los primeros siglos revela que muchos creyentes tenían un punto de vista definitivo con relación a lo que detenía o retenía la aparición del hombre de pecado. No, no hay ningún escritor que reclame citar al apóstol Pablo ni ninguno que haya escuchado a Pablo decir lo que la detenía. Sin embargo, estos cristianos de los primeros siglos vivieron muchísimo más cerca a la fuente que nosotros. Por tanto, ellos estaban en una posición mejor que los que vivimos hoy día para tener contacto con la información que Pablo impartió a los santos en Tesalónica. Seguramente, debemos investigar lo que los escritores cristianos de los primeros siglos pensaban acerca de lo que Pablo hablaba antes de considerar interpretaciones inventadas en el siglo veintiuno.

En vista de los muchos diferentes puntos de vista sobre la profecía que encontramos entre los escritores cristianos de los primeros siglos, es impresionante el acuerdo que hay entre ellos con relación a la cuestión de qué detenía-retenía-impedía. Al fin y al cabo, por supuesto, sus puntos de vista tienen que ser probados tanto por las Escrituras como por la historia. Con esto en mente, mientras sigamos sus puntos de vista y consideremos el desarrollo de la historia, tenemos que impresionarnos con el hecho de que los cristianos de los primeros siglos estaban bien encaminados con relación a una gran parte de esta profecía —mucho antes de que se cumpliera.

Ireneo, 130 a 202 d.C.

Ireneo nació 30 años después de que murió el apóstol

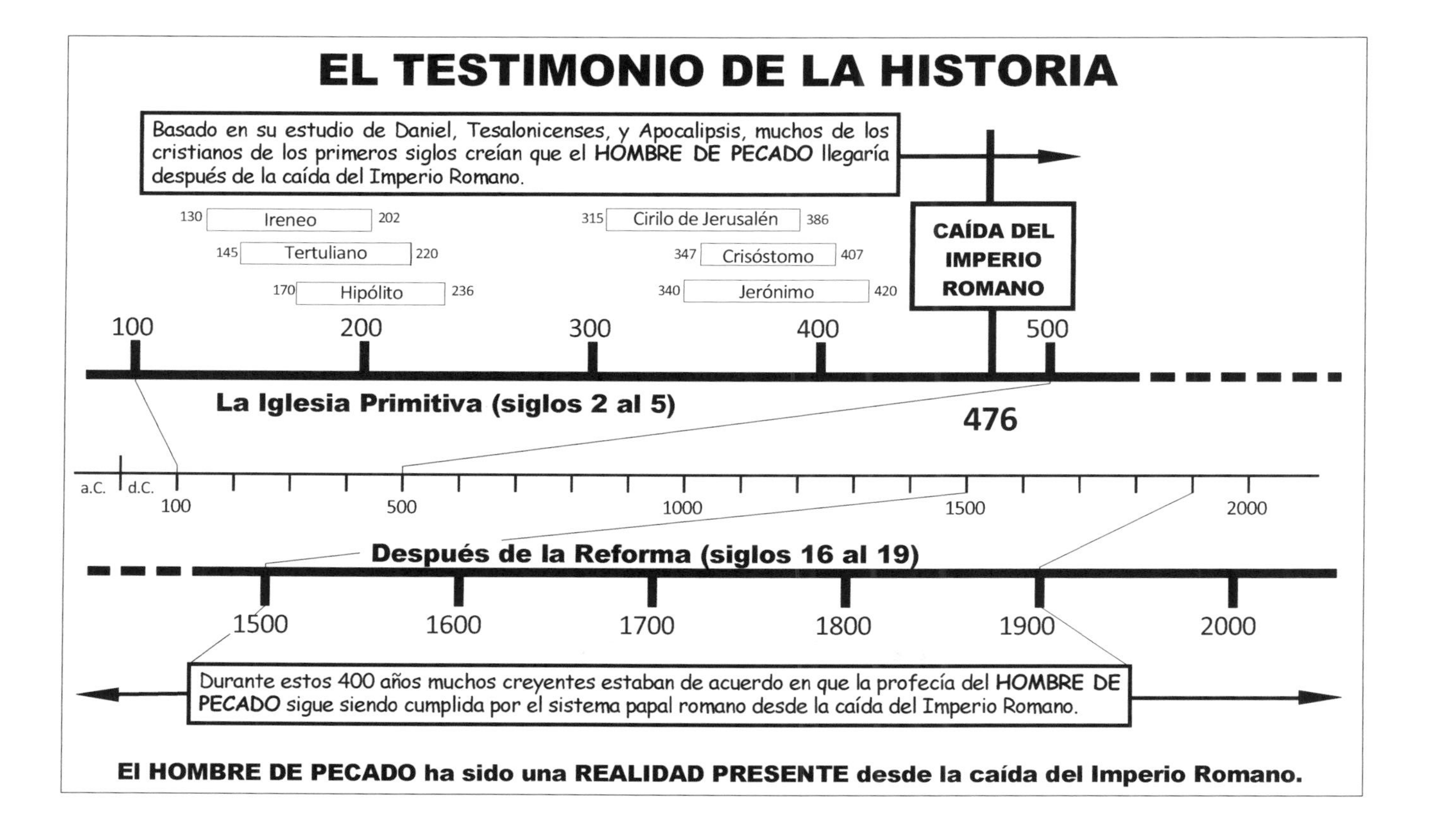

EL TESTIMONIO DE LA HISTORIA
Basado en su estudio de Daniel, Tesalonicenses, y Apocalipsis, muchos de los cristianos de los primeros siglos creían que el HOMBRE DE PECADO llegaría después de la caída del Imperio Romano.
130 Ireneo 202
145 Tertuliano 220
170 Hipólito 236
315 Cirilo de Jerusalén 386
347 Crisóstomo 407
340 Jerónimo 420
CAÍDA DEL IMPERIO ROMANO
100
200
300
400
500
La Iglesia Primitiva (siglos 2 al 5)
476
a.C.
d.C.
100
500
1000
1500
2000
Después de la Reforma (siglos 16 al 19)
1500
1600
1700
1800
1900
2000
Durante estos 400 años muchos creyentes estaban de acuerdo en que la profecía del HOMBRE DE PECADO sigue siendo cumplida por el sistema papal romano desde la caída del Imperio Romano.
El HOMBRE DE PECADO ha sido una REALIDAD PRESENTE desde la caída del Imperio Romano.

Juan. Él había escuchado las enseñanzas de Policarpo, que había escuchado la enseñanza del apóstol Juan. Ireneo dedicó varios capítulos a Daniel capítulo 7, Apocalipsis capítulo 13, y 2 Tesalonicenses 2 en su obra extensiva, *Contra Herejes*. Como es típico de creyentes de todas las edades, él entendió que las tres profecías están relacionadas. Ireneo escribió:

> Daniel, contemplando el fin del último reino, es decir los últimos diez reyes entre los cuales se dividirá el reino de aquellos, sobre los cuales *sobrevendrá el hijo de la perdición*, dice que nacerán diez cuernos a la bestia, y que brotará un cuerno más pequeño en medio de ellos (itálicas mías).[2]

> Más claramente aún Juan, discípulo del Señor, escribió en el Apocalipsis acerca de los últimos tiempos y de los diez reyes [que se levantarán] que *se dividirán el reino que ahora impera [sobre la tierra]* (itálicas mías).[3]

Basado en Daniel, Tesalonicenses, y Apocalipsis, Ireneo creía que el Imperio Romano de su tiempo algún día sería dividido en diez partes, y que de esta división se levantaría el hijo de perdición, el hombre de pecado.

Tertuliano, 145 a 220 d.C.

Pocos años después, Tertuliano citó y comentó sobre 2 Tesalonicenses 2. El combinó la profecía del "hombre de pecado" con las profecías de la bestia con diez cuernos:

> Otra vez, en la segunda epístola, él [Pablo] se dirige a ellos con aun mayor ánimo: 'Porque aquel día no vendrá a menos que, de hecho primeramente venga la apostasía,' de hecho él quiere decir de este presente imperio, y que 'el hombre de pecado sea revelado,' esto quiere decir anticristo, "el hijo de perdición, oponiéndose, y levantándose contra todo lo que se llama Dios... Y ahora vosotros sabéis lo que impide, para que a su tiempo se manifieste. Porque ya está obrando el misterio de iniquidad: solamente espera hasta que sea quitado de en medio el que ahora impide.' *¿Qué obstáculo hay a no ser el estado romano, la caída del cual siendo dividido en diez reinos traerá el anticristo sobre (sus propias ruinas)?* (itálicas mías).[4]

Hipólito, 170 a 236 d.C.

Pocos años más adelante, Hipólito escribió *Un Tratado sobre Cristo y el Anticristo.* Mientras disertaba sobre Daniel capítulos 2 y 7, él escribió:

> La cabeza de oro de la imagen y la leona denotaban a los babilonios; los hombros y los brazos de plata, y el oso, representaban a los persas y a los medos; el vientre y los muslos de bronce, y el leopardo, significaban a los griegos, los cuales mantenían la soberanía desde los tiempos de Alejandro; las piernas de hierro, y la bestia terrible, expresaban *los romanos, que mantienen la soberanía al presente*; los dedos de los pies que eran en parte de barro y en parte de hierro, y los diez cuernos, eran símbolos de los reinos que *todavía se levantarán, y el otro cuerno pequeño que se levanta en medio de ellos significa el anticristo* (itálicas mías).[5]

Cirilo de Jerusalén, 315 a 386 d.C.

Llegando al cuarto siglo, Cirilo, después de citar 2 Tesalonicenses 2, dijo lo siguiente:

> Hasta aquí Pablo. Ciertamente, ahora se da la defección... pero ahora está la Iglesia llena de herejes ocultos. Los hombres se han apartado de la verdad y sienten el afán de novedades... Se trata, por consiguiente, de la apostasía, y ya hay que esperar al enemigo.[6]

> *El anticristo mencionado llegará cuando se hayan completado los días del imperio romano* y esté ya muy próximo el fin del mundo. Diez reyes de los romanos se levantarán a la vez en lugares quizá diversos, pero reinando todos a la vez. Después de estos, el undécimo será el anticristo, que *usurpará el poderío romano* apoyándose en las artes de la magia. (itálicas mías).[7]

> "Así que se siente en el templo de Dios". ¿Cuál templo entonces? Él quiere decir, el Templo de los judíos que ha sido destruido. Porque, ¡Dios no quiera que se refiera a éste en el cual estamos![8]

Cirilo, que vivió antes del cumplimiento, prefirió pensar que "el templo de Dios" significaba un templo reconstruido de los judíos. Allí es donde él visualizó que el hombre de pecado se sentaría. ¿Por qué? Porque él retrocedió de la idea del hombre de pecado sentado en la iglesia. Sin embargo, la manera que se expresa demuestra que él sí entendía que el término "el templo de Dios" se podría aplicar a la iglesia. Muchos hoy día hacen caso omiso a este punto importante y presumen, sin prueba, que "el templo de Dios" tiene que ser un templo judío reconstruido en Jerusalén.

Crisóstomo, 347 a 407 d.C.

Más tarde en el cuarto siglo, Crisóstomo escribió muchísimas homilías basadas en textos de las Escrituras. En su homilía sobre 2 Tesalonicenses 2:6-9, él dice:

> ¿Qué es entonces lo que lo detiene, esto es, lo que prohíbe que sea revelado? Algunos, de hecho, dicen la gracia del Espíritu, pero otros dicen el imperio romano, y con ellos estoy principalmente de acuerdo. ¿Por qué? Porque si hubiera dicho el Espíritu, no tendría que hablar oscuramente sino claramente... Pero porque él dice esto del Imperio Romano, naturalmente le dio una mirada y habló encubiertamente y oscuramente. Porque no quería traer sobre él mismo enemistades superfluas y peligros inútiles.[9]

> "Solo que hay uno que lo detiene hasta que él a su vez sea quitado de en medio", *esto es, cuando el Imperio Romano sea quitado de en medio, entonces vendrá*. Y naturalmente. Porque mientras exista el temor de este imperio, nadie estaría dispuesto a salirse, pero cuando aquel se disuelva, él atacará la anarquía, y tratará de *apoderarse del gobierno tanto el de Dios como el de los hombres* (itálicas mías).[10]

Jerónimo, 340 a 420 d.C.

Jerónimo escribió la primera carta citada aquí en el año 396 d.C. y la segunda en el año 409 d.C. Ya el Imperio Romano tenía problemas profundos con los bárbaros.

> Yo tiemblo cuando pienso de las catástrofes de nuestro tiempo... *El mundo romano se está cayendo*: sin embargo mantenemos la cabeza en alto en vez de inclinarla... El ejército romano una vez victorioso y señor del mundo, ahora tiembla con terror al ver al enemigo (itálicas mías).[11]

> ¿Pero qué estoy haciendo? Mientras estoy hablando de esta carga, el barco en sí se hunde. *El que lo detiene se quita de en medio, y comoquiera no reconocemos que el anticristo está cerca.* Sí, el anticristo está cerca al cual el Señor Jesucristo lo 'consumirá con el espíritu de su boca'... Por treinta años los bárbaros rompieron la barrera del Danubio y pelearon en el corazón del Imperio Romano... Roma tiene que luchar dentro de sus fronteras no para gloria sino para sobrevivir (itálicas mías).[12]

Agustín, 354 a 430 d.C.

En su famosa *Ciudad de Dios,* Agustín escribió:

> Pero no puedo menos de citar al apóstol Pablo en su carta a los de Tesalónica. Dice así: A propósito de la venida de nuestro Señor Jesucristo...
>
> No cabe la menor duda de que estas palabras se refieren al anticristo, y manifiestan que el día del juicio (él lo llama día del Señor) no tendrá lugar más que después de su venida, aludida con el nombre de apostasía... El inciso: Sabéis lo que ahora lo frena equivale a "sabéis qué es lo que lo retrasa, cuál es la causa de su demora", para que su aparición llegue a su debido tiempo. Y como dice que ellos lo saben, no lo quiso expresar claramente... Yo reconozco ignorar totalmente lo que quiso decir. Con todo expresaré las conjeturas de aquellos a quienes he oído o leído.
>
> Piensan algunos que tales palabras hacían referencia al imperio romano, y que el apóstol Pablo no quiso expresarlo abiertamente para no incurrir en una acusación de calumnia, al desearle un mal al romano Imperio, dado que se esperaba fuese eterno... Otros opinan que las palabras: Sabéis lo que ahora lo frena, y las otras: Esta impiedad escondida está ya en acción, no se refieren más que a los malvados e hipócritas que hay en la Iglesia, hasta llegar a un número tal que formen el gran pueblo del anticristo. Sería la "impiedad escondida".[13]

Escritores cristianos del segundo, tercer y cuarto siglos han hablado. De estos breves extractos, podemos hacer las siguientes observaciones de lo que ampliamente se creía durante aquellos siglos:

1. Muchos creían que Daniel 7, 2 Tesalonicenses 2, y Apocalipsis 13 y 17 están relacionados, todos profetizan acerca de Roma.

2. Muchos creían que el cuerno pequeño de Daniel 7 y el hombre de pecado de 2 Tesalonicenses 2 hicieron referencia al anticristo en su futuro.

3. Muchos creían que el Anticristo aparecería cuando Roma cayese, y que el Imperio Romano bajo el cual vivían era lo que impedía el levantamiento del hombre de pecado.

Una Palabra con Relación a la Edad Media

Antes de que las profecías se cumplieran en verdad históricamente, era imposible que los cristianos de los primeros siglos entendieran exactamente lo que iba a suceder. Sin embargo, es muy impresionante que hubiera un acuerdo general entre los estudiantes de la palabra a través de los siglos de que el hombre de pecado aparecería con la caída de Roma.

Roma sí cayó en el año 476 d.C. El obispo de Roma llenó el vacío de poder y tomó el lugar del Emperador. A la medida que pasaron los años, los papas, como llegaron a llamarse los obispos de Roma, ganaron poderes increíbles sobre los cuerpos y las almas de los hombres. Este poder duró por siglos. La historia de este período que muchas veces se llama la Edad Oscura, se expone en detalle en numerosos libros de historia que se pueden conseguir fácilmente. No es de sorprenderse el hecho de que es difícil encontrar escritos durante la Edad Oscura que identifican la Iglesia Romana como el Anticristo. Obviamente Roma no se identificaría a sí misma como el Anticristo, y los que la identificaron como tal fueron suprimidos con éxito.

Los Reformadores Sabían la Verdad Acerca de Roma

Tan temprano como el siglo trece, una voz tras otra empezó a clamar: "El papa de Roma es el Anticristo"; "el papa es el hombre de pecado". Las voces aumentaban más y más hasta que el movimiento de la reforma plena tomó forma. Desde aquel día hasta tiempos recientes, los protestantes estaban unidos en llamar al pontífice romano "el hombre de pecado".

En vez de probar esto con un sinfín de citas de los protestantes a través de los siglos, vamos a reconocer que tanto los preteristas como los futuristas admiten este hecho histórico.

Gary DeMar, un preterista moderno, rechaza totalmente la idea de que el Papa sea el hombre de pecado. El piensa que 2 Tesalonicenses 2 y profecías relacionadas fueron cumplidas en el primer siglo por Nerón y los judíos, entre otros. Sin embargo, él admite este hecho histórico:

> Por siglos el papado fue el candidato unánime para el Anticristo. El sistema papal se identificó tanto como el 'hombre de pecado' como la prostituta babilónica de quien las Escrituras advierten (2 Tesalonicenses 2; Apocalipsis 19). En la convicción de los protestantes del siglo dieciséis, Roma fue el gran anticristo, y se estableció esta creencia tan firmemente que no fue hasta el siglo diecinueve que fue cuestionada seriamente por los evangélicos".[14]

> Los Reformadores, casi sin excepción, creían que el "hombre inicuo" era el pontífice romano. En su dedicación de la versión de la biblia en inglés "King James" (en el año 1611) los traductores identificaron al Papa como el "hombre de pecado" de 2 Tesalonicenses 2: "El celo de su majestad ["King James"] hacia la casa de Dios no se debilita ni retrocede, pero se enciende más, manifestándose abiertamente a las partes más lejos de la cristiandad por escribir una defensa de la verdad que ha dado *tal golpe a aquél hombre de pecado* que no será sanado (itálicas de él).[15]

Estas palabras dirigidas al rey "King James" se pueden encontrar en el "Dedicatorio" al frente de algunas biblias de la versión "King James" de la biblia en inglés. Más tarde en el mismo "Dedicatorio", los traductores hablan de "personas papales" por un lado y "hermanos" por otro lado.

En el otro extremo del espectro profético se encuentra Dave Hunt, un futurista bien conocido. Usando la terminología de la vieja versión "King James", él cree que la Iglesia Romana Católica es la "prostituta" llamada Babilonia en Apocalipsis capítulo 17. Sin embargo, siendo un futurista, el cree que las bestias de Apocalipsis capítulos 13 y 17 quedan en el futuro, como también los cuernos pequeños de Daniel 7 y 8, y el hombre de pecado de 2 Tesalonicenses 2. Hunt cree que el Anticristo probablemente está vivo hoy, pero no será revelado hasta la Tribulación después del Rapto. A pesar de todas estas creencias, comoquiera él admite:

> Los primeros credos protestantes unánimemente llamaron al Papa el anticristo.[16]

> Fue solamente después de la revolución rusa que los cristianos comenzaron a ver el comunismo como el sistema anticristo. Sin embargo, por más que 400 años antes del año 1917, el catolicismo era identificado así por los protestantes.[17]

Vuelven la Espalda a la Historia

La historia demuestra que los cristianos de los primeros siglos entendieron que el Anticristo se levantaría cuando Roma cayera. La historia demuestra que ellos tenían razón. La historia demuestra que cuando la reforma vino, los predicadores, los políticos, y el pueblo en general declaraban que el papa era "el hombre de pecado", el Anticristo. La historia demuestra que la gran mayoría de los creyentes de la biblia continuaban con esta convicción hasta los tiempos recientes. La historia demuestra que el futurismo está predicando una nueva doctrina cuando se niega a creer que el papa es "el hombre de pecado".

Negar que el Papa de Roma sea el hijo de perdición es volverles la espalda a los miles de mártires cuyos cuerpos fueron retorcidos y torturados por la "Santa" Inquisición. Negar que la Iglesia Romana sea la apostasía es pasar por alto la terrible perversión de la sana doctrina que todavía emana del Vaticano. Negar que cada Papa de Roma sea el hombre de pecado es hacer caso omiso a la blasfemia de llamar a un ser humano "Cabeza de la iglesia", "Sumo Pontífice", "Vicario de Cristo", y "Santo Padre".

Tim LaHaye, en su comentario sobre Apocalipsis 17, usa casi la mitad de un capítulo para discutir las falsas doctrinas y prácticas de la Iglesia Romana incluyendo su persecución de los que se opusieron a Roma. En medio de la exposición él dice: "En algunos aspectos la religión de Roma es más peligrosa que la ausencia de religión".[18] En *El Comando Tribulación*, #2 de la serie "Dejados Atrás", los autores inventan "Una Fe Mundial Enigma Babilonia... encabezada por el nuevo Papa" durante la Tribulación.[19] Estos puntos de vista demuestran cierto conocimiento de la verdadera naturaleza de la Iglesia Romana y el Papa Romano.

A pesar de estos puntos de vista, LaHaye y Jenkins van muy lejos en la dirección opuesta en la misma novela. Ellos pintan al Papa en el tiempo del Rapto como uno que desapareció en el mismo Rapto: "Muchos católicos estaban confundidos pues, aunque muchos fueron dejados atrás, algunos habían desaparecido, incluyendo el nuevo Papa, que había sido instalado hacía sólo unos pocos meses antes de las desapariciones".[20]

Las novelas "Dejados Atrás" admiten ser eso mismo: novelas. El subtítulo de Número Uno es *Una Novela de los Postreros Días de la Tierra*. En vez de producir novelas de profecía sería mucho más beneficioso usar el tiempo, dinero y energía para producir documentales históricos sobre la iglesia de la Edad Media. La verdad es más extraña y más asombrosa que la ficción. Los que piensan que unos meros siete años de Tribulación en nuestro futuro pudieran ser peor que las realidades de la Edad Media necesitan sacudir el polvo de sus libros de historia. En vez de devorar ficción de profecía sería mucho más beneficioso que los cristianos usaran el tiempo, dinero, y energía para comparar realistamente las enseñanzas de sus Biblias con las enseñanzas de Roma. Para comenzar tal estudio, lea ahora el Capítulo 13, "El Hombre de pecado –la Realidad".

No Pretender Ser Profetas

"Si nos limitáramos a las reglas de la justa crítica, sin meternos en fantasías extravagantes sin reglas; si estuviéramos contentos con la interpretación sobria y genuina, sin pretender ser profetas, ni presumir ser más sabio de lo que está escrito; entonces consideraríamos más aquellos pasajes que ya han sido cumplidos, y menos inventar conjeturas acerca de los que todavía quedan por cumplirse."

—Thomas Newton, 1704-1782

"Dissertations on the Prophecies" (Disertaciones sobre las Profecías), 441-42

Capítulo 13

El Hombre de Pecado –la Realidad

A través de la historia, muchos creyentes han visto que el hombre de pecado de alguna manera está relacionado con Roma. Los cristianos de los primeros siglos creyeron que la caída de Roma precipitaría la llegada del hombre de pecado. Siglos más tarde los protestantes de la reforma creyeron que esto fue exactamente lo que pasó e identificaron al Papa de Roma como el hombre de pecado. ¿Tenían razón los Reformadores en su punto de vista de que las doctrinas de la Iglesia romana y el puesto del Papa romano cumplen los detalles de la profecía del hombre de pecado?

Para comenzar a contestar esta pregunta, el Capítulo 11 fue dedicado a un estudio cuidadoso de qué exactamente era lo que 2 Tesalonicenses 2 predijo. Luego, el Capítulo 12 presentó interpretaciones que los creyentes de la biblia a través de los siglos han dado a la profecía. La investigación dio evidencia de que, desde la Reforma hasta tiempos recientes, la posición entre creyentes no católicos era que la profecía del hombre de pecado se cumplió en los papas de Roma.

La tarea que se nos presenta en este capítulo es examinar

las creencias y las prácticas de la iglesia romana y del papado. ¿Estarán correctos los estudiantes de la profecía que dicen que las creencias y las prácticas de Roma cumplen los detalles de la apostasía y de la profecía del hombre de pecado? o ¿debemos buscar un cumplimiento futuro? Para encontrar la respuesta, no es necesario recurrir a información privada, acuerdos secretos y agendas escondidas de Roma. Más bien es suficiente examinar los reclamos abiertos, públicos y admitidos de Roma que cualquier persona puede leer en las muchas fuentes oficiales católicas disponibles.

"Se Sienta... como Dios"

Como punto central de toda esta enseñanza sobre el "hombre de pecado" está el hecho de que "se sienta... como Dios". El Espíritu Santo dijo, "el cual se opone y se exalta sobre todo lo que se llama Dios o es objeto de culto; tanto que se sienta en el santuario de Dios como Dios, haciéndose pasar por Dios" (2 Tesalonicenses 2:4). Reclamar los atributos de Dios es blasfemia (vea Marcos 2:5-7). Apocalipsis dice que la bestia está "llena de nombres de blasfemia" (17:3). ¿Están los "papas" de Roma llenos de nombres de blasfemia"? ¿Es verdad que cada uno "se sienta en el santuario de Dios como Dios haciéndose pasar por Dios"? Obviamente, Roma lo niega. Sin embargo, considere las implicaciones envueltas en los siguientes términos y hechos:

1. "Papa" quiere decir padre: Jesús dijo claramente, "Y no llaméis padre vuestro en la tierra a nadie; porque uno solo es vuestro Padre, el que está en los cielos" (Mateo 23:9). La enseñanza católica contesta este texto con 1 Corintios 4:15: "Porque aunque tengáis diez mil ayos en Cristo, no tenéis muchos padres; pues en Cristo Jesús yo os engendré por medio del evangelio". En este y otros textos, Pablo expresa una relación de padre e hijo entre él y sus convertidos y los colaboradores muy cercanos a él como Timoteo. Sin embargo, lejos de apoyar el uso de "padre" como un título para un oficio en la iglesia, este texto lo niega. Pablo está diciendo que él es su padre porque fueron convertidos por medio de la enseñanza de él. Él dice que tienen muchos ayos, pero *no* muchos padres. Tales relaciones especiales no apoyan en ninguna manera el uso de "padre" como un título oficial. En Mateo 23, Jesús enseñó que en la iglesia no debemos llamar a los hombres por sus títulos, aun cuando el título es correcto, como maestro (Mateo 23:10; Efesios 4:11). Aun cuando las iglesias tienen pastores, por ejemplo, los miembros no deben dirigirse a ellos por ese título.

Contrario a esta enseñanza, los papas de Roma libremente aceptan el título de "Santo Padre" no solamente de las multitudes de católicos de los cuales no tienen ningún conocimiento personal, sino también de los que no son católicos y no aceptan la autoridad papal. En adición a esto, el mismo término "papa" significa padre. La palabra moderna en inglés "pope" viene del viejo inglés *(papa),* que viene del viejo latín. Por supuesto, "papa" todavía se usa por niños en inglés como un término familiar para su padre. En español, la palabra familiar para padre y la palabra papa son idénticas menos el acento: *papá* y *papa.* En el idioma griego la palabra para padre es *pappas.* Esto también explica el origen de las palabras "papado" y "papal". En breve, el término que más se usa para el obispo de Roma es "Papa", que significa padre. Este término es un título honorario que expresa la paternidad de un hombre sobre la iglesia universal.

Por otra parte, los sacerdotes de parroquias locales se llaman abiertamente "Padre" tanto por católicos como por los que no son católicos. El término no se usa para expresar una relación personal entre convertidos y colaboradores. Más bien, se usa como un título que da gloria a una clase de hombres en particular que los coloca a un nivel que pertenece solamente al Dios del universo. La iglesia católica está llena de padres en todo el mundo, mientras que su padre en Roma es el más importante, universal, y "Santo Padre". Él es el padre de sus padres. Sin embargo, nuestro padre no debe estar ni en la parroquia local ni en Roma. Nuestro Padre debe ser el Único en el cielo. Hay "un Dios y Padre de todos" (Efesios 4:6). "Sin embargo, sólo hay un Dios, el Padre, del cual proceden todas las cosas" (1 Corintios 8:6). "Uno solo es vuestro Padre, el que está en los cielos" (Mateo 23:9). El Dios Todopoderoso es el único que es Padre de todos nosotros. Que un hombre reclame ser el padre de la iglesia universal es blasfemia. Él está "haciéndose pasar por Dios".

2. La cabeza de la iglesia: El "papa" romano reclama ser la cabeza de la iglesia. Se dice a menudo que es "la cabeza *visible* de la iglesia", con el entendimiento obvio de que Cristo es la cabeza invisible. ¿Pero qué impacto tiene esta idea sobre la figura que se usa frecuentemente en las Escrituras de que la iglesia es el cuerpo de Cristo? ¿Puede un cuerpo tener dos cabezas?

Con relación a la obra de Dios por medio de Cristo, la Escritura dice: "y sometió todas las cosas bajo sus pies, y lo dio por cabeza sobre todas las cosas a la iglesia" (Efesios 1:22-23). No hay dos cabezas. Jesús es "cabeza sobre *todas* las cosas a la iglesia". Reclamar ser cabeza de la iglesia es hacerse igual a Cristo, el Hijo de Dios.

3. Pontífice: El término "pontífice" viene de la antigua Roma pagana. Los pontífices eran sus sumos sacerdotes. Puesto que los líderes individuales en las iglesias romanas en todo el mundo se llaman "sacerdotes", al de Roma se le considera "el Sumo Pontífice". Es otra forma de decir "sumo sacerdote", y esto presenta un problema verdadero. Según la Escritura: "Por tanto, teniendo un gran sumo sacerdote que pasó a través de los cielos, Jesús el Hijo de Dios... sin pecado" (Hebreos 4:14-15). "Porque la ley constituye sumos sacerdotes a débiles hombres; pero la palabra del juramento, posterior a la ley, al Hijo, hecho perfecto para siempre" (Hebreos 7:28). Jesús es nuestro solo y único Sumo Sacerdote. Reclamar ser sumo sacerdote es reclamar una posición que pertenece solamente a Jesucristo, el ungido Profeta, Sacerdote, y Rey. En la medida que Jesús es nuestro Sumo Sacerdote y es Dios, cualquier hombre que reclama ser sumo sacerdote (Supremo Pontífice) está reclamando ser Dios. Cuando el Papa de Roma se sienta como el Supremo Pontífice en la iglesia, él está sentado "en el santuario de Dios como Dios".

4. Vicario de Cristo: Un término común para los papas es "vicario de Cristo". "Vicario" viene del latín que quiere decir sustituto. Roma reclama que el Pontífice Romano está actuando a favor de y en lugar de Cristo. Él es un sustituto por

Cristo. A la medida que los papas reclaman funcionar en el lugar de Cristo, se manifiestan como Cristo en la tierra. El concepto de "Vicario de Cristo" es parecido al concepto de "cabeza visible de la iglesia". Su idea es que Cristo ya no está físicamente aquí con nosotros, pero el Papa de Roma está aquí físicamente tomando Su lugar. ¿Sería posible que cualquiera tomara el lugar de Cristo?

5. Los Papas reclaman primacía: Roma habla mucho de la primacía de Pedro, y reclama que ha sido pasada a todos los obispos de Roma. Las palabras "primacía" y "primario" no se encuentran en las Escrituras ni con referencia a Pedro ni a ningún otro. Sí, Pedro fue sobresaliente entre los apóstoles, pero no tenía autoridad sobre los demás. La Escritura dice que "a unos puso Dios en la iglesia, primeramente apóstoles" (1 Corintios 12:28). No dice, "primeramente Pedro". Dice, "primeramente apóstoles". Utiliza la forma plural. Pedro es solamente parte de este grupo.

A pesar de que la palabra "primacía" no se encuentra en la Biblia, la palabra parecida "preeminencia" se registra; sin embargo, no hace referencia a Pedro. Pablo declara de Cristo: "y él es la cabeza del cuerpo que es la iglesia... para que *en todo* tenga la preeminencia" (Colosenses 1:18, itálicas mías). En 3 Juan 9-10 aprendemos de "Diótrefes, al cual le gusta tener el primer lugar [preeminencia] entre ellos... recordaré las obras que hace tratando de denigrarnos con palabras malignas". Estos dos textos hacen claro que la primacía pertenece a Cristo en todas las cosas, mientras que es maligno cuando los hombres en la iglesia buscan tener primacía.

Pablo declaró: "ya está en acción el misterio de la iniquidad" (2 Tesalonicenses 2:7). Entre otras cosas, ese misterio era la lucha de los hombres para tener el primer lugar, preeminencia, y primacía en la iglesia del Señor. Durante la vida de Jesús los apóstoles mismos tenían este problema: "Hubo también entre ellos un altercado sobre quién de ellos parecía ser mayor" (Lucas 22:24). Con relación a Diótrefes, él solamente buscaba el primer lugar en una iglesia local. Los estudiantes de la historia de la iglesia saben que la lucha por primacía siguió sin detenerse, pero no solamente en iglesias locales individuales. Los hombres buscaron más y más poder sobre más y más iglesias hasta que alguien reclamó tener el primer lugar sobre todas las iglesias del mundo. Esa persona fue el obispo de Roma. Él reclamaba y sigue reclamando la primacía. Tal reclamo a la primacía es un reto a la primacía de Cristo y cumple la profecía en Tesalonicenses. Jesús tiene la preeminencia y la primacía en la iglesia "en todo" ya sea en el cielo o en la tierra. Ningún hombre puede tener la primacía en la iglesia del Señor.

6. El papa de Roma es un rey: El pontífice romano usa todos los atavíos de la realeza. Él vive en un palacio. De hecho, el Palacio Vaticano es el palacio más grande del mundo. Él tiene una corona ornamentada llamada tiara. Para funciones solemnes, él se sienta en un trono. Su período de poder se llama un reinado. Los cardenales se consideran príncipes de la iglesia que están sujetos solamente al papa de Roma. A pesar de que los católicos generalmente no usan el término "rey" para el Papa de Roma, algunos sí lo usan. También usan muchas otras expresiones que confirman este concepto. Sin embargo, nuestro Rey es Jesús. Un reino no puede tener dos reyes.

7. Este rey tiene tres coronas: La tiara se puede identificar desde el año 1100 d.C. Para el año 1300 d.C., contenía no una, sino tres coronas llenas de joyas, una encima de la otra en un cono redondo para ajustar en la cabeza. Cada corona representa un reino sobre el cual los papas reinan. Las autoridades no están completamente de acuerdo con la explicación de los tres reinos sobre los cuales el "papa" reina, pero es obvio que él reclama todas clases de reinados tanto espirituales como temporales. A pesar de que Juan Pablo II no usó físicamente la tiara, en ninguna manera ha renunciado a la tiara y lo que representa. Al contrario, la tiara aparece hoy en su sello papal y en la bandera del Vaticano. En esta manera el Papa romano todavía se presenta como un monarca coronado tres veces. Jesús en la tierra tenía una sola corona. ¿Recuerdan de lo que fue hecha?

8. Por encima de la ley: El pontífice romano se hace como Dios tanto que se coloca más alto que el Hijo de Dios. Cuando

Jesús estaba sobre la tierra, voluntariamente se sometió a pagar los impuestos (Mateo 17:24-27) y también se sometió al concilio judío, al gobernador romano Poncio Pilato, y a los soldados romanos. Él tenía el poder de resistir, pero no lo hizo.

Los papas de Roma, sin embargo ¡no se someten a ningún hombre! El "papa" es cabeza de la Ciudad del Vaticano, que está ubicada totalmente dentro de las fronteras de Roma, Italia. La Ciudad del Vaticano es la nación independiente más pequeña del mundo cuya extensión aproximada es de unas 44 hectáreas, o menos de un kilómetro cuadrado. El Vaticano recibe embajadores de aproximadamente 170 naciones. Es verdad que la Ciudad del Vaticano es pequeñita comparada con el territorio de los papas de la Edad Media. Sin embargo, es suficientemente grande para facilitar la independencia absoluta de los papas de toda autoridad humana. La razón abierta declarada para la existencia de la Ciudad del Vaticano es que los papas no pueden correctamente someterse a ningún poder temporal sobre la tierra. ¿Se ha sentado cualquier hombre "en el santuario de Dios como Dios" más que este?

El apóstol Pablo escribió a esa misma iglesia, la iglesia en Roma, durante el reino del infame emperador Nerón. En aquella situación, Pablo mandó a los hermanos en Roma, "Sométase toda persona a las autoridades superiores" (Romanos 13:1). Los papas de Roma se niegan a obedecer este mandato de Dios. Ellos se colocan sobre y fuera de toda autoridad terrenal. Al hacerlo, se colocan más arriba del mismo Hijo de Dios, que sí se sometió.

"La Apostasía"

"El hombre de pecado" es solamente una persona (a la vez). Recuerde, sin embargo, que 2 Tesalonicenses 2 predice un sistema entero sobre el cual el hombre de pecado reina. Predice "iniquidad", "apostasía (apartarse)", "injusticia", "engaño", "espíritu engañoso", y "la mentira". Puesto que es una "apostasía" (apartarse), tiene que ser una caída o apartarse del evangelio verdadero —mantener ciertas partes, omitir ciertas partes, y cambiar otras partes— una mezcla impía de verdad y error. No puede cumplirse por religiones no relacionadas como el Budismo o el Islam.

En lo alto de la lista de estos engaños impíos están los numerosos mediadores que Roma coloca entre Dios y el hombre. En primer lugar, en esta lista de mediadores sin lugar a duda está "la Virgen".

¿Tiene Dios una Madre?

La "María" de Roma no es la María de la Biblia. Aunque es verdad que algunas enseñanzas y prácticas de la iglesia romana se han acercado un poco hacia la verdad bíblica en el siglo 20, su doctrina acerca de María no es una de ellas. Juan Pablo II, de hecho, dedicó su pontificado a "la virgen". Trató en todas partes de aumentar la devoción a ella, él mismo visitó la mayoría de los santuarios marianos en el mundo. ¡Su lema es "*Totus tuus sum Maria*: María, soy todo tuyo"!

Roma hace una diosa de su "María". La enseñanza es así:

1. María es la madre de Jesús;
2. Jesús es Dios; y por tanto,
3. María es la madre de Dios.

El problema con este argumento, supuestamente lógico, es el segundo punto. Sí, Jesús es Dios; pero Jesús también fue hombre. Como Romanos 1:3 dice "nuestro Señor Jesucristo, nacido del linaje de David *según la carne*" (itálicas mías). Con esto en mente, también es correcto decir que Jesús fue el hijo de María *según la carne.*

Esto me recuerda de una de las preguntas que los niños pequeños (y filósofos materialistas) hacen: "¿Quién hizo a Dios?" Por supuesto, si alguien hizo a Dios, el que fue hecho no sería Dios; su hacedor sería Dios. Esto nos lleva a la madre e hijo. Una madre siempre viene antes que el hijo. Así que, si María es madre de Dios, existía antes de Dios, y ella es Dios. Esto es blasfemia. Juan clarificó, "En el principio era el Verbo... y el Verbo se hizo carne" (Juan 1:1, 14). Sí, María fue antes de Jesús *en la carne*, pero Jesús fue antes de María *en el espíritu*. María no es la madre de Dios; ella fue la madre de Jesús en la carne. La realidad es que ¡el Señor Jesucristo es Maestro y Hacedor de María!

Esta es solamente una de las muchas falsedades envueltas

en la enseñanza de Roma con relación a María. Ellos notan que Gabriel le dijo a María, "bendita tú entre las mujeres." Sí, y cuando una mujer clamó a Jesús, "Bienaventurado el vientre que te llevó", Jesús respondió, "Bienaventurados más bien los que oyen la palabra de Dios, y la guardan" (Lucas 11:27-28). Roma dice que María fue una virgen perpetua a pesar de que se casó. Dicen que fue completamente sin pecado como Jesús. Le llaman "la reina del cielo" (ver Jeremías 44). Puesto que Dios es Rey del cielo, esto hace a la María de Roma una diosa. Le dicen Mediadora. Puesto que Jesús es el Mediador, la colocan en un lugar igual a Jesús. De hecho, el rosario contiene diez "Ave Marías" por cada "Padre Nuestro". Diez por uno. La enseñanza de Roma es "a Jesús por medio de María". La enseñanza de los apóstoles es "al Padre por medio del Hijo" (Juan 14:6; 1 Timoteo 2:5). Dos enseñanzas diferentes. Dos dioses diferentes.

Otros Ejemplos de Apostasía

El Espíritu Santo dice: "es, pues, necesario que el obispo sea irreprensible, marido de una sola mujer" (1 Timoteo 3:2). Roma dice, "el obispo *no* puede ser el marido de una sola mujer". Dios requiere que los obispos sean hombres de familia. Roma requiere que los obispos sean solteros.

Pablo escribió a todos los cristianos en Corinto: "todas las veces que comáis este pan, y bebáis esta copa" (1 Corintios 11:26). Roma dice, los miembros comunes *no* pueden beber de la copa. Roma tiene el atrevimiento de negarles a sus miembros la mitad de la Cena del Señor.

La Palabra dice, "todas las veces que comáis este pan". Roma dice, que sus feligreses no comen pan; comen el verdadero cuerpo de Cristo. Cuando Jesús cambió el agua en vino, no parecía agua, ni tenía el sabor de agua. El maestresala le dijo, "Pero tú has reservado el buen vino hasta ahora" (Juan 2:10). Un milagro de cambiar una cosa a otra hace exactamente eso —cambia una cosa a otra. Roma reclama que la hostia (el pan) se transforma en el cuerpo actual de Cristo, a pesar de que se ve igual, tiene igual olor, y tiene el sabor igual al pan. No es ningún milagro. Es una fabricación, una falsedad, una mentira. Puesto que tantos millones en el mundo creen tal falsedad tan obvia, esto solo es suficiente para cumplir la profecía acerca de un "espíritu engañoso". Sin embargo, no es de ninguna manera la única mentira.

No hay tiempo para mencionar todas las falsedades de Roma. Esto no se trata de solamente uno o dos errores menores de doctrina. Esta es "la" apostasía ("la" caída). Entre otras cosas Roma enseña que los feligreses tienen que confesar sus pecados a un sacerdote mortal contra el cual no han pecado. Roma enseña que la misa es un sacrificio en el que Cristo, en una manera sin sangre, se ofrece a Dios por medio del sacerdote que oficia. Roma enseña el bautismo de los infantes ignorantes sin pecado. Practica aspersión en vez del bautismo por inmersión. Roma apoya la veneración de las imágenes (su término para adoración de los ídolos), incluyendo arrodillarse y orar ante ellas, prenderles velas, y llevarlas por las calles en procesiones. Roma apoya los juegos, los bailes, y actividades con bebida patrocinados por la iglesia por un lado y el hablar en lenguas carismáticamente por el otro lado.

¿El Anticristo?

¿Será correcto llamar el papado el Anticristo"? El término "anticristo" aparece solamente en las epístolas de Juan, que dice que muchos anticristos ya estaban en existencia en su día. Los textos en cuestión son: 1 Juan 2:18-19, 22; 4:3; 2 Juan 7:

> Tal como oísteis que el anticristo viene, aun ahora han surgido muchos anticristos... Salieron de nosotros... ¿Quién es el mentiroso, sino el que niega que Jesús es el Cristo? Éste es el anticristo, el que niega al Padre y al Hijo... y todo espíritu que no confiesa que Jesucristo ha venido en carne, no procede de Dios; este es el espíritu del anticristo, el cual vosotros habéis oído que viene, y que ahora ya está en el mundo... muchos engañadores han salido al mundo, que no confiesan que Jesucristo ha venido en carne. He aquí el engañador y el anticristo.

Punto 1. Juan dijo "tal como oísteis que el anticristo viene". Juan *no* niega que "el" Anticristo viene. Solamente clarifica que hay otros anticristos en adición a "el" Anticristo que vendría.

Punto 2. "Salieron de nosotros". Esto está de acuerdo completamente con la profecía del "hombre de pecado" que predice una "apostasía". Ambos textos así hablan de un desarrollo venidero que sale del verdadero pueblo de Dios.

Punto 3. "Este es el espíritu del anticristo, el cual vosotros habéis oído que viene, y que ahora ya está en el mundo". Con mucha razón, los traductores han añadido "espíritu", que no está en el idioma griego original, en 1 Juan 4:3. El texto en el idioma griego dice literalmente, "Este es el del anticristo". Por supuesto esto suena raro, y tenemos que preguntar, ¿El qué? Solamente el contexto nos puede decir. Comenzando con 4:1, la palabra "espíritu(s)" aparece cinco veces antes de que Juan escribiera la segunda parte del versículo 3. Léalo por su propia cuenta y verá que cuando llega a "el del anticristo", "espíritu" es la única palabra que tiene sentido agregar.

Así que, Juan está diciendo que "el espíritu del anticristo" ya está en el mundo. Es otra manera de decir que "ya está en acción el misterio de la iniquidad" (2 Tesalonicenses 2:7) — *antes de* que "el" hombre de pecado o "el" Anticristo en verdad aparezca.

Punto 4. "Muchos engañadores han salido al mundo, que no confiesan que Jesucristo ha venido en carne. He aquí el engañador y el Anticristo". ¿Será Roma uno de los "muchos engañadores"?

Roma enseña que Jesús no tenía la capacidad de pecar — no solamente que no pecó, pero que *no pudo pecar.* Como consecuencia, Roma niega la completa humanidad de Jesús. Sin embargo, ¿qué dice Dios de Su Hijo?

> Así que, por cuanto los hijos *han tenido en común una carne* y una sangre, él también participó igualmente de *lo mismo... debía ser en todo semejante a sus hermanos,* para venir a ser misericordioso y fiel sumo sacerdote... Porque no tenemos un sumo sacerdote que no pueda compadecerse de nuestras debilidades, sino uno que ha sido *tentado en todo según nuestra semejanza,* pero sin pecado (Hebreos 2:14, 17; 4:15 itálicas mías).

Para llegar a ser nuestro Sumo Sacerdote, Jesús tenía que ser hecho carne "en todo" como nosotros. Una manera que Su carne fue como la de nosotros fue en sufrir tentación. "Dios no puede ser tentado por el mal" (Santiago 1:13), pero la carne humana sí puede ser tentada. Por esta razón "el Verbo se hizo carne" (Juan 1:14), y "ha sido tentado en todo según nuestra semejanza". Jesús se hizo carne como nosotros, con la capacidad de ser tentado y por tanto con la capacidad de pecar. ¡Alabado sea Dios, no pecó! Roma, sin embargo, enseña que Jesús *no pudo pecar*, y así niegan que Jesús viniera en carne como nuestra carne.

Punto 5. "¿Quién es el mentiroso, sino el que niega que Jesús es el Cristo?" "Cristo" significa el ungido para ser Profeta, Sacerdote, y Rey. Los papas no niegan directamente que Jesús sea el Cristo, sin embargo, al reclamar los mismos atributos para sí mismos, en efecto, sí lo niegan. Los papas reclaman ser los infalibles principales maestros (profetas) y gobernantes (reyes) de la iglesia entera, como también los sumos pontífices (sumo sacerdotes). Como vicarios de Cristo, ellos toman el lugar de Cristo en la tierra. En esta manera ellos niegan que *sólo* Jesús sea el Cristo.

Punto 6. "Éste es el anticristo, el que niega al Padre y al Hijo". ¿Describe esto a los papas de Roma? Hay muchas maneras para negar a Dios. Pablo escribió, "Profesan conocer a Dios, pero con los hechos lo niegan" (Tito 1:16). Al recibir el título "Santo Padre", los papas niegan que tengamos solamente un Santo Padre. Puesto que Roma atribuye tantos títulos y características del Padre y del Hijo a los papas y su Virgen, ellos cumplen esta Escritura en que "profesan conocer a Dios, pero con los hechos lo niegan". Puesto que Roma enseña y practica tantas falsedades, la Escritura es cumplida por ellos en que "profesan conocer a Dios, pero con los hechos lo niegan".

"Todo Poder y Señales y Prodigios Mentirosos"

"Inicuo cuyo advenimiento es por la actuación de Satanás, con todo poder y señales y prodigios mentirosos" (2 Tesalonicenses 2:9). Cualquier religión o sistema político que no hace milagros de ninguna manera puede cumplir la profecía del hombre de pecado. Por otro lado, entre los grupos que tienen manifestaciones sobrenaturales, no hay iglesia con más reclamos de milagros que Roma.

A mediados del siglo diecinueve, su Virgen apareció a Bernadette en Lourdes, Francia. Un siglo completo después, el templo construido allí atraía a 200,000 peregrinos todos los años. Muchas son las afirmaciones de las curaciones milagrosas. Otros lugares sobresalientes de supuestas apariciones de la "virgen" son Fátima en Portugal, Knock en Irlanda y Guadalupe en Méjico. Todos estos lugares llegan a ser santuarios y centros de peregrinaciones. Las afirmaciones de milagros son muchas. La mayoría de los católicos devotos creen en muchos más milagros de los que la jerarquía está dispuesta a "autenticar". Sin embargo, sí "autentica" una gran cantidad de ellos.

Discutir todos los milagros reclamados por la iglesia romana requeriría otro libro. Pienso que no hay ninguna iglesia pentecostal que pueda comenzar a competir con la iglesia romana con relación a reclamar milagros. Roma ha hecho tales reclamos por siglos. Seguramente la religión romana cumple esta parte de la profecía junto con todas las otras partes.

El Valor de esta Profecía

La profecía del "hombre de pecado" tiene valor para nosotros por lo menos en tres maneras.

Esta profecía es una advertencia. Todos estamos en peligro. Satanás nos puede engañar. De la misma manera que hizo con Eva, Satanás continúa mezclando la verdad con el error. Sus argumentos parecen ser lógicos. El ofrece beneficios. El ofrece "los deleites temporales del pecado" (Hebreos 11:25). Esta profecía es una advertencia contra una religión falsa y una iglesia apóstata. Es una advertencia que Satanás tiene gran poder para obrar señales y prodigios. Es una advertencia de que habría mentiras y un poder engañoso en el nombre de Cristo.

Muchos creyentes de la biblia hoy día no escuchan esta advertencia. Por ejemplo, muchos carismáticos hoy día, hacen caso omiso a otras doctrinas y se unen con un denominador común —el reclamar que "hablar en lenguas" es evidencia del bautismo con el Espíritu Santo. Los carismáticos evangélicos "llenos del Espíritu" tienen gran compañerismo con sus hermanos católicos "llenos del Espíritu" —haciendo caso omiso al hecho de que los otros todavía participan en el sacrificio de la misa, siguen orando a su Virgen, y siguen dando su lealtad al pontífice de Roma.

Esta profecía es una explicación. Cuántas veces la gente pregunta, "¿Por qué hay tantas religiones?" Cuántas veces los católicos preguntan a la gente en otras iglesias, "¿Puede usted trazar su iglesia desde Pedro en el primer siglo como nosotros?" Esta profecía ofrece algunas respuestas a tales preguntas. Demuestra que Jesús no tenía ilusiones de lo que iba a suceder a Su gloriosa iglesia. Esta profecía demuestra que Dios sabía desde el principio que cosas terribles iban a pasar a la iglesia de Su Hijo, y que habría un gran desvío del verdadero evangelio.

Trazar una secuencia de líderes desde los apóstoles hasta el presente no ofrece ninguna garantía de doctrina sin corrupción. Al contrario, la profecía predice "la apostasía". No es cuestión de quién viene después de quién de generación a generación; más bien es cuestión de quién retiene la verdad o regresa a la verdad. Esta profecía dice que la iglesia del Señor se corrompería. Por trágico que sea, no se puede pasar por alto el cumplimiento. La profecía hace claro que habría una iglesia falsa y apóstata, por desagradable o impopular que sea esta realidad. Cuando se une con Daniel y Apocalipsis, la profecía de Tesalonicenses hace claro que la iglesia apóstata principal tendría su sede en Roma.

Esta profecía es una promesa. Después de decir, "será revelado aquel inicuo", la profecía continúa, "a quien el Señor matará con el espíritu de su boca, y lo reducirá a la impotencia con la manifestación de su venida" (2 Tesalonicenses 2:8). Hay victoria en Jesús. El hombre de pecado no triunfará al final. Cristo va a triunfar. Jesús regresará. Destruirá a Sus enemigos. Reinará victoriosamente. Si rechazamos al "hombre de pecado" y nos aferramos a Jesús, compartiremos en la victoria.

Capítulo 14

El 666: La Marca de la Bestia

¿Cuál número es más intrigante que el 666? Para los que nos gustan los rompecabezas mentales, este está entre los mejores. Sin embargo, esto no es un juego. Ni tampoco un pasatiempo vano. El libro de Apocalipsis nos instruye "El que tiene entendimiento, calcule el número de la bestia" (13:18).

Tristemente, cuando se trata de ideas raras, sería difícil sobrepasar las absurdas soluciones impulsadas al público para resolver el enigma del 666. Las ideas populares ultra-modernas incluyen el concepto de una sociedad sin dinero en efectivo, el uso universal de códigos de barras, y la implantación de chips de computadora y de "biochips" en cada individuo para su identificación y control. Se dice que el Anticristo controlará todo el comercio por tal tecnología.

Al otro extremo, muchos comentarios sobre Apocalipsis aseguran que es inútil, tontería, o hasta peligroso intentar descubrir un nombre específico con un cumplimiento histórico del 666. Ellos tratan al 666 y a la mayoría de otras cosas en Apocalipsis como si fueran parábolas carentes de predicciones específicas con significado histórico.

Fue el mismo Jesucristo, el autor de Apocalipsis, quien dirigió a Juan a que escribiera: "Aquí se requiere sabiduría. El que tiene entendimiento calcule el número de la bestia, pues es número de hombre. Y su número es seiscientos sesenta y seis" (Apocalipsis 13:18). Somos ordenados a "calcular" o "contar", como lo traducen otras versiones. Esto se trata de cálculos matemáticos. La palabra griega quiere decir "contar", como se ilustra en el único texto fuera de Apocalipsis 13:18 donde la palabra aparece en el Nuevo Testamento: "Porque quién de vosotros, queriendo edificar una torre, no se sienta primero y calcula los gastos, a ver si tiene lo que necesita para acabarla" (Lucas 14:28). Claro, esta parábola tiene una aplicación espiritual; pero está hablando de un hombre que cuenta su dinero.

Rara vez el libro de Apocalipsis nos manda directamente a aplicar el entendimiento para poder captar el significado de un símbolo en particular. No nos manda a tratar de saber quién es la bestia como cordero. No nos dice que si tenemos sabiduría podemos descifrar lo que significa la tercera trompeta. Sin embargo, cuando menciona el 666, específicamente nos manda a calcular o a contar.

Un Número es un Número

Desde los tiempos antiguos hasta los modernos, los números han fascinado tanto a creyentes como a no creyentes. Muchas personas les atribuyen un sentido místico y aun poderes místicos a los números. ¿Ha conocido usted a personas que le tienen miedo al número 13? Muchas personas se acercan al número 666 con la misma actitud —como si fuera un número peligroso, o de mala suerte. En contraste, los textos de la Biblia nunca les dan un significado místico a los números; mucho menos que posean poderes malos o beneficiosos.

Una de las interpretaciones proféticas más antiguas fue dada por José cuando explicaba los sueños del Faraón. El número siete aparece en esta profecía. ¿Qué quiere decir? José le dijo a Faraón, "Las siete espigas menudas y marchitas del viento solano, siete años serán de hambre" (Génesis 41:27). Cada espiga menuda representaba un año de hambre. ¿Qué significa el número siete? ¡Siete! Por toda la explicación de esos sueños, siete siempre es siete.

Daniel escribió: "Estas cuatro grandes bestias son cuatro reyes" (7:17). Las bestias representan reyes, pero cuatro es cuatro. En el mismo capítulo: "Los diez cuernos significan que de aquel reino se levantarán diez reyes" (7:24). Los cuernos también son reyes, pero diez son diez.

En el español del uso diario algunas veces se usan números en una forma indefinida. Por ejemplo, "Te lo he dicho mil veces". ¿Qué quiere decir eso? ¿Exactamente mil? De ninguna manera. Un diccionario en español da un significado de "mil" como "número o cantidad indefinidamente grande".[1] En tales casos, el número no es preciso, sin embargo, sigue siendo una cuestión de cantidad, de un gran número indefinido. Algunas veces hay números redondos. "Viví ahí diez años", cuando en realidad sólo viví ahí un poco más de nueve años. El número redondo no es preciso; sin embargo, es un número. Es cuestión de cantidad, nada más.

Lo mismo es verdad en la Biblia, la cual usa el número siete en la misma manera en que algunas culturas hoy día usan la docena. Proverbios 26:16 dice que el perezoso en su propia opinión, es más sabio que "siete que sepan aconsejar". ¿Quién podría afirmar que el hombre perezoso crea que es más sabio que siete hombres, pero no mejor que ocho? Nadie. Es sólo una manera gráfica de decir "mucho". Comoquiera significa cantidad, aunque la cantidad sea indefinida.

Ezequiel recibió una clave importante para la interpretación de muchas profecías en cuanto al tiempo. Dios le dijo al profeta: "Y tú te acostarás sobre tu lado izquierdo, y pondrás sobre él la maldad de la casa de Israel... y llevarás la maldad de la casa de Judá cuarenta días, computándote cada día por un año" (4:4, 6). Muy interesante y muy importante. Cada día profético que Ezequiel se acostó sobre su lado representó un año en la realidad histórica. "Cada día por un año". Sin embargo, el número en sí no tiene ningún simbolismo: cuarenta eran cuarenta.

Simplemente no hay significado espiritual en los números bíblicos ya sean dentro o fuera de los textos proféticos. Contrario a lo que a menudo se enseña y se acepta sin ser examinado, los números en la Biblia son números. No hay absolutamente ninguna base bíblica para asignar algún significado místico al 666 más que cualquier otro número. El Espíritu Santo nos manda específicamente a contar el número del nombre de la bestia. Esto no es un enigma místico, es un rompecabezas matemático.

¿El Número de Hombre?

Algunas Biblias, incluyendo la Reina-Valera 1977, traducen Apocalipsis 13:18 así: "es número de hombre". Otras versiones traducen más o menos así: "el número de un hombre". El problema es que el artículo indefinido *un* no se encuentra en el original en este versículo. Con razón no se encuentra; el idioma griego no tiene artículo indefinido. Por lo tal, debemos examinar el contexto para determinar si la traducción al español debe incluir el artículo indefinido o no.

Al traducir la frase "es número de hombre" (sin *un*), se obliga al texto decir que el 666 es el número de la raza humana en general. Si esto es lo que el texto está diciendo, no hay nada que calcular. Si el texto simplemente está usando el 666 como una representación mística de la raza humana, el mandamiento de contar no tiene sentido.

Además de decir "es número de hombre" en el versículo 18, Juan habló en el versículo 17: "el nombre de la bestia, o el número de su nombre". El nombre de la bestia tiene un número. En adición, la bestia en el capítulo 13 no puede ser toda la humanidad porque pelea contra muchos seres humanos. Por todas estas razones, el número no puede referirse a la humanidad en general. Más bien, se nos manda a calcular el número del nombre de éste enemigo específico de la humanidad.

La creencia común es que el número siete es el número de lo completo, la perfección, y Dios. Se cree que como el seis es menos que siete, es menos perfecto, menos divino; que es el número del hombre imperfecto. Se dice que como el número seis se repite tres veces en el 666, se refiere al hombre en su peor oposición a Dios.

¿Es el número seis el número de la humanidad en contraste con el santo, perfecto Dios, cuyo número es siete? Tomemos, por ejemplo, la creación del mundo. Dios lo completó en seis días. "Y vio Dios todo lo que había hecho, y he aquí que era bueno en gran manera. Y fue la tarde y la mañana el día sexto" (Génesis 1:31). Nada incompleto aquí. Dios lo hizo en seis días y sólo descansó el día siete (Éxodo. 20:11; 31:17). Algunos dicen que el seis es el número del hombre puesto que el hombre fue creado el sexto día de la creación —¡también fueron creados aquel mismo día el mono, el oso, el zorrillo, el gato, y la cobra!

Los serafines que adoran a Dios tienen seis alas (Isaías 6:2) y también los cuatro seres vivientes en Apocalipsis 4:8. ¿Es el número seis el número del hombre? Por lo contrario, se ve muy celestial en estos textos. El tabernáculo terrenal, el cual era copia del cielo mismo (Hebreos 9:21-24), tenía seis muebles —no siete. De este modo el seis ni es humano ni imperfecto; ni tampoco divino. El seis es simplemente un número como lo es el siete, el ocho, y el nueve.

Aparte de todos estos pensamientos, si fuéramos a aceptar una traducción que diga: "es número de hombre", ¿estaría Apocalipsis afirmando que el número seis es el número de la humanidad? ¡De ninguna manera! Apocalipsis 13 no dice absolutamente nada acerca de seis. Apocalipsis 13 está hablando acerca del 666. El seiscientos sesenta y seis no es seis. Ni siquiera son tres seis. Tres por seis equivale a dieciocho. En el 666, el primer seis quiere decir 600, el segundo significa 60, y sólo el tercer seis significa 6. El número 666 no es uno menos que siete. Por lo contrario, 666 es 659 más que el 7.

El número en cuestión no es el 6; es el 666. Tampoco se nos dice que busquemos un significado místico para el 666. Tenemos mandamiento de contar o calcular.

Cómo Calcular

Apocalipsis 13:18 nos dirige a calcular el número de la bestia. Nos dice que su número es "número de [un] hombre". En el versículo 17 habla de "el número de su nombre". La bestia tiene nombre de un hombre y ese nombre tiene un número. Podemos combinar apropiadamente todos estos pensamientos de la siguiente manera: Calcular el número del nombre de un hombre.

En el idioma español, no hay tal cosa de que un nombre tenga un número. En español, los nombres están compuestos de letras del alfabeto. Los números son compuestos de los números arábigos 1, 2, 3, etc. Las letras en español no tienen ningún valor numérico; por tanto, los nombres en español no tienen números. Para entender lo que Apocalipsis está diciendo, debemos transportarnos a otras culturas e idiomas donde los números arábigos no existen.

En realidad, nuestro viaje puede comenzar cerca de casa. Todavía hoy día algunas veces usamos los números romanos, aunque no se usan tanto ahora como en el pasado. La mayoría de nosotros no podemos leer fácilmente el número MDCCLXXVI. Es igual a 1776 en números romanos, donde la letra *I* equivale a 1, *V* equivale a 5, *X* equivale a 10, *L* equivale a 50, *C* equivale a 100, *D* equivale a 500, y *M* equivale a 1,000. Los romanos antiguos sólo usaban siete letras en el alfabeto latín para expresar los números. Las otras letras no tenían ningún valor numérico. Ellos no tenían números arábigos. En latín, el nombre de David tiene un valor de 500+0+5+1+500 = 1,006. Así que, 1,006 es el número del nombre David en números romanos del alfabeto latín.

Los griegos también, sin números arábigos, usaban letras individuales de su alfabeto para expresar los valores del 1 al 9, de 10 a 90 por decenas, y de 100 a 900 por centenas —un total de veintisiete números para expresar cualquier valor del 1 al 999. Ellos tenían que añadir tres símbolos a sus veinticuatro letras en el alfabeto para completar el juego de veintisiete números. Los hebreos hacían algo similar, pero después de agotar las veintidós letras, ellos sencillamente paraban con la última letra, la cual tenía un valor de 400. Así que, se puede decir que cada palabra en estos idiomas antiguos tiene valor numérico.

Este método de calcular el valor numérico de un nombre era común entre los antiguos: judíos y gentiles, cristianos y paganos. Por ejemplo:

Los místicos egipcios hablaron de Mercurio, o Thouth, bajo

el número 1218, porque las letras griegas que componen el nombre Thouth, cuando se estiman de acuerdo al valor numérico, juntos sumaban a ese número.[2]

Esto se puede hacer en cualquier idioma que utiliza las letras del alfabeto para significar valores numéricos. El latín, el griego, y el hebreo, todos usan letras para representar valor numérico. Por tanto, los antiguos no tenían que considerar que quería decir calcular el número de un nombre.

Está claro que en los idiomas antiguos el número de cualquier nombre podía ser calculado fácilmente. En adición, en cualquier idioma con ese sistema, es evidente que *muchos* nombres se pueden encontrar con el mismo valor. Hay muchos nombres que tendrían el valor numérico de 666. Un nombre con el valor de 666 es solamente una parte de la solución. Cualquier nombre que se encuentre debe encajar con todas las otras circunstancias predichas en Apocalipsis.

¿En Qué Idioma?

La próxima pregunta importante es ésta: ¿En qué idioma debemos calcular? Tristemente, muchas veces hacen caso omiso a esta pregunta. Los comentarios ofrecen cálculos en cualquier idioma que cada autor desee, sin dar ninguna razón por la cual se usa ese idioma en particular.

A menudo se hacen cálculos absurdos del 666 usando el inglés. Algunos inventan un sistema en que la "*a*" equivale a 1, la "*b*" equivale a 2, etc. Otros inventan otros sistemas. Ninguno de estos sistemas tiene ningún valor de ninguna manera. Las letras inglesas no tienen valor numérico como tampoco las letras españolas. El asignarles valor numérico es arbitrario y ficticio; es un juego de claves infantil.

Seguramente los únicos idiomas a los cuales se puede dar seria consideración son el griego, el hebreo, y el latín. Estos tres estaban en existencia cuando la Biblia se escribió. El título en la cruz fue escrito en estos tres idiomas. La Biblia misma fue escrita en los primeros dos. Los tres tenían el sistema de usar letras para expresar los valores numéricos.

Una solución común propuesta en latín es *Vicarius Filii*

Dei, "Vicario del Hijo de Dios". Se dice que puesto que el cuarto reinado de Daniel es el Imperio Romano-Latino, el idioma que se debe usar en el cálculo es el latín. La idea es que debemos suponer que la bestia que impone la marca sea identificada por su idioma oficial. Este argumento tiene algunos méritos, pero al mismo tiempo tiene problemas. Por ejemplo, la validez del título propuesto es incierta. ¿Por qué? El título que Roma ha usado por siglos en referencia a los papas es "Vicario de Cristo", no "Vicario del hijo de Dios". Hay considerable duda histórica si el término "Vicario del Hijo de Dios" fuera alguna vez usado. Esta solución, por tanto, es dudosa. En adición a este problema, es de notar que, aunque muchos cristianos en los primeros seis siglos creían que la cuarta bestia era el Imperio Romano (Latino), sin embargo, no hay ninguna mención de que alguien buscara en el latín la solución del 666. Todos buscaron en el idioma griego.

La solución más popular usando el hebreo hoy día está basada en la creencia preterista de que el Emperador del primer siglo Nerón era el Anticristo. El valor numérico de su nombre, Nerón César, es 666 en el alfabeto hebreo. El preterismo dice que, puesto que en Apocalipsis se usan muchos símbolos y palabras hebreas y que fue escrito por un judío cristiano, la solución al 666 naturalmente se encontraría en el idioma hebreo. El preterismo también argumenta que las profecías del Apocalipsis tienen que tener un significado, y ser entendidas por las personas a quienes se les escribió el libro en el primer siglo. En oposición a estos argumentos se encuentra el claro testimonio de la historia: ¡la idea de que el 666 representa a Nerón no aparece en ningún escrito antes del siglo diecinueve! Este solo hecho contradice un argumento principal en la defensa de la posición preterista: a saber, que la profecía debería ser entendida por el pueblo a quienes les fue escrita. Si esto fuese así, ¿por qué tomó mil ochocientos años para que alguien descubriera que el nombre de Nerón es igual a 666?

Al hablar de la idea de que Nerón es la solución al 666, el conocido historiador de la iglesia Philip Schaff escribió:

> Parece increíble que una solución tan fácil al problema se mantuviera desconocida por dieciocho siglos y que fuera reservada para el ingenio de media docena de racionalistas rivales en Alemania.[3]

Schaff está diciendo que fueron los racionalistas quienes primero propusieron que Nerón era la solución al 666. Los racionalistas creen que el razonamiento, no la revelación, es la fuente de la verdad; por lo tanto, tratan de vaciar la Biblia de milagros y profecías. En este caso, un racionalista está satisfecho de que haya vaciado a Apocalipsis de profecías que predicen el futuro al seleccionar a Nerón, quien no estaba en el futuro cuando se escribió el libro de Apocalipsis.

El Griego es el Idioma

En contraste con el latín y el hebreo, se pueden hacer argumentos fuertes a favor de usar el idioma griego para llegar al significado del 666. En primer lugar, el libro de Apocalipsis fue escrito en el idioma griego. Los estudiantes de la Biblia y los historiadores han notado que una razón por la cual el mundo estaba preparado para el evangelio en el primer siglo era que el idioma universal, el griego, se había establecido. Esto hizo fácil esparcir las Escrituras por todas partes. El Antiguo Testamento ya había sido traducido del hebreo al idioma griego (la Septuaginta) para que también fuera disponible, tanto a los judíos que ya no leían el hebreo, como a la población en general. Ya que Apocalipsis fue escrito originalmente al pueblo de habla griega, una solución en el idioma griego es muchísimo más natural.

Jesús nos dijo que calculáramos el número del nombre. Lo más natural es hacer el cálculo en el idioma en que nos manda a hacerlo. Los griegos podían escribir los números de dos maneras. Ellos podían escribir palabras equivalentes a nuestro "seiscientos sesenta y seis". También podían usar el único sistema que ellos tenían para expresar números, las letras del alfabeto: una letra para 600, una letra para 60, y una letra para 6. Usando éste método, como nuestros números arábigos, los griegos sólo necesitaron tres letras griegas para escribir

666. Es interesante que esto sea exactamente la forma en que 666 aparece en muchos manuscritos griegos. Estos textos griegos se leen χξς´: 666[4]. Así que, no sólo es el enigma expresado en el idioma griego, sino que muchos manuscritos griegos dan la clave para calcular el número del nombre usando el valor numérico de las letras griegas.

Este no es el único uso especial del alfabeto griego encontrado en el libro del Apocalipsis. Al igual que Isaías, Apocalipsis enseña que el Padre y el Hijo son "el primero, y... el postrero (último)" (Isaías 44:6; 48:12; Apocalipsis 1:11, 17; 2:8; 22:13). La Deidad se llama "el principio y el fin" tres veces en Apocalipsis (Apocalipsis 1:8; 21:6; 22:13). En adición, la Deidad se llama "el Alfa y la Omega" en cuatro de los seis textos de Apocalipsis ya citados. *Alfa* (Α, α) y *omega* (Ω, ω) son la primera y última letras del alfabeto griego (se presentan en mayúscula y minúscula).

Es el alfabeto griego que se usa para expresar la eternidad de Jesús, no el alfabeto hebreo ni el latín. En Apocalipsis, Jesús no es el *alef* y el *tau*, la primera y última letras del alfabeto hebreo. Jesús no es la *a* y la *z*, la primera y última letras del alfabeto latín en el tiempo de Juan. No, Jesús es el *alfa* y la *omega*, la primera y última letras del alfabeto griego. Apocalipsis usa estas letras griegas cuatro veces para expresar la eternidad del Padre e Hijo.

Los escritores cristianos en los primeros siglos que hablaron del asunto, unánimemente usaron el idioma griego para descifrar el 666. E. B. Elliott, en su comentario muy extensivo y erudito sobre Apocalipsis escrito a mediados del siglo diecinueve, escribió que no sabía de ningún escritor en los primeros seis siglos que usara cualquier idioma fuera del griego en su intento de resolver el 666.[5]

En resumen, los argumentos más fuertes están a favor de usar el idioma griego para descifrar el simbolismo alfabético del 666.

1. Apocalipsis fue escrito en el idioma griego.
2. El 666 está escrito en muchos manuscritos usando tres letras griegas como dígitos.

3. La naturaleza eterna de Jesús y del Padre se expresa simbólicamente en Apocalipsis usando letras del alfabeto griego.

4. Según el registro que existe ahora, los escritores de los primeros seis siglos usaron unánimemente el idioma griego para descifrar el 666.

La Mejor Solución

Dado que las bestias de Apocalipsis 13 están relacionadas a Roma, sería lógico pensar que "la marca o el nombre de la bestia" y "el número de su nombre" sean relacionados a Roma también. La mayoría de las personas hoy día presume, con poco estudio, que la marca del 666 se relaciona al fin de los tiempos. Sin embargo, desde que el Imperio Romano fue establecido hace más de dos mil años, hay muchísima historia que considerar antes de comenzar a pensar en futuras posibilidades.

Tan temprano como el siglo dos, Ireneo (130 al 202 d.C.) seriamente buscó nombres griegos con el valor numérico de 666. Aunque Ireneo sabía que muchos nombres griegos tenían ese valor, no lo consideró en vano buscar el nombre que cumplía todos los aspectos de la profecía. Por lo contrario, él hizo hincapié en la necesidad de aprender el nombre para poder estar prevenido. Él comprendía que el nombre debía armonizar con el resto de la profecía. Él dijo que las profecías no podrían cumplirse hasta que el Imperio Romano fuera quebrantado en diez partes:

> La cifra del nombre de la bestia según la computación de los griegos debe tener las letras que se hallan en 666... en primer lugar hagan caso de la división del reino en diez partes... muchos nombres contienen tal cifra... Así también el nombre LATEINOS (ΛΑΤΕΙΝΟΣ) encierra el número 666, y es un número verosímil, porque esta palabra señala el último de los reinos [de los cuatro vistos por Daniel] pues los latinos tienen ahora el poder; pero no nos gloriamos de identificarlo... (El Apocalipsis) ha apuntado el nombre (del Anticristo) para precavernos de él cuando venga, sabiendo quién es.[6]

Ireneo entendió que él mismo vivía durante el cuarto reino predicho por Daniel. Él conectó éste reino con las bestias de Apocalipsis 13 y 17. Él también reconoció que habría eventos todavía en su futuro, tal como la división del Imperio Romano en diez partes. Como Apocalipsis 17:12 dice: "Los diez cuernos que has visto son diez reyes que aún no han recibido reino". Un siglo después de que Juan escribió estas palabras, Ireneo entendió que todavía era verdad que los diez reyes "aún no han recibido reino". El también entendió que un enemigo de Dios vendría algún tiempo después de la división en diez partes, y él vio que el número del nombre de este inicuo sumaría a 666.

Ireneo vivió durante una parte del cumplimiento de Apocalipsis 13 pero antes del cumplimiento de otras partes. Situado en aquél contexto histórico, él encontró significante que el nombre del reino que entonces estaba en poder tenía el valor numérico del 666 en el idioma griego. El no afirmó que *Lateinos* era la solución definitiva al 666, sino sólo una posibilidad. El tiempo era muy temprano para tener una solución definitiva. Sin embargo, hoy día, con siglos de historia detrás de nosotros, tenemos una ventaja sobre Ireneo. Desde nuestra perspectiva histórica, muchos de nosotros creemos que nunca ha habido una mejor solución para el 666 que ésta que Ireneo sugirió sólo cien años después de que Juan escribiera Apocalipsis.

Puesto que Ireneo escribió en el idioma griego, tomó por sentado que sus lectores podrían chequear sus cálculos con mucha facilidad; por lo cual ni aun hace mención del valor de las letras individuales. Para los que no estamos familiarizados con el idioma griego, es interesante y útil ver los detalles específicos que están en la gráfica adjunta.

El valor numérico es solo un aspecto. El nombre *Lateinos* encaja con otros aspectos de Apocalipsis 13 también. En el Capítulo 10, "¿Por qué Roma?" consideramos la evidencia encontrada en Daniel de que las bestias de Apocalipsis están relacionadas con Roma. El nombre *Lateinos* armoniza con esa conclusión y la confirma. Latinus (como se deletrea en latín)

DESCIFRANDO EL "666"

Apocalipsis dice: "el número de su nombre... calcule el número" (13:17-18). Apocalipsis fue escrito en el idioma griego. Cada letra griega tiene un valor numérico. Por tanto, es sencillo calcular el número de cualquier nombre en el idioma griego. La parte difícil es encontrar un nombre que armonice con los otros detalles predichos en Apocalipsis 13. No hay mejor solución que la siguiente que fue sugerida por Ireneo que vivió en el segundo siglo:

Sistema Numérico Griego

Equivalente en español	Mayúsculas y minúsculas en el idioma griego		Valor
a	Α	α	1
v	Β	β	2
g - y	Γ	γ	3
d	Δ	δ	4
e	Ε	ε	5
		ς	6
ds	Ζ	ζ	7
i	Η	η	8
z española	Θ	θ	9
i	Ι	ι	10
k	Κ	κ	20
l	Λ	λ	30
m	Μ	μ	40
n	Ν	ν	50
x	Ξ	ξ	60
o	Ο	ο	70
p	Π	π	80
		ϙ	90
r	Ρ	ρ	100
s	Σ	σ,ς	200
t	Τ	τ	300
i	Υ	υ	400
f	Φ	φ	500
j	Χ	χ	600
ps	Ψ	ψ	700
o	Ω	ω	800
		ϡ	900

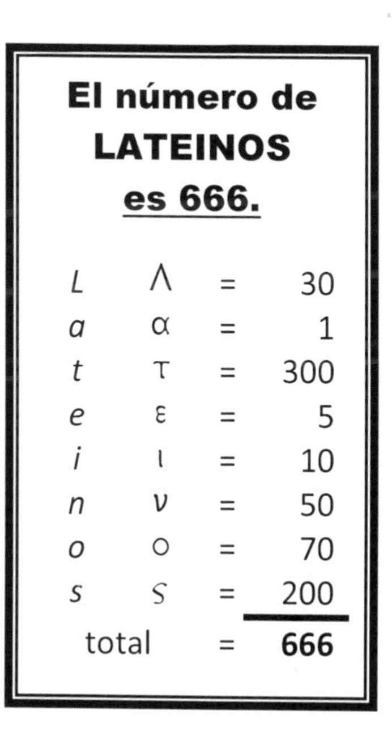

El número de LATEINOS es 666.

L	Λ	=	30
a	α	=	1
t	τ	=	300
e	ε	=	5
i	ι	=	10
n	ν	=	50
o	ο	=	70
s	ς	=	200
total		=	**666**

Latino (En el idioma griego: Lateinos)

Latino fue el fundador de los latinos quienes formaban la mayor parte de la población de Roma desde su fundación. El latín llegó a ser el idioma oficial del Imperio Romano, y luego, de la Iglesia Romana Católica.

se considera como el fundador de la raza latina; por lo cual, tenemos el nombre de un hombre individual. Aún si la historia no pueda probar decisivamente que él era el padre de la raza, no obstante, se conoce por todas partes que *latino* es la designación de un pueblo, un reino, un individuo en ese reino, una lengua, y una iglesia. Los latinos antiguos vivían en la parte central de Italia llamada Lacio (Latium en latín). El latín era el idioma de la ciudad de Roma desde su fundación, y luego vino a ser el idioma oficial del Imperio Romano.

La Iglesia Latina

Ireneo escribió: "los latinos tienen ahora el poder".[7] Él igualó a esos gobernantes con la cuarta bestia de Daniel y las bestias de diez cuernos de Apocalipsis 13 y 17. Hasta allí era claro para él, pero Ireneo no tenía manera de saber que el Imperio Latino llegaría a ser un día la Iglesia *Latina*. Latina es una designación bastante apropiada para éste desarrollo del poder Romano. Por más de mil quinientos años, el latín ha sido una marca distintiva de la Iglesia Católica. *Romana* y *Latina* son dos formas de identificar la misma cosa. *Romana* identifica el lugar; *latín* identifica el idioma

Cuando el Imperio Romano cayó en el año 476 d.C., el imperio continuó en el Este con Constantinopla como su capital. Algunos han designado esta parte de la división "el Imperio Romano Oriental". Otros lo llaman más correctamente "el Imperio Bizantino". Roma estaba en el *occidente* y era latina; Constantinopla estaba en el *oriente* y era griega. Esta división se reflejaba en las iglesias. Las iglesias orientales eran ortodoxas y griegas; las iglesias occidentales, católicas y latinas.

Aún antes de la caída de Roma, el latín había llegado a ser el idioma ritual de la Iglesia Occidental a pesar del hecho de que mucho del imperio no era de herencia romana. Mientras los siglos pasaban, los pueblos de Europa gradualmente cambiaron del latín a nuevos idiomas: italiano, español, portugués, francés, alemán, e inglés. A pesar de estos cambios, el latín se mantuvo como el idioma de la Iglesia Católica: tanto el idioma oficial como el idioma de adoración. El latín continuó como el idioma de la adoración hasta mediados del siglo veinte cuando el Concilio Vaticano II autorizó el uso de otros idiomas. Los que nacimos antes de mil novecientos sesenta recordamos bien el tiempo cuando la misa se decía sólo en latín. La gente común alrededor de todo el mundo iba a la misa y no entendía lo que el sacerdote decía.

Siglo tras siglo, la Iglesia Católica por todo el mundo era la Iglesia Latina. Todavía en el siglo veintiuno, el latín continúa siendo el idioma oficial de la Iglesia Católica, aunque no se usa tanto como antes. Los sacerdotes todavía tienen que estudiar el latín en preparación para el sacerdocio. Los documentos oficiales de la Iglesia Católica todavía continúan siendo publicados en el latín. La Iglesia Católica considera el latín como un instrumento para la unidad de la iglesia en todo el mundo, conectando todas las iglesias a Roma.

El *Modern Catholic Dictionary* (*Diccionario Moderno Católico*) define el "Catolicismo Romano" como: "La fe, adoración, y práctica de todos los cristianos en comunión con el Obispo de Roma, a quien ellos reconocen como el Vicario de Cristo y la cabeza visible de la Iglesia fundada por Cristo".[8] Esta iglesia es romana porque Roma reina de forma suprema sobre ella.

La Curia Romana está bajo el mando del Papa en Roma. La Curia Romana es "todo el conjunto de oficinas administrativas y judiciales por las cuales el Papa dirige las operaciones de la Iglesia Católica".[9] "Curia" es una palabra latina que en tiempos antiguos se refería a los concilios romanos, el Senado, y las varias oficinas del Imperio Romano. La iglesia Católica ha mantenido tanto el nombre como la forma del gobierno del Imperio Romano.

La ropa especial que usan los sacerdotes católicos hoy día durante la misa son copias de varios tipos de ropa que se usaron en el Imperio Romano en el segundo siglo. Hoy día, en vez de la ropa típica de las naciones en que la misa se está celebrando, los sacerdotes usan ropa antigua romana.

Juan Pablo I murió repentinamente, apenas treinta y tres días después de su elección. El hecho de que fuera italiano es lo que se esperaba. Todos los papas antes de él por 455 años habían sido italianos. Lo que no se esperaba era que después de su repentina muerte los cardenales reunidos elegirían a uno que no era italiano, el primer papa polaco en toda la historia, Juan Pablo II. Se conoce muy bien que la mayoría de papas por toda la historia han sido italianos. En los tres siglos desde 752 hasta 1046 d.C., hubo 57 papas. No solamente eran la mayoría de ellos italianos, ¡setenta y dos por ciento de ellos nacieron en la capital italiana, Roma![10]

El nombre griego *Lateinos* tiene un valor numérico de 666. El imperio que gobernaba cuando la iglesia comenzó era el Imperio Latino. La iglesia que gradualmente se desviaba de la verdad y se hizo poderosa sobre las cenizas de ese imperio fue la Iglesia Latina. El latín era el único idioma de adoración hasta tiempos recientes, y el latín continúa siendo la lengua oficial de la Iglesia Católica. La Curia Latina, bajo un papa (normalmente) italiano que está en la antigua capital latina queda como el poder céntrico de la iglesia. Es la Iglesia Romana; es la Iglesia Latina.

La Naturaleza de la Marca

"Y hace que a todos, pequeños y grandes, ricos y pobres, libres y esclavos, se les ponga una marca en la mano derecha, o en la frente" (Apocalipsis 13:16). Todas las interpretaciones están de acuerdo de que la bestia no es un mamífero salvaje de cuatro patas, sino, por lo contrario, es simbólico de algún poder satánico entre los hombres. El número de la bestia también debe ser simbólico puesto que se nos dice que "calcule el número de la bestia". Tenemos que hacer un cálculo para poder entender el símbolo. Apocalipsis 13:17 habla de "el que tenga la marca o el nombre de la bestia, o el número de su nombre". La marca, el nombre, o el número. Puesto que el número es simbólico, la marca también parecería ser simbólica. No hay necesidad de imaginar la gente literalmente con el número 666 estampado en la mano o la frente.

Detrás de la frente está el cerebro, la mente; la mano es el miembro de acción del cuerpo. El simbolismo parece contemplar la habilidad de pensar y la habilidad de hacer. Es un asunto de creencia y acción. La marca es una representación de aquellos que han rendido sus mentes y cuerpos al servicio de la bestia, de aquellos que han aceptado las enseñanzas y obedecen los mandatos de la bestia; ellos adoran a la bestia.

Este simbolismo se parece mucho al simbolismo que se usa para el pueblo de Dios. En Apocalipsis 7:3, los siervos de Dios son sellados en sus frentes, mientras que en 22:4 los hijos de Dios tienen su nombre en sus frentes. Tan temprano como en Deuteronomio 6:8, un simbolismo similar se registra que envuelve la frente y la mano. Refiriéndose a la palabra de Dios, Moisés mandó a los Israelitas: "Y las atarás [las palabras de Dios] como una señal en tu mano, y estarán como un recordatorio entre tus ojos". Este es el contexto citado por Jesús cuando proclamó el primero y gran mandamiento de la ley: Amar a Dios (Mateo 22:36-38). El amar a Dios envuelve la mente y la mano; envuelve lo que creemos y lo que hacemos. De la misma manera el adorar a la bestia envuelve lo que uno cree y lo que uno hace.

Algunos creyentes no están satisfechos con ésta interpretación simbólica y buscan un cumplimiento más literal. Vale la pena mencionar que a los católicos literalmente "se les ponga una marca... en la frente", no una vez sino varias veces durante su vida. En vez de la inmersión en agua en el bautismo, se le rocía agua en la frente y la señal de la cruz se le hace en la frente. En la confirmación, la frente es ungida con aceite en forma de cruz. El Miércoles de Ceniza, se les pone a los católicos ceniza en las frentes. El hecho de hacer la señal de la cruz, lo cual los católicos devotos repetidamente practican, comienza con tocar la frente con la mano derecha. Lo más extraordinario de todo esto es la marca en la frente al ser bautizado, porque este es el sacramento que convierte al individuo en católico.

"Nadie Pueda Comprar ni Vender"

Al hablar de la bestia semejante a un cordero, Apocalipsis dice:

> Y hace que a todos, pequeños y grandes, ricos y pobres, libres y esclavos, se les ponga una marca en la mano derecha, o en la frente; y que nadie pueda comprar ni vender, sino el que tenga la marca o el nombre de la bestia, o el número de su nombre (13:16-17).

La fascinación hoy día con el 666 a menudo limita "la marca" a la predicción de no poder comprar o vender. Pero, sólo un versículo antes, hay una expresión más drástica. La bestia como un cordero iba a poder "matar a todo el que no la adorase" (13:15). Adorar a la bestia o morir.

La profecía habla de control sobre el comercio y control sobre la vida, pero también tiene que ver con la adoración personal. El mundo ha visto mucho de ésta clase de persecución. Sin embargo, ésta persecución en particular tiene que ser considerada en el contexto de Apocalipsis 13, el cual trata con el renacimiento de Roma como un poder religioso. Con este trasfondo en mente, se hace obvio que el enfoque es sobre realidades históricas como las Cruzadas y la Inquisición. El espíritu y la práctica de la Inquisición se extendieron por lo menos desde el siglo doce hasta el siglo diecinueve. Al vivir nosotros hoy día en un país con libertad religiosa, puede ser difícil para nosotros imaginar los siglos cuando la Iglesia Romana Católica controlaba las almas y los cuerpos de los hombres.

Según las autoridades católicas, la Inquisición tuvo como su propósito:

> Descubrir y oprimir la herejía y castigar a los herejes... los herejes caídos encontrados culpables se le entregaba al gobierno civil... El hecho de que la ley secular prescribió muerte debe ser entendido a la luz de esos días cuando la herejía era anarquía y traición.[11]

Exactamente. En esos días, cualquier punto de vista que se opone a la enseñanza de Roma era traición digna de muerte, exactamente como fue predicho por Cristo en Apocalipsis. Además, la tortura se usaba abiertamente para sacar confesiones. De acuerdo con *The Encyclopaedia Britannica,* los castigos para aquellos que rehusaban retractarse podrían incluir ejecución por hoguera o estrangulación, exilio, encarcelación a corto plazo, encarcelación perpetua, y confiscación de propiedades.[12]

El papado, por un lado, y el brazo secular por otro lado, corresponden muy bien a la segunda y la primera bestias de Apocalipsis 13. La primera bestia, por conexión a Daniel, seguramente representa el poder romano civil, mientras que la bestia semejante a un cordero, la cual "ejerce toda la autoridad de la primera bestia en presencia de ella" (13:12), seguramente corresponde al papado con sede en Roma.

Aquellos que no adoraban de acuerdo a los edictos de Roma estaban sujetos a la muerte. Esto está claro en estas profecías, como está claro en el cumplimiento que se registra en todos los libros de historia acerca de esos tiempos.

La reprensión económica estaba también presente como fue profetizado: "Nadie pueda comprar ni vender, sino el que tenga la marca". El artículo citado en *The Encyclopaedia Britannica* habla de la confiscación de propiedades, y dice que aún se permitía la incautación aún de propiedad que una persona inocente había heredado a alguien que no había sido declarado hereje hasta después de su muerte. Adicionalmente dice: "Cualquier contrato hecho con un hereje era nulo en sí".[13]

Hablando del Canon 27 del Tercer Concilio de Letrán que tomó lugar en el año 1179 d.C., una autoridad Católica escribe:

> Hay un largo y muy detallado decreto acerca de la restricción de los herejes... Tantos los herejes como aquellos que los protegían son excomulgados; nadie debe darles albergue, o permitirles estar en su territorio, o hacer negocios con ellos.[14]

He aquí una ley oficial de la Iglesia Católica —nadie podía "hacer negocios con" aquellos a quienes la Iglesia Católica consideraba herejes. ¡Qué cumplimiento más preciso de la profecía: "nadie pueda comprar ni vender, sino el que tenga la marca"! El temor del 666 no es algo para el futuro; es historia. ¡Demos gracias a Dios que nosotros no vivimos en aquellos días!

Esquivar lo Obvio

Los futuristas que han estudiado conocen muy bien el bosquejo básico, y muchos detalles, acerca de que los hechos históricos mencionados en este capítulo. Tim LaHaye, por ejemplo, hace numerosas referencias iluminadoras a la Iglesia Católica en su comentario sobre Apocalipsis. Por ejemplo, él escribe:

> Tanto el quinto sello como Apocalipsis 20:4 indican que el martirio de los verdaderos creyentes excederá aun aquel de la Edad Oscura, cuando la Iglesia Católica Romana persiguió a quienes sostenían una fe personal en Jesucristo.[15]

> Cuando mayor fue la influencia babilónica sobre la iglesia durante la Edad Oscura, millones de cristianos fueron perseguidos hasta la muerte. A este período de la historia bien se le llama: "La Inquisición".[16]

En su intento de demostrar cuán terrible él cree que los eventos futuros serían, ha acudido al testimonio de la historia con relación al trabajo mortal de la iglesia de Roma en la Edad Media (la Edad Oscura).

Al hablar de Apocalipsis 17, LaHaye argumenta en contra de que los siete montes sean una indicación de la ciudad de Roma, y reclama que la séptima cabeza de la bestia es el "anticristo al final de los tiempos".[17] A pesar de su negación de que esta profecía ya se haya cumplido, él procede a llenar varias páginas con evidencia de la relación entre Apocalipsis 17 y la Iglesia de Roma:

> La larga historia de intolerancia y persecución de Roma hacia los cristianos... Cada vez que Roma estuvo al frente de un país, no dudó en matar a los que no están de acuerdo con ella. [18]

Él sigue con una cita del *Compendio Manual de la Biblia* por Halley, de dos páginas y media, lleno de detalles de la Inquisición.

Con toda esta evidencia, es una vergüenza evadir la realidad histórica a favor de la ficción futurista. Todo lo que un cristiano necesita hacer es comparar cuidadosamente 2 Tesalonicenses 2, Daniel 7, y Apocalipsis 13 y 17 con los hechos de la historia. La historia enseña que hace algunos siglos el profetizado enemigo romano de Dios llegó al mundo. Tal vez a muchos se le ha escapado esta verdad por el hecho de que hoy día la bestia no tiene tanto poder como tenía en los siglos pasados. Por tanto, los cristianos deben sacarles el polvo a sus libros de historia e investigar cómo eran las cosas realmente durante la Edad Media.

¿Por qué fue Escrito Apocalipsis?

Apocalipsis fue escrito para preparar al pueblo de Dios para las batallas espirituales de esta vida presente, antes de la Segunda Venida de Jesús. Fue escrito para darnos una interpretación de Dios en cuanto a la situación religiosa de hoy día y por toda la historia. Fue escrito para advertir, preparar, y fortalecer a la iglesia para las batallas verdaderas de esta vida presente. No fue escrito para entretener a la iglesia con relación a eventos futuros que la iglesia nunca experimentaría.

El Anticristo no es futuro. El cuerno pequeño de Daniel 7 no es futuro. Las bestias de Apocalipsis 13 y 17 no son futuras. Todas estas son realidades pasadas y presentes. Son futuras solamente porque continúan existiendo. El empujar estas profecías totalmente hacia nuestro futuro después de que la iglesia sea raptada de éste mundo es actuar como el proverbial avestruz con la cabeza dentro de la arena. Necesitamos aceptar la realidad de la historia pasada y la realidad religiosa actual, por desagradable y poco popular que sea. Necesitamos mirar al pasado y presente por medio de los ojos del Cordero de Dios, el autor verdadero del libro de Apocalipsis. "Bienaventurado el que lee, y los que oyen las palabras de esta profecía, y guardan las cosas escritas en ella; porque el tiempo está cerca (Apocalipsis 1:3).

La Profecía: el Gran Milagro

"Oráculos mentirosos han estado en el mundo; pero todo el ingenio y malicia de los hombres y diablos no pueden producir tales profecías como las que se registran en las Escrituras... Tenemos los milagros más grandes y sobresalientes en la serie de profecías-bíblicas cumplidas ... y si se han cumplido las profecías-bíblicas, las Escrituras tiene que ser palabra de Dios." - Thomas Newton, 636-37

"Tenemos como más segura la palabra profética, a la cual hacéis bien en estar atentos como a una lámpara que alumbra en un lugar oscuro."
(2 Pedro 1:19)

"Porque si la palabra dicha por medio de ángeles fue firme, y toda transgresión y desobediencia recibió justa retribución, ¿cómo escaparemos nosotros, si descuidamos una salvación tan grande?" (Hebreos 2:2-3)

El cumplimiento de la profecía en el pasado es nuestra razón para creer lo que Dios dice acerca de nuestro futuro.

Cuarta Sección

De Aquí a la Eternidad

Capítulo 15

El Rapto

Se nos dice que los aviones se caerán del cielo. Los automóviles perderán el control y chocarán. Las cirugías se pararán a mitad de la operación. Los sistemas de comunicación estarán incapacitados. Los esposos buscarán frenéticamente a sus esposas. ¿Por qué? Porque todos los creyentes instantánea y misteriosamente desaparecerán. A pesar de este caos, nos dicen que la vida en la tierra seguirá por años. Lo llaman el Rapto.

Algunos creyentes enfatizan que la palabra "rapto" no se encuentra en la Biblia. Esto es verdad; pero en verdad este no es el problema real. En 1 Tesalonicenses 4:17, Pablo dice que los creyentes "seremos arrebatados juntamente con ellos en las nubes para salir al encuentro del Señor en el aire". "Arrebatados". Un diccionario en inglés nos da un significado de Rapto como "llevar a una persona a otro lugar o a otra esfera de existencia".[1] Si con Rapto uno sencillamente quiere decir que los cristianos serán llevados arriba para estar con Cristo, entonces tenemos poca objeción contra el uso de la palabra.

El Problema Verdadero

Sin embargo, los líderes religiosos hoy día han añadido mucho mas al significado del Rapto que la sencilla definición dada arriba. De hecho, hay un cuerpo completo de doctrina envuelta en la palabra moderna, Rapto. El problema no es con la palabra sino con el cuerpo completo de doctrina.

Una precaución importante tiene que ser introducida antes de proceder: los maestros futuristas tienen diferentes puntos de vista sobre ciertos textos bíblicos. Por tanto, no todos utilizan los mismos argumentos para defender su doctrina del Rapto. A pesar de que algunos maestros futuristas no utilizan algún argumento en particular de los que se presentan a continuación, otros maestros sí los utilizan. No se va a intentar diseccionar y clasificar los diferentes puntos de vista. Lo que viene a continuación es sencillamente un análisis de algunos de los argumentos comunes que se oyen de diferentes fuentes a favor de la doctrina del Rapto.

La teoría moderna del Rapto presenta escenas dramáticas como de aviones estrellándose y bebés que desaparecen. Sin embargo, no hay un solo versículo en la Biblia que tenga ni una pista de tal escenario. Tampoco, ningún versículo enseña que después del Rapto, la vida seguirá normal en este mundo. Uno de los textos más citados para apoyar el escenario del Rapto es 1 Tesalonicenses 4:13-18; pero es totalmente silencioso acerca de las condiciones en la tierra cuando los santos sean arrebatados.

Otro texto frecuentemente citado es Mateo 24:40: "el uno será tomado, y el otro será dejado". ¿Acaso Jesús tenía el escenario moderno del Rapto en mente cuando lo dijo? Una mirada al contexto prueba lo contrario. Comenzando solamente cinco versículos antes Jesús dijo:

> El cielo y la tierra pasarán... Mas como en los días de Noé... vino el diluvio y se los llevó a todos, así será también la venida del Hijo del Hombre. Entonces estarán dos en el campo; el uno será tomado... (24:35, 37, 39-40).

El contexto de "el uno será tomado, y el otro será dejado" es "como en los días de Noé, así será la venida del Hijo del Hombre". La venida de Jesús será como el diluvio en los tiempos de Noé. ¿Noé desapareció misteriosamente? Cuando Noé entró en el arca, ¿siguió el mundo con la vida normal cotidiana? Todos sabemos que no fue así: "el mundo de entonces pereció" (2 Pedro 3:6). El diluvio fue el fin de aquél antiguo mundo. O uno estaba salvo en el arca o uno pereció bajo la ira de Dios. Así será cuando Jesús regrese.

¿Notó usted en el contexto *quién* fue tomado? No fue Noé y su familia quienes fueron "tomados". Al hablar de los malvados, Mateo 24:39 dice, "y no se dieron cuenta hasta que vino el diluvio y se los llevó a todos". Los malvados fueron llevados. Noé se quedó. Esto es completamente opuesto a la teoría moderna del Rapto

No, Jesús no tenía la doctrina moderna del Rapto en mente. Más bien, Él dijo que cuando Él regrese la tierra pasará, y los malos serán llevados fuera de la presencia del Señor.

Lo Que Jesús "Hubiera" Dicho

Si la teoría popular del Rapto fuera correcta, Jesús hubiera utilizado ejemplos totalmente distintos. Jesús hubiera dicho, "Como en los días de Enoc..." o "como en los días de Elías..." El justo Enoc desapareció del mundo y el mundo siguió (Génesis 5:21-25). El caso de Elías es más notable. Después de que un torbellino se lo llevó al cielo, cincuenta hombres fueron a buscarle por tres días (2 Reyes 2:1-18). ¡Ahora ahí está el sabor de la teoría del Rapto de hoy día! Ahí está el sabor de la serie "Dejados Atrás". Hay un solo problema. ¡Jesús nunca dijo, "como en los días de Elías"! Jesús dijo, "como en los días de Noé".

Jesús nunca dijo, "como en los días de Enoc". Sin embargo, sí dijo: "asimismo como sucedió en los días de Lot... llovió del cielo fuego y azufre, y los destruyó a todos. Lo mismo será el día en que el Hijo del Hombre se manifieste" (Lucas 17:28-30).

Las comparaciones que hizo Jesús son con Lot y Noé. Ambos casos envolvieron la destrucción inmediata de los malvados, mientras que los justos fueron salvos. Ambos cancelaron cualquier posibilidad de segundas oportunidades para los malos escuchar la palabra de Dios y arrepentirse. Ambos eran el fin. El caso de Sodoma, por supuesto, no fue el fin del mundo; pero ciertamente fue el fin de Sodoma y Gomorra. Estas

¿Cómo Será la Venida de Jesús?

No así:

Xilografía por Gustave Doré, 1865.

Elías subió al cielo, y cincuenta hombres lo buscaron por tres días, pero no lo encontraron.
La vida normal siguió.
(2 Reyes 2:11-17)

Sino, así:

"Como en los días de Noé... estaban comiendo y bebiendo... y no se dieron cuenta hasta que vino el diluvio y se los llevó a todos [los malos], así será también la venida del Hijo del Hombre".

Pintura cortesía de Gospel Services, Inc.

Jesús lo dijo. (Mateo 24:37-39)

ciudades nunca han sido encontradas. Esta gente nunca vivió suficiente tiempo para pensar en qué pasó con Lot. No hubo choques de carrozas o personas buscándolas. Dios sencillamente los liquidó de la faz de la tierra con fuego y azufre. Jesús dijo que su venida sería así.

"Vendrá como un Ladrón"

Algunos maestros futuristas defienden la teoría del "Rapto secreto" con la declaración de que Jesús vendrá como ladrón. Sí, la Biblia lo dice, pero ¿qué significa? Figuras retóricas pueden ser complicadas. Tanto Jesús como Satanás se representan como leones. Una bandera roja de advertencia se levanta: "Interprete con cuidado". A Jesús se le llama tanto león como cordero. Otra bandera roja. No nos atrevemos a exprimir todos los significados posibles de ninguna figura retórica. Hacer esto es hacer de la Biblia un juguete para cada imaginación nuestra.

¿Cómo vienen los ladrones? Considere dos ideas. Un ladrón puede venir y salir secretamente sin ser detectado en ese momento. Por otro lado, un ladrón puede venir abiertamente, pero repentinamente sin advertencia. ¿Cuál de estas dos ideas enseña la Biblia con relación a la venida de Cristo?

De los seis textos del Nuevo Testamento que usan esta figura, solamente uno no declara cuál es el significado intencionado. En los cinco que restan, la idea siempre es la de venir sin advertencia. Venir secretamente nunca se menciona. Por ejemplo:

> Si supiese el padre de familia a qué hora iba a venir el ladrón, velaría, y no permitiría que horadaran su casa. Vosotros, pues, también, estad preparados, porque a la hora que no penséis, el Hijo del Hombre vendrá (Lucas 12:39-40).

El mensaje es claro: Jesús vendrá como ladrón cuando menos se espere. Estemos listos en todo tiempo. Note 2 Pedro 3:10:

> Pero el día del Señor vendrá como un ladrón en la noche; en el cual los cielos desaparecerán con gran estruendo, y los elementos ardiendo serán deshechos, y la tierra y las obras que en ella hay serán quemadas.

"Ladrón... gran estruendo... la tierra... quemada..." No hay ningún secreto. ¡Es el fin del mundo!

Ningún texto bíblico insinúa que "venir como un ladrón" contiene la idea de venir secretamente. Ningún texto bíblico indica en ninguna manera que la venida de Jesús estaría escondida de los ojos y del entendimiento de las masas. Cuando Jesús venga, no habrá secreto ni segundas oportunidades. La eternidad habrá llegado. Todo el mundo lo sabrá.

"Voz de Mando... Voz de Arcángel... Trompeta"

El único texto que habla directamente de ser "arrebatado" (raptado) hace claro que no es una operación encubierta:

> Porque el Señor mismo con voz de mando, con voz de arcángel, y con trompeta de Dios, descenderá del cielo; y los muertos en Cristo resucitarán primero. Luego nosotros los que vivamos, los que hayamos quedado, seremos arrebatados (1 Tesalonicenses 4:16-17).

¡Voz de mando! ¡Voz de arcángel! ¡Trompeta de Dios! La venida de Jesús ciertamente no será en secreto.

De hecho, Jesús específicamente nos advirtió a no creer a estas personas que reclaman que su regreso es un asunto privado, secreto, escondido.

> Así que si os dicen: Mirad, está en el desierto, no salgáis; o mirad, está en las habitaciones interiores, no lo creáis. Porque así como el relámpago sale del oriente y brilla hasta el occidente, así será también la venida del Hijo del Hombre (Mateo 24:26-27).

Si alguien intenta explicarle que Jesús ya ha venido, no le crea. Si intenta convencerle que Jesús vino en el año 1914, no le crea. Si intenta convencerle que Jesús secretamente raptará a los creyentes del mundo y el mundo no sabrá lo que pasó, no le crea. Cuando Jesús regrese, ningún reportero de la televisión tendrá que anunciar Su llegada. Cuando Jesús regrese, ningún profeta auto-designado tendrá que explicarlo a nadie. Será como el relámpago que sale del oriente y se muestra hasta el occidente. Todos verán por su propia cuenta. Todo el mundo lo sabrá.

¿Dos Segundas Venidas?

La teoría moderna del Rapto dice que Jesús regresará a la tierra dos veces más: una vez antes de los siete años de la Tribulación y otra vez después de los siete años de la Tribulación. Los futuristas a menudo llaman estos dos eventos futuros el Rapto y la Segunda Venida. Algunos lo explican cómo *dos fases* de la Segunda Venida de Jesús. Ninguno parece estar dispuesto a admitir abiertamente que realmente lo que cree el futurismo es en: una segunda venida y una tercera venida.

Varios argumentos se utilizan para sostener el concepto de dos venidas futuras. Por ejemplo, se dice que las dos venidas se requieren porque la Palabra dice que Jesús vendrá "por los santos" y también dice que vendrá "con los santos". Ellos dicen que "por los santos" se refiere a la próxima vez que Él venga para llevar a los cristianos al cielo. Ellos dicen que "con los santos" se refiere a siete años después cuando Él regrese con estos mismos santos.

A pesar de que ningún texto usa la expresión exacta "por los santos" con relación a la venida de Jesús, el concepto se enseña claramente en muchos textos. Todos los creyentes tienen la esperanza de que Jesús regresará para tomarnos a sí mismo (Juan 14:3).

Por otro lado, 1 Tesalonicenses 3:13 habla de "la venida de nuestro Señor Jesucristo *con* todos sus santos" (itálicas mías). Judas 14 también dice, "He aquí, vino el Señor *con* sus santas decenas de millares" (itálicas mías). El problema es entender qué quiere decir "con Sus santos". ¿Significa que Jesús primeramente vendrá a tomar a sus santos y luego los traerá otra vez con Él siete años después? ¿O hay otra explicación?

Con las almas de los santos muertos. Algunos creyentes encuentran en 1 Tesalonicenses 4:14 la explicación de la venida de Jesús con los santos. "Así también traerá Dios con Jesús a los que durmieron en él". Ellos creen que Jesús vendrá a la tierra trayendo con Él las almas de los santos muertos para unir estas almas con sus cuerpos en la resurrección.

Otros, sin embargo, objetan a esta interpretación de

"traer". El texto de Tesalonicenses no dice que "Jesús los traerá con Él a la tierra" sino que "traerá Dios con Jesús". "Traer" depende del punto de vista envuelto. Jesús, no el Padre, regresa a la tierra. El Padre en el cielo traerá a los santos resucitados con Jesús de la tierra al cielo. Esto es parecido a Juan 14:3: "si me voy y os preparo lugar, vendré otra vez, y os tomaré conmigo, para que donde yo estoy, vosotros también estéis". Los va a "tomar" para que estén donde Él ha estado —en el cielo. En los dos versículos, el punto de vista es el cielo.

"Con los santos ángeles". Esta puede ser una explicación mejor de Jesús venir con los santos. En 2 Tesalonicenses 1:7, Pablo habla de "cuando sea revelado el Señor Jesús desde el cielo con los ángeles de su poder". Marcos 8:38 dice, "cuando venga en la gloria de su Padre con los santos ángeles". Claramente Jesús vendrá con los ángeles y los ángeles son santos.

Para el beneficio del hombre común, raras veces apelo al idioma griego original. En este caso, sin embargo, es especialmente útil para los lectores de inglés. Un idioma como el español, no requiere explicaciones del idioma griego aquí, porque el español sigue de cerca al idioma griego. La palabra griega *jagios* siempre se traduce en español como *santo(s)*. Pero en inglés a veces se traduce "saint(s)" y a veces "holy". En otras palabras, las dos palabras en inglés, "saint" y "holy" vienen de la misma palabra griega.

Los ángeles son "santos". Por tanto, cuando la Escritura dice que Jesús vendrá con sus santos, Marcos 8:38 clarifica que a lo mejor esto hace referencia a Sus santos ángeles.

Es debatible si Jesús vendrá con las almas de los santos muertos. No es debatible si Jesús vendrá "con los santos ángeles". Independientemente de cuál punto de vista una persona prefiere, que Jesús viene "por" y "con" los santos en ninguna manera hace necesarias dos venidas. "Por" y "con" fácilmente armonizan con *una sola* futura venida de Cristo.

Ningún versículo de la Escritura dice que Jesús vendrá una tercera vez trayendo "con" Él a los santos humanos "por" los cuales Él vino unos siete años antes. En Hebreos 9:28 la Biblia claramente dice de Jesús: "aparecerá por segunda vez". Ningún versículo dice que Él aparecerá una tercera vez.

¿Dos Resurrecciones?

Según la teoría del Rapto, habrá varias resurrecciones de los cuerpos en el sepulcro. El futurismo reclama que 1 Tesalonicenses 4:16 enseña que los cristianos serán levantados mucho antes que los malos. Pablo de hecho escribió que "los muertos en Cristo resucitarán primero". Pero, ¿"primero" (antes) de qué?

Si yo le digo que "voy a la tienda primero", y no te doy otra información, no sabe adónde voy después. Pero si hay un contexto, como, "¿Va al correo?" "Sí, pero voy a la tienda primero". Ahora "primero" tiene significado.

Así es con el texto de Pablo. No intente adivinar qué viene segundo a menos que mire el contexto: "los muertos en Cristo resucitarán primero. Luego nosotros los que vivamos, los que hayamos quedado, seremos arrebatados juntamente con ellos en las nubes". Pablo no está hablando de los santos muertos y los pecadores muertos cuando escribe "... primero. Luego..." Él está hablando de los santos muertos y de los santos vivos. Él está diciendo que antes de que los santos vivos sean arrebatados en las nubes, los santos muertos primero serán resucitados. No se dice absolutamente nada de dos resurrecciones.

Jesús sí habló de dos futuras resurrecciones corporales — pero no con referencia al tiempo. El habló del destino de cada grupo: Algunos participan en "la resurrección de vida", mientras otros experimentan "la resurrección de condenación". Sin embargo, estas dos resurrecciones tomarán lugar al mismo tiempo:

> Va a llegar la *hora* en que *todos* los que están en los sepulcros oirán su voz; y los que hicieron lo bueno, saldrán a resurrección de vida; mas los que hicieron lo malo, a resurrección de condenación (Juan 5:28-29; itálicas mías).

Apocalipsis 20:5-6 es el único texto en la Escritura que dice, "la primera resurrección". Tenga en cuenta, también, que ni Apocalipsis 20 ni ningún otro texto de la Escritura habla de una "segunda resurrección"; por lo tanto, hay que tener mucho cuidado al determinar la identidad de la "primera". Apocalipsis es muy figurativo. ¿Quién toma literalmente el dragón, la llave, la cadena, o el sello? Así que es muy posible que la primera resurrección sea también figurativa o espiritual.

En el esquema de las cosas según los futuristas, la "primera resurrección" de Apocalipsis 20 en verdad *no* es su primera resurrección. Según la misma enseñanza del futurismo, la "primera resurrección" de Apocalipsis 20 llega a ser la tercera resurrección, que toma lugar siete años después de la primera resurrección. Obviamente, tienen que encontrar alguna manera para explicar tal contradicción. Tim LaHaye lo explica como tres fases de la primera resurrección:

> Es importante comprender que así como existen dos fases en la segunda venida de Cristo, (1) el rapto de la iglesia y (2) la gloriosa venida, así también existen tres fases en la resurrección de los creyentes: (1) la iglesia, (2) siete años más tarde los santos del Antiguo Testamento y al final (3) los santos de la tribulación...
>
> Los Santos de la Era de la Iglesia: Primera Fase: Los santos de la era de la iglesia resucitarán en la primera fase de la primera resurrección, como se delinea en 1 Tesalonicenses 4:13-18. Este pasaje describe el rapto...
>
> Los Santos del Antiguo Testamento: Segunda Fase... la resurrección de Israel después de la tribulación. En Daniel 12... Israel resucitará antes de la gloriosa venida...
>
> Los Santos de la Tribulación: Tercera Fase... al final del período de la tribulación, cuando Cristo venga en su gloria para establecer su reino del milenio, los santos de la tribulación resucitarán... Apocalipsis 20:4.[2]

He aquí un resumen de la explicación de Tim LaHaye de las dos fases de la segunda venida de Cristo relacionados con las tres fases de la primera resurrección:

1. La primera fase de la primera resurrección toma lugar en la primera fase de la segunda venida.
2. La segunda fase de la primera resurrección toma lugar entre la primera fase y la segunda fase de la segunda venida.
3. La tercera fase de la primera resurrección toma lugar en la segunda fase de la segunda venida.

¿Estás confundido? ¡Por supuesto! ¿Por qué no llamar la venida futura de Jesús "la segunda fase de su primera venida"?

¿Y qué de Cristóbal Colón? Vino al Nuevo Mundo en 1492, 1493, 1498, y 1502. Así la primera venida fue en 1492. La primera fase de su segunda venida fue en 1493. La segunda fase de su segunda venida fue en 1498. La tercera fase de su segunda venida fue en 1502. ¿Quién aceptaría un libro de historia con tales disparates distorsionados?

Hacer que "primero" signifique "segundo" o "tercero" sencillamente no es la clase de interpretación literal que el futurismo reclama como su fundamento. Puesto que el futurismo coloca la tercera-primera resurrección de Apocalipsis 20, siete años después de la primera-primera resurrección del Rapto, no puede quejarse que otros puntos de vista no interpreten el texto literalmente. El futurismo inventa tres fases de la primera resurrección, que no son mencionadas en ninguna parte de las Escrituras.

En vez de aceptar invenciones humanas, examinemos la explicación del Espíritu Santo de una resurrección que ciertamente es la primera resurrección en la vida de cada hijo de Dios:

> Sepultados con él en el bautismo, en el cual fuisteis también *resucitados* con él, mediante la fe en la fuerza activa de Dios... Si, pues, habéis *resucitado* con Cristo, buscad las cosas de arriba, donde está Cristo (Colosenses 2:12; 3:1; itálicas mías).

"Resucitado" —tiempo pasado. (Ver también Romanos 6.) Como la conversión es un nuevo nacimiento, también es una muerte, sepultura, y resurrección. Para los cristianos esta es la primera resurrección.

"El Día del Señor"

La teoría del Rapto mantiene que "el día del Señor" (o "el día de Cristo") no es ni la Segunda Venida ni la Tercera Venida. Más bien, según algunos maestros futuristas, es el tiempo entre la segunda y la tercera. Según otros, se extiende desde el Rapto hasta el final del Milenio. Como en muchos otros asuntos, el futurismo depende fuertemente en el uso del Antiguo Testamento para mantener su reclamo. En el Nuevo Testamento, sin embargo, ¿cómo utilizó el apóstol Pedro el término "el día del Señor"?

> Pero el día del Señor vendrá como un ladrón en la noche; en el cual los cielos desaparecerán con gran estruendo, y los elementos ardiendo serán deshechos, y la tierra y las obras que en ella hay serán quemadas (2 Pedro 3:10).

Claramente "el día del Señor" para Pedro es el fin del mundo. Siga el argumento de Pedro a través del capítulo 3. En los versículos 3 y 4, él advierte de "burladores" que se burlarán de la creencia en el regreso de Jesús diciendo: "¿Dónde está la promesa de su Venida?" Pedro responde argumentando que estos hombres "ignoran voluntariamente" todo acerca del diluvio [en los días de Noé] cuando el antiguo mundo pereció. Luego Pedro afirma que la tierra presente se reserva para fuego en "el día del juicio" (3:7). Pedro además dice, "El Señor no retarda su promesa" (3:9). ¿Cuál promesa? En el contexto (3:4), es "la promesa de su Venida".

Pedro continúa (3:10): "Pero el día del Señor vendrá como ladrón en la noche; en el cual los cielos desaparecerán con gran estruendo". Puesto que esto es así, debemos estar preparados para "la venida del día de Dios, en el cual los cielos, encendiéndose, serán deshechos, y los elementos, siendo quemados, se fundirán" (3:12). Usted puede ver que Pedro construye su argumento acerca de la "venida" del Señor hablando del "día de juicio", "día del Señor", y "el día de Dios", todos los cuales son términos que hacen referencia al fin del mundo. Pedro el apóstol no desconecta el día del Señor de la venida del Señor. Más bien, la forma en que utiliza los términos demuestra que "el día del Señor" es el día que juzgará y destruirá este mundo.

"El Último Día"

La expresión "el último día" aparece seis veces en las Escrituras, todas en el evangelio de Juan. Cuatro veces en el capítulo seis, Jesús dice de los creyentes, "yo le resucitaré en el último día" (Juan 6:40, 44, 54, y con poca variación en 6:39). En 11:24, Marta afirma su fe en esta verdad: "Ya sé que resucitará [Lázaro] en la resurrección, en el último día". La resurrección de los santos claramente tomará lugar en "el último día".

Según la doctrina moderna del Rapto la resurrección de los justos no toma lugar en el último día, sino 1,007 años *antes* del último día. Esto es porque el futurismo dice que después de la resurrección de los justos (el Rapto) vienen los siete años de Tribulación y el Milenio. Luego, después de estos 1,007 años, habrá una resurrección y juicio de los injustos.

Sin embargo, el otro versículo en Juan que habla del "último día" también niega este escenario. Otra vez Jesús está hablando —esta vez no de los justos sino de los malvados. Él dice, "El que me rechaza, y no recibe mis palabras, tiene quien le juzgue; la palabra que he hablado, ella le juzgará en el último día" (Juan 12:48). Así que, Jesús enseña que tanto la resurrección del justo como el juicio del malvado sucederán en "el último día". No cabe lugar para 1,007 años entre los dos eventos.

La parábola de la cizaña (Mateo 13:36-43) enseña la misma verdad. El versículo 38 explica "el campo es el mundo", no la iglesia. Esta parábola no es una contradicción de la enseñanza de Jesús acerca de la disciplina en la iglesia, sino que se trata de todo el mundo, de personas buenas y personas malas viviendo juntas hasta el fin: "Dejad crecer juntos las dos cosas hasta la siega... la siega es el fin del mundo" (13:30, 39). "Y al tiempo de la siega les diré a los segadores: Recoged primero la cizaña, y atadla en manojos para quemarla; pero el trigo recogedlo en mi granero" (13:30). Los santos y los pecadores están en este mundo hasta el fin. ¿Quién será llevado primero según esta parábola? La teoría popular del Rapto dice, "recoged primero el trigo". Sin embargo, Jesús dijo, "recoged primero la cizaña".

No es posible que entendamos todo antes de que suceda, ni tampoco podemos detallar antes del tiempo la secuencia exacta ni la medida de la duración de todos los eventos que tomarán lugar. Claramente, sin embargo, la parábola de la cizaña enseña que los justos y los malvados vivirán juntos hasta el fin del mundo:

> Y los siervos le dijeron: ¿Quieres, pues, que vayamos y la arranquemos? Él les dijo: No, no sea que al arrancar la cizaña, arranquéis también con ella el trigo. Dejad crecer juntas las dos cosas hasta la siega" (Mateo 13:28-30).

El escenario de aviones estrellándose, operaciones quirúrgicas paradas a la mitad, y sistemas de comunicación en caos es exactamente el escenario que Jesús quería evitar. Los futuristas modernos quieren arrancar el trigo del mundo; los siervos en la parábola querían arrancar la cizaña del mundo. El mismo principio aplica en ambos casos. El maestro dijo, "No", porque cuando arranca uno, el otro también es arrancado. *¡"Dejad crecer juntas las dos cosas hasta la siega"!* Sólo entonces serán separadas. En la parábola de la cizaña, Jesús enseñó que ni los justos ni los malos serán raptados del mundo antes de que Dios esté listo para acabarlo todo. Ambos crecerán juntos hasta la siega. Ese será el fin. Ese será el último día.

¿El Principio o el Fin?

Según la teoría moderna del Rapto la próxima venida de Jesús será solamente el comienzo. Según la teoría, la gran parte del libro de Apocalipsis y grandes partes de las profecías tanto del Antiguo como del Nuevo Testamento no se pueden cumplir hasta después del Rapto. El futurismo dice que el Rapto es solamente el comienzo de por lo menos 1,007 años de historia para el mundo.

Una contemplación cuidadosa de la Escritura, sin embargo, presenta un cuadro completamente distinto. La próxima venida de Jesús (hay solamente una venida más) será el fin del mundo, el fin de la historia, el fin del tiempo, el fin de la vida como la conocemos, el fin de los malvados viviendo sin castigo, el fin de las lágrimas para los santos de Dios, el fin de la batalla entre Dios y Satanás, el fin del Anticristo, el fin de las oportunidades de reconciliarse con Dios.

Por otro lado, su venida será el comienzo —el comienzo de la eternidad. ¡"Prepárate para venir al encuentro con tu Dios"! ¡"Velad y orad"!

Capítulo 16

Lo que el Milenio No *Es*

El pensamiento mismo de un reinado de Cristo por mil años excita la imaginación. El término, el Milenio, usualmente se le da a este período del tiempo, cuyo significado proviene del idioma latín, y significa mil años. Este período de mil años, que tanto se habla, se menciona solamente seis veces en las Escrituras. Además, todas las seis veces están en el mismo texto: Apocalipsis 20:1-7. Con tan escasa mención en la Biblia, los estudiantes deben tener mucho cuidado al tratar de llegar a una conclusión con relación al significado de este período de tiempo.

Lo que Apocalipsis 20:1-7 *No* Dice

Antes de examinar lo que Apocalipsis 20 *sí* dice, es muy iluminador notar lo que *no* dice:

1. *No* dice dónde está Cristo durante este período, si está en el cielo o si está en la tierra.
2. *No* dice dónde están los mártires durante este período.
3. Si bien menciona "la primera resurrección" y "la segunda muerte", *no* menciona "la segunda resurrección".
4. *No* dice que Satanás queda sin poder durante los mil años.

5. *No* dice que los mil años son un período de gran paz sin persecución.

6. *No* menciona a los judíos, ni a Jerusalén, ni a ningún templo.

7. *No* dice que todas las personas en la tierra se someten a Cristo durante mil años.

8. *No* ofrece ninguna "segunda oportunidad" para salvación.

9. *No* dice que el reinado es uno físico o terrenal como el de David.

Hay tanto que Apocalipsis 20 no dice, que hace a uno pensar de dónde vienen todas las ideas que se enseñan con relación al milenio. Mientras que algunas de las ideas vienen de presumir un cumplimiento literal de porciones seleccionadas de esta profecía, una gran parte de las ideas vienen del Antiguo Testamento. Sin lugar a duda, tenemos que estudiar el resto de las Escrituras para entender Apocalipsis 20. Tenemos que profundizar tanto en el Antiguo como en el Nuevo Testamento. En tal estudio, tenemos que recordar que el Nuevo Testamento tiene precedencia sobre el Antiguo. También, tenemos que permitir que los textos claros y fáciles nos ayuden a entender los más difíciles.

Nadie Lo Interpreta Todo Literalmente

El reclamo se hace que hay que entender literalmente los mil años de Apocalipsis 20, junto con varios otros elementos de los versículos 1 al 7. Sin embargo, al examinarlos, encontramos que estos versículos definitivamente contienen varios símbolos. Puesto que hay muchos símbolos en el pasaje, tenemos que dar seria consideración a la posibilidad de que los mismos mil años en sí deberían entenderse simbólica o espiritualmente.

Nadie cree que el dragón/serpiente sea literal. De hecho, el mismo libro muy clara y específicamente dice lo contrario. Tanto en Apocalipsis 20:2 como en 12:9, el escritor inspirado dice que el dragón, "la serpiente antigua", es Satanás, el diablo.

Nadie cree que la bestia mencionada en Apocalipsis 20:4 sea literalmente un animal de cuatro patas. La referencia, por supuesto, es al capítulo 13, la cual en sí se basa en Daniel 7. En Daniel 7:23 dice que la cuarta bestia será "un cuarto reino en la tierra". La mayoría de los intérpretes reconocen que la bestia representa a Roma, aunque no estén de acuerdo en los detalles. Aun los que no lo aplican a Roma entienden que la bestia es un símbolo de algún poder anti-cristiano.

Luego, están: la cadena, la llave y el sello. ¿Habrá alguien que los considere literales? ¿No es Satanás un ser espiritual, aunque sea un espíritu malo? ¿Acaso puede una cadena física atar a un espíritu malo? ¿Sería un impedimento para él un sello físico literal?

El libro completo de Apocalipsis es un libro muy simbólico. Jesús mismo explica que los siete candeleros son siete iglesias y las siete estrellas son los ángeles de las siete iglesias (1:20). Sea que uno entienda que los "ángeles" aquí son seres celestiales o "mensajeros" terrenales, Jesús confirma lo que se ve en otras profecías bíblicas —es decir, que las estrellas en la profecía a menudo representan individuos sobresalientes. No hay nada raro en esto; en el español cotidiano, por ejemplo, hablamos de "estrellas de cine" y "estrellas del deporte".

Los símbolos continúan a través del libro de Apocalipsis hasta el último capítulo, donde Jesús se llama a sí mismo "la estrella resplandeciente de la mañana" (22:16). Luego el versículo 17 habla de "la Esposa", una referencia a la iglesia de Cristo. Con todo este lenguaje figurativo a través del libro, y específicamente en el capítulo 20, no hay ninguna necesidad inherente de que los otros elementos del capítulo sean interpretados literalmente.

"Mil" en la Biblia

Los diccionarios en español dan estas definiciones para "mil": "Gran número",[1] y "número o cantidad indefinidamente grande".[2] Este uso es muy común en nuestro diario hablar. La mamá dice, "Te dije mil veces que limpiaras tu cuarto". O considera "las Mil Islas" del Río San Lorenzo que incluyen a más de 1,500 islas. Todos usamos "mil" para expresar sencillamente una cantidad grande, ya sea conocida o no conocida; ya sea cerca al número mil o lejos de él.

Hay varias profecías en Daniel y Apocalipsis con valores numéricos: 3½, 42, 62, 69, 1,260, 1,290, y 1,335. Tales números son muy definidos y específicos. El número "1,000", por otro lado, es un "número redondo" que se usa frecuentemente para expresar una cantidad indefinidamente grande, ya sea en inglés, español, o ruso —o en la Biblia.

En Deuteronomio 1:11 Moisés expresa a Israel: "¡Jehová Dios de vuestros padres os haga mil veces más de lo que ahora sois, y os bendiga, como os ha prometido!" Israel en ese tiempo consistía de 600,000 hombres de guerra, sin contar las mujeres y los niños. Un estimado moderado daría un total de dos millones con mujeres y niños. ¡Mil veces dos millones son dos mil millones! ¿Quería Moisés en verdad que su número fuera exactamente dos mil millones? ¿O simplemente usaba "mil" como nosotros hacemos muchas veces?

Considere también el Salmo 90:4:

> Porque mil años delante de tus ojos
> Son como el día de ayer, que pasó,
> Y como una de las vigilias de la noche.

Si tomamos este versículo literalmente, se contradice a sí mismo. "Ayer" es un período de veinticuatro horas. Puesto que los israelitas de la antigüedad dividían la noche en tres vigilias, "una de las vigilias de la noche" sería aproximadamente cuatro horas. Si veinticuatro horas es igual a mil años, entonces una vigilia de cuatro horas sería igual a aproximadamente 167 años, pero el versículo dice que la vigilia es igual a mil años. ¿Quién aceptaría un intento de hacer un cálculo literal de este versículo? Tal cálculo se contradice a sí mismo y pierde el punto principal. Es igual a la auto-contradicción envuelta cuando la gente sugiere cálculos basados en 2 Pedro 3:8: "para con el Señor un día es como mil años, y mil años como un día". En este caso, las referencias de tiempo se expresan en direcciones opuestas —un día es mil años, y mil años es un día. Cada cálculo literal invalida el otro. Por tanto, ningún cálculo se puede hacer basado en este versículo. Este versículo no tiene ningún significado hablando matemáticamente. En ambas citas, Salmo 90 y 2 Pedro 3, "mil" es obviamente nada más que una gran cantidad no especificada e indefinida. El significado en ambos versículos es sencillamente que Dios no está limitado por el tiempo como los seres humanos estamos.

En resumen, la Biblia a menudo utiliza "mil" como un gran número indefinido, como hacemos en el español cotidiano. No hay razón para decir que lo mismo no sea cierto en Apocalipsis 20.

Hay que Estudiar Otras Escrituras

De todo lo dicho arriba, es muy claro que no se puede entender Apocalipsis 20:1-7 aislado de otras escrituras. Surgen demasiadas preguntas. Todo el mundo basa su explicación más en otras escrituras que en el mismo texto de Apocalipsis 20.

Hay por lo menos dos puntos de vista principales en este asunto. Ambos conectan el Milenio a todas las profecías del reino en el Antiguo Testamento. El punto de vista más popular en las iglesias evangélicas hoy día es la interpretación dispensacionalista futurista, la cual dice que Jesús no cumplió estas profecías en Su primera venida. Dice que, por el rechazo de los judíos, Jesús no pudo establecer el reino y tuvo que posponer Su llegada. Este punto de vista proclama un reinado literal futuro de mil años, en el cual todas las profecías del Antiguo Testamento serán cumplidas literalmente mediante un reino terrenal centralizado en Israel, Jerusalén, y un templo reconstruido.

Hay otro punto de vista que ha sido sostenido por muchos creyentes a través de los siglos. Este punto de vista está de acuerdo que los mil años es el cumplimiento de las profecías del reino en el Antiguo Testamento. Sin embargo, este punto de vista dice que estas profecías no son algo para cumplirse en el futuro. Dice que Jesús no fue un fracaso —Él logró cumplir la obra que vino a hacer en la tierra. Dice que Dios estableció Su reino a tiempo en el primer siglo. Dice que el reino de Dios no es un reino físico ni un reino judío. Dice que el reino es espiritual; es tanto para judíos como para gentiles, y está aquí ahora. Dice que la expresión "mil años" es un término genérico expresando un tiempo largo e indefinido. Este punto de vista a veces se llama amilenarismo, un término que sencillamente expresa un rechazo de la idea de un reino futuro literal de mil años.

Es claro que el entendimiento de las personas con relación al "milenio" en Apocalipsis 20 es muy influenciado por su entendimiento de otras profecías acerca del reino y su cumplimiento. Demasiadas veces estudiantes limitan su concepto del reino a la información que se encuentra en el Antiguo Testamento. Sin embargo, un conocimiento de la enseñanza del Nuevo Testamento sobre el reino es vital antes de profundizarse en algo tan difícil como Apocalipsis 20. Entre otras cosas, es esencial examinar lo que Jesús dijo acerca del reino. Este es el tema del Capítulo 17, "Jesús Reveló la Naturaleza del Reino". En adición a un estudio del reino mismo, hay que tomar en consideración las otras enseñanzas de Jesús. Un tema importante es lo que Él enseñó acerca de la resurrección.

¿Dos Resurrecciones Futuras? ¿Qué Dijo Jesús?

Una mirada superficial a Apocalipsis 20 aparenta sostener la idea de que habrá dos resurrecciones futuras, separadas por un período de mil años. Aparenta decir que habrá una resurrección de los justos antes de los mil años, seguido por una resurrección de los malos después de los mil años.

Sin embargo, como ya se ha visto en el Capítulo 15, "El Rapto", tal concepto no armoniza con la enseñanza de Jesús sobre el tema. En la parábola de la cizaña (Mateo 13), Jesús claramente enseñó que los santos y los pecadores tienen que vivir juntos en este mundo hasta el fin: "Dejad crecer juntas las dos cosas hasta la siega". Además, clarificó, "Recoged primero la cizaña". No hay manera de armonizar esta parábola con el concepto de sacar el trigo primero y permitir que la cizaña continúe en el mundo por años. Asimismo, Jesús enseñó que, en el día postrero, los justos resucitarán de entre los muertos y los malvados serán juzgados. Será el fin. No cabe lugar en la enseñanza de Jesús acerca del último día para mil años después de la resurrección de los justos.

Reconocimiento de lo que Jesús Enseñó

En una revista de profecía ampliamente distribuida y traducida, conocida como *Midnight Call* (*Llamada de Medianoche*), Norbert Lieth hace algunas declaraciones sorprendentes acerca de la enseñanza sobre la resurrección. En un artículo acerca del Rapto basado en 1 Tesalonicenses 4:13-18, el Sr. Lieth habla de las circunstancias que rodeaban el origen de la primera epístola de Pablo a los Tesalonicenses:

> Hasta entonces, la doctrina de la primera resurrección había sido un misterio. No se enseñó en El Antiguo Testamento, ni en los Evangelios.
>
> La primera carta a los Tesalonicenses fue escrita cerca del año 50 d.C., y la primera carta a los Corintios cerca de 6 años más tarde. Sólo a ellos fue revelado el misterio del Rapto (1 Corintios 15:51-53).
>
> Hasta entonces, se creía que la resurrección de todos los muertos tomaría lugar en el postrer día (Daniel 12:2 y 13, Juan 5:25-29 y 11:24).[3]

No sé todo lo que el Sr. Lieth tuvo en mente cuando escribió esto. Sin embargo, tomándolo al pie de la letra, se puede ver lo siguiente: Al comparar los primeros dos párrafos, es claro de que cuando el Sr. Lieth dice "la primera resurrección" él habla del Rapto. Esto, por supuesto es una de las enseñanzas básicas del futurismo. Por tanto, en el primer párrafo citado, el Sr. Lieth está diciendo que el Rapto "No se enseñó en El Antiguo Testamento, *ni en los Evangelios*" (Itálicas mías). Esto significa que Jesús no enseñó el Rapto.

Según la *Llamada de Medianoche*, el Rapto fue una nueva doctrina revelada aproximadamente veinte años después de la ascensión de Jesús. No hay ningún problema inherente con eso —el Espíritu guiaba a los apóstoles a toda la verdad (Juan 16:12-13). El problema es que esta supuesta nueva revelación *contradice* las claras enseñanzas de Jesús. El Sr. Lieth apoya su afirmación que "se creía..." haciendo referencia al libro de Daniel y a declaraciones de Jesús y Marta registrados en el Evangelio según Juan. Quizás el Sr. Lieth quería implicar que

Jesús conocía el misterio del Rapto, pero no lo reveló mientras estaba en la tierra. Sin embargo, el Sr. Lieth comoquiera está diciendo que Jesús no enseñó el Rapto. Cuando se examinan los tres párrafos juntos, se puede ver que el Sr. Lieth está diciendo que la doctrina del Rapto es substancialmente diferente a la enseñanza de Jesús acerca del hecho de que *todos los muertos* resucitan en el día postrero.

El Sr. Lieth entiende lo que Jesús enseñó: La resurrección de todos los muertos tomará lugar al mismo tiempo. Lo que él y muchos otros no ven es que la doctrina de dos futuras resurrecciones, separadas por el Milenio, no solamente es diferente de lo que Jesús enseñó —se opone y contradice la clara enseñanza de nuestro Señor, el mismo que está a cargo de la resurrección de todos los muertos. Si el Rapto es cierto, entonces las palabras de Jesús en Juan 6:40 se contradicen: Él dijo, "todo aquél que ve al Hijo, y cree en él, tenga vida eterna; y yo le resucitaré en el último día". Si los creyentes se resucitan en el Rapto, ¿cómo puede Jesús resucitarlos otra vez en el último día? La enseñanza de Jesús sencillamente no deja lugar para un reinado futuro, literal, de mil años después de la resurrección.

Tampoco se ofrece en 1 Tesalonicenses 4:13-18 ninguna revelación nueva con relación a dos resurrecciones diferentes. Este texto sólo habla de una resurrección. Este texto no dice que el mundo continúa después de la resurrección; tampoco menciona un reinado de mil años. Este texto menciona solamente una resurrección y concuerda perfectamente con lo que Jesús enseñó cuando estaba aquí en la tierra. Para estudiar más con relación a la resurrección como se enseña en 1 Tesalonicenses 4, lea de nuevo el Capítulo 15, "El Rapto", especialmente la sección con el título "¿Dos Resurrecciones?"

El Reino en Apocalipsis

Como se indicó previamente, cualquier interpretación de Apocalipsis 20 es influenciada fuertemente por el entendimiento que uno tiene de la naturaleza y del tiempo del reino de Dios como se enseña en el resto de las Escrituras.

Ciertamente, un libro que hay que estudiar es el mismo Apocalipsis, puesto que es el único libro en toda la Biblia que menciona un reinado de mil años. ¿Qué nos enseñan otras porciones de Apocalipsis acerca de la naturaleza y del tiempo del reino de Dios?

En los primeros versículos del libro de Apocalipsis Juan dice: "Yo Juan, vuestro hermano, y *copartícipe vuestro en la tribulación, en el reino* y en la paciencia de Jesucristo" (1:9, itálicas mías). ¡Juan ya estaba en la tribulación! ¡Juan ya estaba en el reino! Esta clara declaración en el mismo principio del libro, antes de que Juan recibiera ninguna visión profética, tiene que tener una influencia fuerte sobre la manera que interpretemos cualquier profecía relacionada con la tribulación o el reino. Juan declara que él y sus hermanos ya estaban "en la tribulación, y en el reino y en la paciencia de Jesucristo".

En 1:5-6 Juan también habla de "Jesucristo... que nos amó, y nos liberó de nuestros pecados con su sangre, e hizo de nosotros un reino, y sacerdotes para su Dios y Padre". Algunos manuscritos en el idioma griego leen "reyes" y otros leen "reino". Hay poca diferencia en el significado final. Apocalipsis 20 declara: "serán sacerdotes de Dios y de Cristo, y reinarán con él mil años" (20:6). "Sacerdotes" y "reinarán" en el capítulo 20 es prácticamente una repetición "reino y sacerdotes" o "reyes y sacerdotes" en el capítulo 1. Además 1:6 lee, "hizo de nosotros". Eso es tiempo pasado. Expresa un hecho cumplido, una realidad presente. ¡Estamos reinando ahora! ¡Los "mil años" están aquí ahora!

En Apocalipsis 2:11 Jesús promete, "El que venza, no sufrirá ningún daño por parte de la muerte segunda". Evitar la segunda muerte es así una bendición para todos los cristianos fieles. Por lo tanto, Apocalipsis 20 no está declarando una nueva verdad, ni una verdad reservada para un grupo especial de cristianos cuando dice, "Bienaventurado y santo el que tiene parte en la primera resurrección; la segunda muerte no tiene potestad sobre éstos" (20:6). Esto es verdad para todos los cristianos.

Apocalipsis 1:5 también dice: "Jesucristo... el soberano de

los reyes de la tierra". ¡Jesús es soberano ahora! Todos sabemos qué clase de soberano es Él: un Rey. ¡Jesús es rey ahora! En Apocalipsis 3:21 Jesús dice de Él mismo, "he vencido, y me he sentado con mi Padre en su trono". ¡Jesús está en Su trono ahora! Bajo la séptima trompeta (11:15), hay "grandes voces en el cielo, que decían: Los reinos del mundo han venido a ser de nuestro Señor y de su Cristo; y él reinará por los siglos de los siglos". Cualquiera que sea la fecha histórica que uno ponga sobre el cumplimiento de la séptima trompeta, hay que notar que el reinado de Jesús es "por los siglos de los siglos". Es eterno, como Daniel 2:44 profetizó.

La Relación Entre los Capítulos 12 y 20

Entre los textos en Apocalipsis que hablan del reino, el capítulo 12 es uno de los más importantes. La interpretación de la mujer, el dragón, el hijo varón, y la guerra en el cielo no es fácil. Sin embargo, considere las verdades expresadas en los versículos 10 y 11:

> Y oí una gran voz en el cielo, que decía: Ahora ha venido la salvación, el poder, y el reino de nuestro Dios, y la autoridad de su Cristo; porque ha sido lanzado fuera el acusador de nuestros hermanos, el que los acusaba delante de nuestro Dios día y noche. Y ellos le han vencido por medio de la sangre del Cordero y de la palabra del testimonio de ellos, y menospreciaron sus vidas hasta la muerte.

Primero note que la salvación y el reino llegan al mismo tiempo —cuando Satanás es lanzado fuera del cielo. ¿Cuál es el punto en la historia *más temprano* posible para la llegada de la salvación y el reino de Dios? El versículo 11 dice que ganaron la batalla "por medio de la sangre del Cordero". Así, todo esto necesariamente tiene que haber tomado lugar después del Calvario.

Una pregunta más difícil surge: ¿Cuál es el punto en la historia *más tarde* para la llegada de la salvación, el reino y el lanzamiento fuera de Satanás? Los versículos 13 y 14 dicen que después de que Satanás fue lanzado a la tierra, persiguió a la mujer y ella huyó al desierto por "un tiempo, y tiempos, y

La Llegada del Reino como se ve en Apocalipsis 12

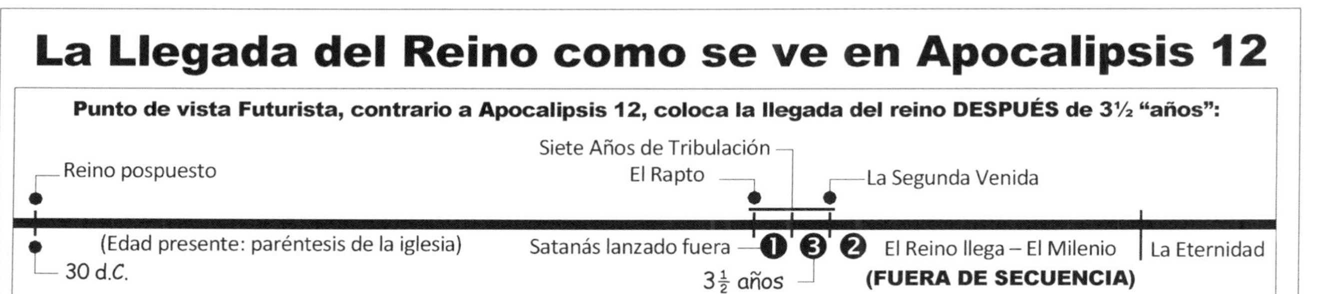

Apocalipsis 12:9-14 revela la siguiente secuencia:

❶ Satanás es lanzado del cielo por la sangre de Jesús.
❷ Es el mismo tiempo que llega la salvación y el reino.
❸ Luego, la mujer perseguida huye al desierto por 3½ años.

Punto de vista futurista e historicista concuerdan:

1260 días = "tiempo, tiempos y mitad de un tiempo" = 3½ años
1 día = 1 año para profecía de 70 semanas utilizando Ezequiel 4:6

PERO

Sólo el punto de vista historicista aplica esta clave a los 3½ años

Punto de vista Historicista, de acuerdo con Apocalipsis 12, coloca la llegada del reino ANTES de los "3½ años":

❶ Satanás lanzado fuera
❷ Salvación y el Reino llegan
❸ 3½ años = 1260 días/años proféticos
La Segunda Venida
Mujer e hijos perseguidos por Satanás
La Eternidad
Presente edad de la Iglesia – el Reino – el Milenio
30 d.C.

El reino llegó con la salvación en el año 30 d.C.

la mitad de un tiempo". Por tanto, el lanzamiento de Satanás, y la llegada de la salvación y el reino tienen que haber tomado lugar *antes* de la persecución de la mujer por "un tiempo, y tiempos, y la mitad de un tiempo".

Es fácil estar de acuerdo con la mayoría de los estudiantes de Apocalipsis, independientemente de sus puntos de vista en otras cosas que "un tiempo, y tiempos, y la mitad de un tiempo" en 12:14 es equivalente a los 1,260 días en 12:6. El cálculo se hace sencillamente así: si "tiempo" equivale a un año, y "tiempos" a dos años, entonces "un tiempo y tiempos y la mitad de un tiempo" equivale a 3½ años, que también serían 42 meses (ver Apocalipsis 11:2-3). Si redondeamos todos los meses a 30 días, 42 meses son exactamente 1,260 días. La mayoría de los creyentes que han considerado el asunto concluyen que las tres expresiones hacen referencia al mismo período de tiempo. Lo que no queda tan claro es si estas expresiones hacen referencia a 1,260 días literales (3½ años), o si se debe dar una interpretación figurativa de día-por-año que daría un resultado de 1,260 años. De todos modos, la persecución de la mujer toma lugar después del lanzamiento de Satanás, la llegada de la salvación y la llegada del reino: "Y cuando vio el dragón que había sido arrojado a la tierra, persiguió a la mujer" (12:13).

La interpretación predominante entre los futuristas es que los 3½ años proféticos hacen referencia a la segunda mitad de la Tribulación futura de siete años que es seguida por la llegada del reino en el Milenio de Apocalipsis 20. Sin embargo, tal interpretación no está de acuerdo con toda la información en Apocalipsis 12. En Apocalipsis 12:9-10 dice que en el momento en que Satanás es lanzado del cielo una gran voz en el cielo, declara: "Ahora ha venido la salvación... y el reino de nuestro Dios". La persecución de la mujer por 3½ años viene después de que Satanás es lanzado fuera, y *después* de la llegada del reino. El futurismo enseña que los 3½ años toman lugar *antes* de la llegada del reino milenario, pero Apocalipsis 12 coloca los 3½ años de perseguir a la mujer *después* de la llegada del reino de Dios.

El capítulo 12 señala a dos eventos que son simultáneos con el lanzamiento de Satanás: la llegada de la salvación y la llegada del reino. "Ahora ha venido la salvación... y el reino de nuestro Dios". Si el reino no ha llegado todavía, tampoco ha llegado la salvación. Sin embargo, ¡la salvación está aquí! Hacia el final de su vida, Pablo declaró (en tiempo pasado), "que a los gentiles ha sido enviada esta salvación de Dios" (Hechos 28:28). Esa salvación, por supuesto es por medio del evangelio: "Porque no me avergüenzo del evangelio, porque es poder de Dios para salvación a todo aquel que cree" (Romanos 1:16). Según Apocalipsis 12, puesto que la salvación está aquí ahora, el reino está aquí ahora. Los dos llegaron juntos.

La idea de que el reino ya está aquí está de acuerdo exactamente con lo que Juan afirmó al principio del libro: "Yo Juan, vuestro hermano, y copartícipe vuestro en la tribulación, en el reino" (Apocalipsis 1:9). Juan, en el año 95 o 96 d.C., declaró que ya estaba en el reino. Apocalipsis 12 declara que el reino de Dios llegó al mismo tiempo que la salvación llegó. Apocalipsis 20, por lo tanto, no puede estar prediciendo un reinado de mil años literales que todavía queda en el futuro. Apocalipsis 20 tiene que ser interpretado en armonía con el resto del libro de Apocalipsis, y también el resto del Nuevo Testamento.

Lo que el Milenio *No* Es

La mayoría de las creencias que cualquier persona tiene del Milenio no se basan en Apocalipsis 20, que es el único texto que menciona específicamente un período de mil años. Las creencias acerca del "milenio" se derivan de otras fuentes.

Basado en otras Escrituras, se ha demostrado que:

1. Los mil años *no* es una futura llegada del reino de Jesús en la cual Él cumplirá lo que falló en cumplir en Su primera venida.

2. Los mil años *no* es un período de tiempo entre la resurrección corporal de los justos y la resurrección corporal de los malos.

3. Los mil años *no* es algún tiempo en el futuro cuando Jesús por primera vez se sentará en Su trono y reinará como Rey.

4. Los mil años *no* es un período de tiempo que llegará dos mil años después de que la salvación llegó al mundo.

¿Qué es El Milenio?

¿Qué entonces son los "mil años" de Apocalipsis 20? Sí, este reinado de mil años hace referencia al reino de Cristo. Sí, hace referencia al reino de Dios como fue predicho en Daniel 2. La verdad que se pierde muchas veces, es que el reino fue establecido cuando el cuarto imperio, Roma, estaba en poder según el tiempo predicho por Daniel. Desde el primer siglo, el reino de Dios en la tierra ha sido una realidad tal como Juan declaró al principio de Apocalipsis: "Yo Juan, vuestro hermano, y copartícipe vuestro en la tribulación, en el reino" (1:9). Juan y sus hermanos ya estaban en el reino de Dios.

Con estas verdades en mente, muchos cristianos interpretan los "mil años" como un término simbólico que hace referencia a la edad completa del evangelio o sea la edad de la iglesia. En la Biblia, al igual que el español moderno, mil, muchas veces significa un gran número. El reino ya ha existido por casi dos mil años, que en verdad es un gran número de años. Así se entiende que los mil años se extienden desde la primera venida de Cristo hasta Su Segunda Venida. Las interpretaciones más plausibles son las que están de acuerdo con la sana doctrina de las Escrituras; ellos ven que el Milenio toma lugar durante la edad presente del evangelio-iglesia. Proclaman a Jesús como Rey ahora y enseñan que el reino de Dios está aquí ahora.

¿Qué clase de reino vino Jesús a establecer en la tierra? El Capítulo 17, "Jesús Reveló la Naturaleza del Reino", ofrece considerable esclarecimiento en esta pregunta importante. Apocalipsis 20:4 dice, "volvieron a la vida y reinaron con Cristo mil años". Los mil años tienen que ver con el reinado de Cristo; tienen que ver con el reino de Cristo. Por tanto, todo lo que podamos aprender acerca de la naturaleza del reino de Jesús nos ayudará a entender de qué se tratan los mil años. Vamos a escuchar al Rey para ver lo que Él dijo acerca del reino.

Capítulo 17

Jesús Reveló la Naturaleza del Reino

Los judíos del tiempo de Jesús creyeron que sus profetas habían predicho un reino que sería físico y nacionalista. No les podemos culpar. Muchas profecías en la superficie aparentan predecir días gloriosos para la nación física de Israel. Aun los apóstoles de Jesús vieron el reino en esa luz.

No es sorprendente que los doce apóstoles no entendieran la verdadera naturaleza del reino predicho. ¡Ni siquiera entendían que Jesús tenía que morir en la cruz para quitar el pecado del mundo! ¿Qué puede ser más básico para el evangelio que eso? Sin embargo, no lo captaron. Sus profetas ciertamente predijeron el sufrimiento de Jesús por el pecado. En adición, Jesús claramente se lo dijo antes de tiempo. No obstante, comoquiera no lo captaron. Cuando Jesús murió, los discípulos no alabaron a Dios por el gran sacrificio del Cordero de Dios. De ninguna manera. Pensaban que se había acabado todo. No es de maravillarse entonces, que no tenían idea de la verdadera naturaleza del reino de Dios.

Un cristiano verdadero necesita aceptar la interpretación de Dios para Sus profecías. "Ninguna profecía de la Escritura procede de interpretación privada" (2 Pedro 1:20). Por tanto, tenemos que estudiar los Evangelios. Tenemos que escuchar al Rey Jesús. Tenemos que interpretar las profecías del reino en el Antiguo Testamento a la luz de las revelaciones en el Nuevo Testamento.

El Sermón del Reino

Sí, normalmente lo llamamos "el Sermón del Monte". No obstante, el lugar del sermón no importa. El contenido es lo importante.

Este sermón sobresaliente comienza con las famosas bienaventuranzas. ¿Y qué son? Son bendiciones relacionadas con el reino. El sermón abre con estas palabras: "Bienaventurados los pobres en el espíritu", Jesús dijo, "porque de ellos es el reino de los cielos" (Mateo 5:3). Los que son humildes, los que reconocen su pobreza espiritual —el reino pertenece a ellos.

Al concluir las bienaventuranzas, se concentran en el tema de la persecución. "Bienaventurados los que padecen persecución por causa de la justicia", dijo el Maestro, "porque de ellos es el reino de los cielos" (5:10). Esta no es una bendición sobre los que matan a los enemigos de Dios; es una bendición sobre los que son perseguidos. La persecución implica sufrimiento sin represalias. El reino de los cielos es para los que defienden la justicia cueste lo que cueste —los que están dispuestos a sufrir por lo que creen.

El reino de los cielos requiere santidad de vida. "Si vuestra justicia no supera a la de los escribas y fariseos, de ningún modo entraréis en el reino de los cielos" (5:20). Los escribas y los fariseos eran los líderes religiosos de los judíos. Según la declaración de Jesús, estos líderes judíos no estarían en el reino de los cielos. Esto significa que el reino no se basa en la nacionalidad, ni meramente en la religión. El reino es solamente para los que son verdaderamente justos ante los ojos de Dios.

Otra vez, en 6:33, Jesús enseñó que la piedad está relacionada con el reino. "Mas buscad primeramente el reino de Dios y su justicia". En el contexto hay un contraste entre lo material y lo espiritual. Jesús ordenó a Sus seguidores a hacer que la justicia fuera su primera prioridad, antes que la comida y la ropa. Sí, Dios promete encargarse de lo material, pero esto es bajo la condición de que ponemos lo espiritual primero. El reino de Dios trata con asuntos espirituales.

La entrada al reino de los cielos depende de la relación que uno tiene con Jesús. "No todo el que me dice: Señor, Señor, entrará en el reino de los cielos, sino el que hace la voluntad de mi Padre que está en los cielos" (7:21). Este versículo se cita a menudo para señalar que meramente invocar el nombre de Jesús no es suficiente para entrar al reino; también, hay que ser obediente. Cierto. No obstante, la expresión, "No todo el que me dice: Señor, Señor", contiene la inferencia fundamental de que una persona ciertamente tiene que reconocer que Jesús es Señor (Rey) para entrar en el reino. Este reconocimiento no es el requisito completo, pero es un requisito. Como Jesús aclaró en otro lugar: "nadie viene al Padre, sino por medio de mí" (Juan 14:6). Ni los judíos ni los gentiles pueden entrar al reino aparte de hacer a Jesús Señor de su vida.

Este sermón es un mensaje espiritual acerca de un reino espiritual. No contiene nada de una naturaleza política, nada de una naturaleza nacionalista, nada de un reino terrenal como el de David.

"El Reino de los Cielos es Semejante a..."

Para ayudar a Sus discípulos a entender mejor la naturaleza verdadera del reino de Dios, Jesús contó muchas parábolas. Mateo 13 registra siete de ellas: el sembrador, la cizaña, el grano de mostaza, la levadura, el tesoro escondido, la perla de gran precio y la red. Todas, menos la primera, comienzan con las palabras: "el reino de los cielos es semejante a..." Ni podemos decir que la primera sea en verdad diferente, porque la explicación de ella que da Jesús comienza así: "Cuando alguno oye el mensaje del reino" (13:19). Cuando los discípulos preguntaron por qué hablaba en parábolas, Jesús contestó, "porque a vosotros os ha sido dado conocer los misterios del reino de los cielos" ((13:11).

No había misterios relacionados con el reino de David. Sin embargo, el reino de Jesús tiene misterios, precisamente porque no es un reino temporal, nacionalista. Estos misterios tienen que ver con la naturaleza espiritual del reino. Dicen como el reino se engrandece al sembrar la Palabra de Dios en el corazón de la gente. Los corazones son "capturados", no los cuerpos. Algunos aceptarán el mensaje del reino mientras otros lo rechazarán. Algunos aceptarán al principio, y después rechazarán la Palabra de Dios por la persecución, y "el afán de este siglo" ((13:22). Las parábolas advierten que el diablo también siembra semilla y que Sus seguidores vivirán en medio de "los hijos del reino" hasta "el fin del mundo" (13:38-39). Luego, los ángeles "separarán a los malos de entre los justos" (13:49).

Correctamente conectamos todas las ideas arriba mencionadas con el mensaje del evangelio de salvación. Además, Jesús, conectó el evangelio al reino de los cielos. Marcos 1:14 dice que Jesús comenzó Su ministerio "predicando el evangelio del reino de Dios". El evangelio y el reino no son dos entidades diferentes —uno es el mensaje, el otro es la organización. Son elementos inseparables en los planes de Dios para la salvación de los pecadores.

Aparte de Mateo 13, hay muchas otras parábolas del reino registradas en los Evangelios. Por ejemplo, en Mateo 22 Jesús enseñó: "El reino de los cielos es semejante a un rey que preparó un banquete de bodas para su hijo; y envió a sus siervos a llamar a los convidados a las bodas" (22:2-3). La entrada al reino es por invitación. Se hace una súplica. Nadie es forzado a entrar. Nadie entra automáticamente, no importa su nacionalidad. Cada individuo —varón o hembra, joven o viejo, americano o africano, rico o pobre, judío o gentil— hace una decisión personal de aceptar o rechazar la invitación para entrar en el reino.

No es Necesariamente Judío

Aun antes de que Jesús comenzara Su ministerio, Juan el Bautista predicaba verdades que tenían un alcance importante sobre la naturaleza del reino. Juan hizo una sorprendente declaración a los judíos: "y no penséis que basta con decir en vuestro interior: Tenemos por padre a Abraham; porque yo os digo que Dios puede levantar hijos a Abraham aun de estas piedras" (Mateo 3:9).

Dios había hecho al hombre del polvo. Dios había hecho a la mujer de una costilla. Dios había hecho un hijo para Abraham en el vientre de una mujer que había pasado la menopausia. Por tanto, no será problema para Dios hacer más hijos para Abraham de unas piedras. De hecho, hablando espiritualmente, es lo que Dios hizo.

En su primera epístola, el apóstol Pedro escribió a los que habían sido "rescatados... con la sangre preciosa de Cristo... habiendo nacido de nuevo". Les explica: "vosotros también, como piedras vivas, sed edificados como casa espiritual... sois... nación santa... que en otro tiempo no erais pueblo, pero que ahora sois pueblo de Dios" (1 Pedro 1:18-19, 23; 2:5, 9-10). Los que son redimidos por la sangre de Jesús son el pueblo de Dios hoy día. Son una nación santa de Dios, redimida por la sangre del Cordero. El Espíritu Santo ha declarado: "porque todos los que habéis sido bautizados en Cristo, os habéis revestido de Cristo... si vosotros sois de Cristo, entonces sois descendencia de Abraham, y herederos según la promesa" (Gálatas 3:27, 29). Dios toma a Gentiles con corazones de piedra y judíos físicos también con corazones de piedra y los convierte en hijos de Abraham cuando son bautizados en Cristo. Los cristianos hoy día son herederos de las promesas que Dios hizo a Abraham. Los cristianos hoy día son los verdaderos descendientes de Abraham: "si vosotros sois de Cristo, entonces sois descendencia de Abraham".

Menos de una semana antes de que las multitudes clamaran por Su crucifixión, Jesús habló de este cambio dramático en el trato de Dios con la raza humana (Mateo 21:33-46). En este texto, Él habló acerca de un dueño que puso a unos labradores a cargo de su viña. A su debido tiempo, el dueño envió siervos para recibir los frutos, pero los labradores los maltrataron, hirieron a unos, y mataron a otros. Finalmente, el dueño envió a su propio hijo y los labradores lo mataron. No hay que tener mucho entendimiento bíblico para discernir que el dueño representa a Dios, los siervos a los profetas del Antiguo Testamento y el hijo representa a Jesús. ¿Y los labradores?

No pueden ser otra cosa que la nación judía en general o los líderes religiosos en particular. "Y oyendo sus parábolas los principales sacerdotes y los fariseos, entendieron que se refería a ellos" (21:45).

Jesús les dijo a los principales sacerdotes, los ancianos y fariseos —los clérigos judíos— "el reino de Dios os será quitado, y será dado a una nación que produzca los frutos de él" (Mateo 21:43). Jesús sencillamente les dijo, parafraseando en lenguaje popular, "Si ustedes no lo quieren, encontraré a otros que sí lo quieren". El rechazo del reino de parte de los líderes judíos no cambiaría de ninguna manera los planes de Dios. De hecho, tales textos como Isaías 53:3 y el Salmo 118:22 demuestran que Dios había anticipado su rechazo. Daniel había profetizado: "Y en los días de estos reyes el Dios del cielo levantará un reino que no será jamás destruido" (2:44). Ningunas condiciones fueron dadas para establecer el reino. El reino venidero no dependería de una reacción positiva de parte de Israel. Otros más dignos podrían tomar su lugar. "El Dios del cielo *levantará…*" (itálicas mías). El Nuevo Testamento confirma que el Dios de cielo *sí* levantó Su reino y que *fue* dado a una nueva nación santa.

Antes de dar la parábola de la viña, Jesús ya había dicho a los líderes religiosos de Israel:

> De cierto os digo, que los publicanos y las rameras van delante de vosotros al reino de Dios. Porque vino a vosotros Juan en camino de justicia, y no le creísteis; pero los publicanos y las rameras le creyeron (Mateo 21:31-32).

Una vez más vemos que el reino de Dios tiene que ver con la justicia y la fe. Es un asunto completamente espiritual. Ni el color de la piel, ni la nacionalidad —ni siquiera ser judío— no tenía nada que ver con ser parte del reino de Dios. Era, y todavía es, un asunto del corazón y del espíritu.

Se Negó a Ser un Rey Terrenal

Si Jesús hubiera venido para establecer un reino físico, no hubo mejor tiempo que después de alimentar a los cinco mil. Los judíos estaban tan conmocionados "que iban a venir para apoderarse de él y hacerle rey" (Juan 6:15). Muy lejos de aprovechar la oportunidad, Jesús "volvió a retirarse al monte él solo". Cuando las multitudes lo encontraron el día siguiente, Jesús predicó un sermón poderoso, haciendo un contraste entre lo físico y lo espiritual:

> Respondió Jesús y les dijo: De cierto, de cierto os digo que me buscáis, no porque habéis visto señales, sino porque comisteis de los panes y os saciasteis. Trabajad, no por la comida que perece, sino por la comida que permanece para vida eterna... Yo soy el pan vivo que descendió del cielo; si alguno come de este pan, vivirá para siempre; y el pan que yo daré es mi carne, la cual yo daré por la vida del mundo... El que come mi carne y bebe mi sangre, tiene vida eterna... El espíritu es el que da vida; la carne no aprovecha para nada; las palabras que yo os he hablado son espíritu y son vida" (Juan 6:26-27, 51, 54, 63).

¿El resultado? "Desde entonces muchos de sus discípulos volvieron atrás, y ya no andaban con él" (6:66). ¿Desde cuándo? Desde el tiempo que Jesús se negó a llegar a ser su Rey físico. Desde el tiempo que Jesús sondeó profundamente en sus mentes y corazones para descubrir el interior de sus corazones materialistas. Desde el tiempo que Jesús desdeñó la política con sus preocupaciones terrenales, y escogió predicarles de la vida eterna. Desde el tiempo que Jesús se negó a llegar a ser un rey como David y Salomón sobre Israel físico. Desde entonces, muchos discípulos —desilusionados— le volvieron la espalda a Jesús precisamente porque Jesús se negó a establecer el reino literal, físico de Israel que ellos pensaron que los profetas habían prometido.

Discípulos, No Soldados

Al tiempo de la "entrada triunfal", el fervor y las expectativas de los judíos se alzaron otra vez. Las multitudes clamaron:

> ¡Hosanná al Hijo de David! ¡Bendito el que viene en el nombre del Señor!... ¡Bendito el reino venidero de nuestro padre David!... ¡Bendito el rey que viene en el nombre del Señor!
>
> (Mateo 21:9; Marcos 11:10; Lucas 19:38)

Un Contraste de Dos Reinos

El Camino VIEJO	El Camino NUEVO
Desde su juventud, con la bendición y ayuda de Dios, David mataba a sus enemigos, comenzando con Goliat.	Jesús dijo que si Su reino fuera de este mundo, Sus siervos pelearían (igual a David); pero el reino de Jesús no es para guerreros sino para pacificadores.

El Reino de David ANTIGUO Testamento	**El Reino de Jesús NUEVO Testamento**
1. Entrar por nacimiento natural	1. Entrar por nacimiento espiritual
2. Abierto básicamente para una nación	2. Abierto para todas las naciones
3. Para un territorio pequeño	3. Para el mundo entero
4. David no podía construir el Templo	4. Los cristianos somos el templo
5. Denunciar líderes civiles	5. Denunciar error religioso
6. Castigo: pena de muerte	6. Quitar comunión
7. Denunciar las naciones malvadas	7. Predicar a naciones malvadas
8. Guerra contra enemigos	8. Evangelizar enemigos
9. Armas físicas	9. La Palabra de Dios: espada del Espíritu

Jesús dijo:

"Mi reino no es de este mundo."

Ellos proclamaron al Rey, el hijo de David y el reino de David como lo que habían venido en ese momento. Ellos creían que Jesús cumplía las profecías del reino del Antiguo Testamento.

Los judíos conocían la relación estrecha entre David y Jesús —entre el reino de David y el reino de Jesús. Esta relación tenía que ver con linaje y con el hecho de que Dios estaba directamente envuelto. Sin embargo, no sabían que la *naturaleza* de los dos reyes y la *naturaleza* de los dos reinos serían muy diferentes.

La semana de la "entrada triunfal" era una de cambios rápidos y dramáticos. Hacia el final de la semana Jesús estaba ante el gobernador romano, Poncio Pilato. Pilato le preguntó a Jesús, "¿Eres tú el Rey de los judíos?" Jesús ofreció una respuesta poderosa y definitiva: "Mi reino no es de este mundo". Siguió con una aclaración de la relación entre Su reino y la situación política actual diciendo, "si mi reino fuera de este mundo, mis servidores pelearían para que yo no fuera entregado a los judíos; pero mi reino no es de aquí" (Juan 18:33, 36).

El reinado y el reino de Jesús eran fundamentalmente diferentes al reino de David. David *sí* peleó para que "no fuera entregado" a los filisteos (¿se acuerdan de Goliat?). David también peleó para no ser entregado a los amalecitas, los jebuseos, los moabitas, los sirios, los amonitas y los edomitas. David tenía sus "hombres valientes y esforzados para la guerra" (1 Crónicas 12:25). Como muchos de los héroes del Antiguo Testamento, David era un hombre de violencia, sangre, y guerra. El peleaba por un reino físico, conquistó a Jerusalén, y extendió grandemente su dominio terrenal.

Jesús en contraste dramático, se negó a tomar armas, ni para rescatar Su vida de los judíos, ni para rescatar a Jerusalén de los romanos. Su reinado y Su reino no solamente eran diferentes a los de David, sino que también a los de Roma. "Mi reino no es de este mundo". Jesús intencionadamente declaró que Su reino no era uno que se expande y toma control por la fuerza de las armas. Babilonia, Persia, Grecia, y Roma, representados en el sueño de la gran imagen en Daniel 2, todos llegaron al poder y mantuvieron el poder por la fuerza de las armas. No es así con el reino de Dios, que iba a comenzar como una piedra que fue cortada "sin intervención de ninguna mano" (2:34).

Si Jesús, el Hijo de David, fuera a establecer un reino como el de David, Él hubiera peleado y echado fuera a los romanos de la Tierra Prometida. No importa lo que las profecías del reino aparenten decir en su contexto del Antiguo Testamento, tienen que ser interpretadas a la luz de la declaración de Jesús al gobernador romano: "Mi reino no es de este mundo; *si* mi reino fuera de este mundo, mis servidores pelearían" (itálicas mías). El reino de Jesús no tiene soldados; no se defiende ni se extiende por la fuerza de las armas físicas. El reino de Jesús es un reino espiritual.

Pilato claramente entendió las palabras de Jesús, porque Pilato entonces dijo a la multitud, "Yo no hallo en él ningún delito" (Juan 18:38). Si Jesús reclamaba ser el rey de un reino temporal, sería traición contra César y Roma —causa suficiente para aplicar la pena de muerte a Jesús. Cuando Pilato dijo, "Yo no hallo en él ningún delito", Pilato claramente confesó su propio entendimiento de la naturaleza espiritual del reino de Jesús.

La multitud clamó, "¡Crucifícale!" Pilato trató de todas las maneras que pudo pensar para soltar a Jesús, "Si sueltas a éste, no eres amigo de César; todo el que se hace rey, se opone al César" (Juan 19:12). Los principales sacerdotes gritaron, "No tenemos más rey que César" (19:15). Con esto, Pilato desistió en sus esfuerzos para librar a Jesús y dio órdenes para que Él fuera crucificado como ellos querían.

Decimos que los judíos no entendieron. Sin embargo, hay algo que definitivamente entendieron. ¡Los judíos podían ver que Jesús no iba a establecer un reino terrenal como el reino terrenal de David! Ellos podían ver que Jesús no quería tener ninguna parte con un atentado para echar a los romanos del terreno judío. Ellos podían ver que Jesús no era ni Zelote, ni patriota, ni subversivo.

Es inconcebible que los judíos en los días de Jesús gritaran, "No tenemos más rey que César". ¡Fue una descarada mentira absoluta! La única razón para ellos gritar tal fabricación era su desesperación para deshacerse de este "hombre" que les predicaba en vez de llegar a ser el rey político que ellos esperaban que fuera. Odiaban a César. Pero odiaban a Jesús más que a César porque Jesús no apoyó la causa de ellos de echar a César de su tierra. Jesús se negó a establecer un reino físico como el de David. Jesús no cumplió con el entendimiento de ellos sobre una interpretación literal de las profecías del reino.

Las Llaves del Reino Prometidas a Pedro

Es ampliamente conocido que Jesús, antes de Su muerte, prometió "las llaves del reino de los cielos" a Simón Pedro. Sin embargo, no es tan ampliamente conocido lo que eran estas "llaves". Obviamente, el que tiene las llaves controla la entrada. En este caso, es la entrada al reino. Cualquier persona que quiere entrar al reino de Dios tiene que buscar las llaves del apóstol Pedro.

Estas llaves se mencionan solamente en Mateo 16:19. El contexto comenzando con el versículo 13 revela que el tema principal bajo consideración era la identidad de Jesús. El pueblo tenía muchos puntos de vista, pero Pedro tenía razón cuando dijo, "Tú eres el Cristo, el Hijo del Dios viviente" (16:16). Al responder, Jesús hizo referencia tanto a la iglesia como al reino:

> Bienaventurado eres, Simón, hijo de Jonás, porque no te lo reveló carne ni sangre, sino mi Padre que está en los cielos. Y yo también te digo, que tú eres Pedro, y sobre esta roca edificaré mi iglesia; y las puertas del Hades no prevalecerán contra ella. Y a ti te daré las llaves del reino de los cielos; y todo lo que ates en la tierra estará atado en los cielos; y todo lo que desates en la tierra estará desatado en los cielos (Mateo 16:17-19).

No hay ninguna indicación aquí que Jesús cambiara el tema; ciertamente aparenta usar "mi iglesia" y el "reino de los cielos" como dos términos para la misma entidad.

En adición, Jesús conectó el uso de las llaves de parte de Pedro con "todo lo que ates en la tierra... y todo lo que desates en la tierra". Pedro utilizaría las llaves para atar y desatar *en la tierra.* Por tanto, él utilizaría las llaves durante su vida en la tierra. Dos capítulos más tarde, Jesús les dice a todos los apóstoles, "todo lo que atéis en la tierra, estará atado en el cielo" (18:18). No sólo Pedro estaría atando y desatando sino también los otros apóstoles.

La idea de atar se deletrea en Mateo 23:2, 4: "Los escribas y los fariseos... atan cargas pesadas y difíciles de llevar". La acción de "atar" aquí es obviamente lo que maestros religiosos dicen que sus seguidores tienen que hacer. Jesús les dijo a los apóstoles, "todo lo que atéis en la tierra, estará atado en el cielo". La palabra de los apóstoles sería divinamente autoritativa.

Mientras que todos los apóstoles estarían envueltos en atar y desatar, sólo a Pedro se le darían las llaves del reino. Las llaves abren puertas. Una vez abierta, otros pueden entrar. Así, Cristo escogió a Pedro para abrir las puertas del reino. Pedro sería el primero para decirle al pueblo de Israel lo que se les requería para entrar en el reino de Dios en la tierra.

Puesto que Jesús nunca falla, Sus promesas son profecías. Su promesa de dar a Pedro las llaves del reino es una profecía importante del reino. No podemos entender la verdad acerca del prometido reino de Dios sin tomar en consideración estas palabras de Jesús. La profecía de Jesús dice que Pedro abriría el camino al reino y que haría decretos obligatorios con relación al reino. Al mismo momento, Jesús hizo referencia a Su iglesia —y todos los creyentes entendemos la importancia de Pedro en el establecimiento de la iglesia en el día de Pentecostés en el año 30 d.C. Aún el futurismo aplica esta profecía de las llaves al ministerio terrenal de Pedro en la iglesia comenzando en el día de Pentecostés. Al hacerlo, ¡el futurismo inadvertidamente confiesa que la iglesia es el reino y que el reino de Dios comenzó el día de Pentecostés en el año 30 d.C.!

La Importancia de Pentecostés

Personas religiosas muchas veces hablan con nostalgia de un regreso a Pentecostés. Normalmente están haciendo referencia a hablar en lenguas o a la conversión de grandes multitudes. Sin embargo, ninguna de estas cosas debe ser el asunto principal para nosotros hoy día cuando se evalúa la importancia de ese Pentecostés judío en particular.

Era el año 30 d.C., menos de dos meses después de la muerte y resurrección de Jesús y sólo diez días después de Su ascensión. Antes de que Jesús saliera para ir al cielo, Él dio a Sus apóstoles un mandamiento muy importante: "que no se fueran de Jerusalén, sino que aguardasen" (Hechos 1:4). En Marcos 9:1, Jesús había profetizado que el reino de Dios vendría con *poder* durante la vida de sus oyentes. Más tarde, después de Su resurrección, Él dijo a Sus apóstoles: "yo voy a enviar sobre vosotros la promesa de mi Padre; pero vosotros quedaos en la ciudad, hasta que seáis revestidos de poder desde lo alto" (Lucas 24:49). Antes de Su ascensión, clarificó más este asunto: "recibiréis poder, cuando haya venido sobre vosotros el Espíritu Santo" (Hechos 1:8). El reino vendría con poder durante la vida de ellos, y el Espíritu Santo proveería ese poder.

Todo esto aconteció exactamente diez días después de Su ascensión, en el día de Pentecostés, cuando los doce apóstoles fueron bautizados en el Espíritu Santo (Hechos 2). Hablar en lenguas, por sí solo, no era la cosa importante. Más bien, las lenguas eran una prueba de la cosa importante —el hecho de que Pedro no predicaba sus propias ideas, sino que era infaliblemente inspirado por el Espíritu Santo para interpretar las profecías del Antiguo Testamento, y explicar el significado de la cruz y la tumba vacía, y ¡ofrecer a los judíos el medio divino para entrar en el reino de Dios!

Puesto que Jesús había prometido a Pedro las llaves del reino, no es coincidencia que Pedro era el portavoz principal en el día de Pentecostés. Las llaves abren puertas. Jesús escogió a Pedro para inaugurar el reino de los cielos e informar al pueblo cómo podían entrar. Jesús había dicho que el Hades no prevalecería contra Sus planes de edificar Su iglesia. Uno de los puntos principales de Pedro en su sermón fue que Jesús victoriosamente escapó del Hades; Él había resucitado; Él había ascendido. El Señor resucitado había enviado al Espíritu Santo del cielo con poder. El mismo Jesús que habían crucificado ahora estaba sentado a la diestra de Dios como Señor y Cristo.

Las multitudes, compungidas en lo más profundo de sus almas, clamaron para saber qué podían hacer para ganar el favor de Dios sobre sus vidas pecaminosas. Pedro entonces utilizó las llaves del reino para abrir de par en par las puertas de la iglesia de Jesús. Administrando las llaves para abrir las puertas del prometido reino de Dios, Pedro dijo: "Arrepentíos, y bautícese cada uno de vosotros en el nombre de Jesucristo para perdón de los pecados; y recibiréis el don del Espíritu Santo" (Hechos 2:38).

Se Requiere un Segundo Nacimiento

La mayoría de los creyentes no tienen dificultad en reconocer a ese día de Pentecostés en particular como el momento en que la iglesia del Señor comenzó. Pero debemos reconocer igualmente que la declaración de Pedro es una variación y divina explicación de lo que Jesús había dicho a Nicodemo: "el que no nace de agua y del Espíritu, no puede entrar en el reino de Dios" (Juan 3:5). Noten el paralelismo entre "nace de agua y del Espíritu" por un lado, y "arrepentíos, y bautícese… y recibiréis el don del Espíritu Santo" por otro. Entrar en el reino y entrar en la iglesia es la misma cosa. Se requiere un nuevo nacimiento.

¿Cuál es la naturaleza del reino de Dios? Escuche al Rey:

> Se acercaron los discípulos a Jesús, diciendo: ¿Quién es, entonces mayor en el reino de los cielos? Y llamando Jesús a un niño, lo puso en medio de ellos, y dijo: De cierto os digo, que si no os volvéis y os hacéis como los niños, de ningún modo entraréis en el reino de los cielos" (Mateo 18:1-3).

El nacimiento físico no lo puede hacer. Grandeza como la miden los hombres no ayudará. Más bien, es asunto de ser convertido y llegar a ser como los niños; de esto se trata el reino de los cielos.

Jesús le dijo al fariseo Nicodemo que el nacimiento como judío por sí solo, nunca proveería entrada al reino de Dios. Jesús explicó: "el que no nace de nuevo, no puede ver el reino de Dios… el que no nace de agua y del Espíritu, no puede entrar en el reino de Dios" (Juan 3:3, 5). Ser judío nunca lo haría. Ser religioso nunca lo haría. La educación teológica nunca lo haría. Una experiencia emocional nunca lo haría. Sencillamente aceptar a Jesús en el corazón nunca lo haría. Repetir la oración del pecador a la conclusión de un tratado nunca lo haría. Cualquier cantidad de religión hecha por el hombre no lo haría. "El que no nace de agua y del Espíritu, no puede entrar en el reino de Dios". El reino de Dios es totalmente un asunto espiritual. La entrada en el reino depende de un segundo nacimiento —no tiene nada que ver con nacimiento físico. El reino de Dios no fue establecido para una nación física. Se les ofrece a hombres, mujeres, y jóvenes de todas las naciones sobre la faz de la tierra el privilegio de llegar a ser miembros del eterno reino de Dios, si llegan a ser como niños y nacen del agua y del Espíritu. El Rey ha hablado.

No Solamente una Cuestión de Profecía

Daniel había profetizado que el reino de Dios sería establecido durante el reinado del Imperio Romano (Daniel 2). Fue cuando Roma gobernaba que Juan el Bautista anunció la llegada inminente del reino de Dios, llamando a Israel al arrepentimiento y a mirar a su Mesías. Jesús hizo la misma proclamación, y el prometió que el reino llegaría con poder durante la vida de los que escuchaban (Marcos 9:1).

Ese poder vino con el derramamiento del Espíritu Santo en el día de Pentecostés en el año 30 d.C. El poder del reino era el poder de salvar al hombre de su pecado, aún el pecado de crucificar a su Mesías. *No* fue el poder de la espada. *No* fue el poder de un gobierno teocrático mundial. Fue y es el poder de un mensaje de amor que toca los corazones de los hombres y los cambia de adentro hacia afuera. Fue y es el poder para hacer posible que las almas nazcan de nuevo.

La "cuestión del reino" no es solamente una cuestión académica de profecía sin importancia. La cuestión del reino es un asunto del corazón, y del alma. No tiene que ver meramente con mil años de un reino terrenal. Es un reino celestial "que no será jamás destruido… él permanecerá para siempre"

(Daniel 2:44). La cuestión del reino no es asunto de profecías-futuras-que-no-se-han-cumplido-todavía. Es asunto de aceptar o rechazar el reino que Jesús ya ha establecido. Considere cuidadosamente que Jesús señaló el establecimiento de Su reino que tomaría lugar en el primer siglo. Nadie reclama que un reino físico-terrenal comenzó en el primer siglo; todo el mundo sabe que la iglesia de Jesús fue establecida en el primer siglo. No se puede escapar la conclusión: la iglesia es el reino.

El futurismo reconoce que un reino fue establecido en el primer siglo. Después de citar a Juan 18:36, "Mi reino no es de este mundo", Tim LaHaye dice: "La primera vez vino a establecer un reino espiritual, al cual se entra naciendo de nuevo".[1] ¡Precisamente! Seguramente, este reino espiritual tiene que ser el reino que Daniel predijo que sería establecido en el tiempo del Imperio Romano. Seguramente este reino espiritual tiene que ser el reino que Jesús prometió que se establecería durante la vida de Sus apóstoles. ¿Cómo podemos escapar de la conclusión de que la iglesia de Jesucristo es el reino de los cielos que tanto Daniel como Jesús predijeron?

La iglesia de Jesús es el reino de Dios —esta es una verdad profunda con poderosas implicaciones. ¿Quién ha oído decir, "Un reino es igual a cualquier otro"? En la esfera espiritual, ¿quién se atrevería recomendar, "Vaya al reino que tú quieres escoger"? Tan seguramente como Jesús es el Rey de un solo reino, Él es Cabeza de una sola iglesia. Pablo les dijo a los santos en Colosas que Dios "nos ha librado de la potestad de las tinieblas, y trasladado al reino de su amado Hijo" (Colosenses 1:13). Pablo les dijo a los hermanos de Éfeso que Jesús ahora está "encima de todo principado... cabeza sobre todas las cosas a la iglesia" (Efesios 1:21-22). No podemos tener al Rey sin Su reino. No podemos tener la Cabeza sin Su iglesia.

Pablo también nos informó que Jesús "amó a la iglesia, y se entregó a sí mismo por ella" (Efesios 5:25). Jesús ama Su reino, Su iglesia. ¿Y nosotros? Una de las cosas más tristes del futurismo hoy día es que coloca a la iglesia de Jesús en un paréntesis o una brecha. El futurismo así enseña que todos los planes eternos de Dios se relacionan con Israel, mientras que la iglesia está meramente ocupando un espacio hasta que el reloj profético de Dios comience a funcionar de nuevo.

¿Es el asunto del reino de Dios solamente una cuestión secundaria de profecía? ¿Qué dijo el Rey Jesús? Al hablar de la diferencia entre preocupaciones materialistas y espirituales, el Rey dijo, "Mas buscad primeramente el reino de Dios y su justicia, y todas estas cosas os serán añadidas" (Mateo 6:33). Buscar primeramente el reino de Dios. Esto significa colocar a la iglesia de Jesucristo primero en nuestras vidas. Antes de los trabajos. Antes de la familia y los amigos. Antes de placer vacío. Antes de agendas políticas. No es posible que busquemos "primeramente el reino de Dios" hasta que permitamos que el Rey Jesús tenga la última palabra sobre la naturaleza de ese reino. No es posible que busquemos "primeramente el reino de Dios" hasta que nos despertemos al hecho de que Su reino ya existe. El Rey nos invita a ser súbditos en Su reino hoy día.

¡Cuidado con salvación simplista!

"Y si alguno quita de las palabras del libro de esta profecía, Dios quitará su parte del libro de la vida, y de la santa ciudad y de las cosas que están escritas en este libro."

-Apocalipsis 22:19

¿A qué porción de la enseñanza del Nuevo Testamento sobre la salvación podemos hacer caso omiso y al mismo tiempo tener nuestros nombres en el libro de la vida?

Capítulo 18

"La Oración de Salvación"

"Si usted acepta el mensaje de salvación de Dios, el Espíritu Santo vendrá sobre usted y le hará nacer espiritualmente de nuevo... Puede llegar a ser un hijo de Dios orando a Él ahora mismo mientras le voy guiando".[1] Este concepto, repetido frecuentemente por LaHaye y Jenkins, es una expresión de un camino popular a la salvación que es proclamado extensamente. La invitación suele ser similar al siguiente anuncio titulado "The Pathway to Heaven" (El Camino al Cielo):

> Sigue estos Pasos:
> 1. Usted necesita ser salvo.
> 2. Usted no puede salvarse a sí mismo. [Efesios. 2:8-9 citado]
> 3. Dios nos ama lo suficiente para proveer salvación. [Juan 3:16 citado]
> 4. Por la fe crea a Jesús y acéptelo. [Hechos 16:31; Romanos 10:9 citados]
>
> Si le gustaría invitar a Jesús a entrar en su vida, repita esta oración... [Oración dada]
>
> Si ha dicho esta oración, nos gustaría saberlo. Favor de contactar nuestra oficina en... [2]

He aquí un ejemplo de tal oración escrita al final de un tratado por "the American Tract Society":

Querido Dios, Yo sé que soy un pecador y no puedo salvarme. Pero sí creo que Tú me amas, y que Tú enviaste a Tu Hijo, Jesús, para morir en la cruz por mis pecados. Aquí y ahora mismo, pido que Tú me perdones por cada uno de mis pecados y que me des el don de vida eterna. Gracias, querido Dios, por escuchar y contestar mi oración y por darme la vida eterna como Tú prometiste hacer. Amén.[3]

Los autores de la serie "Dejados Atrás" creen que la salvación se obtiene por hacer una decisión de "recibir a Cristo" en oración. Como LaHaye lo expresa en otro lugar: "Si en su mente tiene alguna duda en cuanto a si alguna vez invitó a Jesucristo a entrar en su vida, lo insto a que se ponga de rodillas ahora mismo y le pida que lo salve".[4] Las variaciones son muchas, pero la esencia es la misma: "Acepte a Cristo... Crea y ore esta oración".

Lo que el Asunto No Es

Antes de examinar "la oración de salvación" y considerar la alternativa para esa oración, tenemos que entender claramente lo que el asunto aquí *no* es —con relación a los creyentes de la biblia.

La sangre de Jesús no es el asunto aquí. Hay religiones y hasta iglesias que enseñan una salvación sin sangre, sin incluir las que no creen en ninguna clase de salvación personal. Sin embargo, virtualmente todos los que aceptamos la Biblia como la inspirada Palabra de Dios estamos completamente de acuerdo que "sin derramamiento de sangre, no hay perdón de pecados" (Hebreos 9:22). Esto no es el asunto en este capítulo. Todos estamos de acuerdo que "Cristo murió por nuestros pecados, conforme a las Escrituras" (1 Corintios 15:3). Estamos de acuerdo en que Jesús es el único Salvador.

La gracia no es el asunto aquí. Los que aceptan la tradición al mismo nivel que la Biblia quizás no piensan mucho en la gracia. Sin embargo, la mayoría de nosotros que aceptamos la Biblia como la única fuente autoritativa de doctrina divina estamos de acuerdo que aparte de la gracia de Dios no hay salvación. El hombre no puede salvarse a sí mismo: "No hay justo, ni aun uno... por cuanto todos pecaron... siendo justificados gratuitamente por su gracia" (Romanos 3:10, 23-24).

Estamos de acuerdo de que "la paga del pecado es muerte, mas la dádiva de Dios es vida eterna en Cristo Jesús Señor nuestro" (Romanos 6:23). En otras palabras, la segunda muerte —el lago de fuego eterno— es lo que todos merecemos; es lo que nos ganamos. La salvación, por otro lado, nadie puede ganarla; nadie la merece, es un don de Dios. La gracia no es el asunto en este capítulo. Para expresar estos primeros dos asuntos en otra manera: la parte de Dios en la salvación del hombre no es el asunto aquí.

La fe no es el asunto aquí. ¿Quién podría argumentar contra uno de los versículos mejores conocidos de la Biblia? "Porque de tal manera amó Dios al mundo, que ha dado a su Hijo unigénito, para que todo aquel que cree en él, no perezca, sino que tenga vida eterna" (Juan 3:16). Hebreos 11:6 nos dice "Y sin fe es imposible agradar a Dios". El evangelio de Jesucristo es "poder de Dios para salvación a todo aquel que cree; al judío primeramente, y también al griego" (Romanos 1:16). Pablo, por el Espíritu, escribió a los hermanos y hermanas en Éfeso acerca de Cristo, la gracia, y la fe:

> Para mostrar en los siglos venideros las sobreabundantes riquezas de su gracia en su benignidad para con nosotros en Cristo Jesús. Porque por gracia habéis sido salvados por medio de la fe; y esto no proviene de vosotros, pues es don de Dios; no a base de obras, para que nadie se gloríe (Efesios 2:7-9).

Somos salvos "por gracia... por medio de la fe" por lo que Jesús ha hecho por nosotros. Aparte de Jesús, Su sangre, Su gracia, y la fe no hay salvación. Ninguna de estas verdades está en cuestión en este capítulo.

¿Cuál Es el Asunto?

El asunto en este capítulo no se trata de la parte de Jesús en nuestra salvación; el asunto tiene que ver con nuestra parte. ¿Qué se nos requiere para que la gracia de Dios y la sangre de Jesús se puedan aplicar a nuestras vidas? Todos estamos de acuerdo que los pecadores tienen que creer —tienen que tener fe. Sin embargo, ¿es la fe por sí sola suficiente? ¿Jesús llega a ser mi Salvador al yo sencillamente creer que lo es? ¿Es la salvación basada solamente en lo que la mente acepta como verdad? ¿Puedo obtener la salvación al sencillamente invitar a Jesús a entrar en mi corazón? En verdad no hay ningún asunto en la serie "Dejados Atrás" que sea más importante que este.

El asunto en este capítulo es si la fe *sola* es una respuesta suficiente de parte del pecador para obtener la salvación. ¿Viene la salvación en el momento que uno cree? ¿Toda clase de fe salva? Si no, ¿qué clase de fe o que grado de fe salva? ¿Hemos escuchado todo lo que es esencial para la salvación cuando leemos, "Cree en el Señor Jesucristo, y serás salvo" (Hechos 16:31)?

El asunto en este capítulo es identificar el momento que una persona cambia de ser una persona no salva a una persona salva. ¿Exactamente cuándo y cómo nace una persona de nuevo? ¿En qué punto en la vida de una persona puede él o ella decir, "ahora soy cristiano"? ¿Cuál es el momento preciso que los pecados pasados de la persona son perdonados, dando a esa persona una página limpia con la cual puede comenzar una nueva vida en Cristo? ¿En qué punto de la vida de una persona Dios declara que esa persona es justificada, redimida, y perdonada? Este es el asunto.

La Doctrina de "la Fe Solamente"

La enseñanza más popular entre creyentes de la Biblia hoy día es que somos salvos por la fe solamente. Es común leer un tratado o ver un predicador por televisión declarando que una persona no puede salvarse por la religión, membresía en una iglesia, una buena vida, el bautismo, los diez mandamientos, o el amor hacia el prójimo. Antes bien, se nos dice que es sencillamente asunto de creer, aceptar el sacrificio de Jesús por nuestros pecados e invitar a Jesús a nuestros corazones. En su comentario sobre Apocalipsis, Tim LaHaye dice: "Los pasos de la salvación aquí son claros: (1) 'el que oye mi palabra' (2) 'cree al que me envió.' Esto quiere decir confiar en Jesús... El que confía tiene vida eterna".[5] LaHaye continúa explicando que creer y confiar tiene que ver con recibir la vida eterna y aceptar a Jesús. Todo esto es parte de su renglón (2). No ofrece un renglón (3). Así LaHaye enseña que hay solamente dos pasos hacia la salvación: oír y creer.

El concepto de hoy de la "fe solamente" le debe gran parte de su impulso a Martín Lutero. Mientras Lutero estudiaba la Biblia, especialmente el libro de Romanos, se hacía más y más consciente de las falsas doctrinas y prácticas por las cuales los católicos romanos intentaban ganar su salvación por las obras. Estas obras incluían tales doctrinas y prácticas como indulgencias, veneración de las reliquias, los sacramentos, misas para los muertos, peregrinaciones, el purgatorio, la penitencia, y la intercesión por "los santos", especialmente "la virgen". Lutero vio claramente en la Palabra de Dios, que había sido virtualmente cerrada por siglos, que no podemos salvarnos a nosotros mismos. Vio que la salvación es por la gracia y se puede obtener por fe en la obra redentora de Jesús en la cruz.

Sin embargo, Lutero llevó esta verdad, nuevamente descubierta, al extremo opuesto. Como sucede muchas veces en tales circunstancias, el péndulo giró al otro extremo. La conclusión de Lutero no fue sencillamente que somos salvos por la fe, sino que somos salvos por la fe solamente. Tan convencido estaba de esta nueva idea que se atrevió a añadir la palabra "solamente" al texto de la Biblia. Sin ninguna evidencia de ninguna clase de los manuscritos en el idioma griego, se atrevió a alterar la Palabra de Dios. Romanos 3:28 lee: "Concluimos, pues, que el hombre es justificado por fe sin las obras de la ley". Lutero lo cambió para que leyera, "justificado por la fe solamente". Algunas versiones modernas, tales como el *Good News Translation* en inglés, han seguido el ejemplo de Lutero. Es más, Lutero menospreció el libro de Santiago como una "epístola de paja" porque declara: "Veis, pues, que el hombre es justificado por las obras, y *no* solamente por la fe" (Santiago 2:24, itálicas mías). ¡No estaba de acuerdo con el único texto en toda la Biblia que usa las palabras "fe" y "solamente" en la misma frase!

Es cierto que Lutero vio que la fe era más que una persuasión de la existencia de Dios, y más que un asentimiento mental con la enseñanza de la Escritura. Para Lutero la fe era más que una fe simplista que envolvía la mente sin traducirse en una vida cambiada. Para él, la fe incluía más que el elemento intelectual. La religión popular de hoy día muchas veces diluye el concepto de Lutero hasta el punto de que lo que se enseña y lo que se practica no tienen nada que ver con lo que él tenía en mente. La triste realidad es que muchos creyentes han agarrado el "solamente" de Lutero, pero les falta la profundidad de fe de Lutero. Lutero sirvió muy mal a la humanidad al *añadir* "solamente" a Romanos y al *quitar* la epístola de Santiago de las Escrituras autoritarias. El hecho de que encontró necesario abiertamente revisar la Biblia es suficiente evidencia para demostrar que algo faltaba en el entendimiento de Lutero.

Aun presumiendo que Santiago sea una "epístola de paja" y que sea removida de la Biblia, la Biblia sigue enseñando que tenemos que *hacer* algo para ser salvos. De hecho, el Maestro declaró que la misma fe era una obra. Cuando la gente preguntó, "¿Qué debemos hacer para poner en práctica las obras de Dios?" Jesús respondió, "Esta es la obra de Dios, que creáis en el que él ha enviado" (Juan 6:28-29). Además, Jesús declaró: "No todo el que me dice: Señor, Señor, entrará en el reino de los cielos, sino el que hace la voluntad de mi Padre que está en los cielos" (Mateo 7:21). Invocar a Jesús no es suficiente para la salvación. Jesús dice que también tenemos que hacer la voluntad de Dios. ¿Serán las palabras de Jesús paja también? ¡De ninguna manera! ¿Enseñaba Jesús la fe? ¡Absolutamente! ¿Enseñaba la fe solamente? ¡Absolutamente que no! ¿Enseñaba Pablo la fe? ¡Absolutamente! ¿Enseñaba la fe solamente? ¡Absolutamente que no! La epístola de Pablo a los Romanos comienza y termina con una referencia a "obediencia de la fe" (1:5; 16:26).

"Solamente" Pervierte la Verdad Divina

La Gracia: Ya se consideró nuestra necesidad para la gracia de Dios junto con nuestra necesidad de tener fe. Ambas verdades son abundantemente claras en las Escrituras. Sin la gracia no hay salvación; sin fe no hay salvación. Sin embargo, cuando se añade "solamente" a estas declaraciones, resulta en confusión. A menudo la declaración dual se dice de que somos salvos por la fe solamente y por la gracia solamente. Esto es una contradicción en sí misma. Si somos salvos por la gracia solamente, la fe no es necesaria. Si somos salvos por la fe solamente, la gracia no es necesaria. Es un abuso del idioma decir que somos salvos por ambas y luego añadir "solamente" a cada una.

La muerte de Jesús: Es una cosa decir que somos salvos por la muerte de Jesús. Es muy diferente decir que somos salvos solamente por la muerte de Jesús. En 1 Corintios 15:3 Pablo afirma, "Cristo murió por nuestros pecados". Sin embargo, el versículo 17 demuestra que no podemos añadir "solamente" al versículo 3. El versículo 17, escrito por inspiración dice: "Si Cristo no resucitó, vuestra fe es vana; aún estáis en vuestros pecados". Sí, Jesús murió por nuestros pecados. Sin embargo, Su muerte no salva a nadie sin Su resurrección. Un salvador muerto no es ningún salvador. No nos atrevemos a añadir "solamente" a la santa Palabra de Dios.

Las cualificaciones para un obispo: Es una cosa decir que un obispo en la iglesia del Señor tiene que ser "marido de una sola mujer" (1 Timoteo 3:2). Es otra cosa decir que es el único requisito. Este texto de Timoteo da dieciocho requisitos para un hombre llegar a ser obispo. Decir que cualquiera de estos requisitos es el único requisito necesario es negar los otros diecisiete. El estar de acuerdo con aún 15 de los 18 es negar los otros tres. No nos atrevemos a tratar la Palabra de Dios en esta manera. La Biblia no es una cafetería de la cual uno puede elegir y escoger. Tenemos que recibir el menú completo.

La Fe: Es una cosa decir que somos salvos por la fe. Y es muy diferente decir que somos salvos solamente por la fe. Pablo por el Espíritu nos informa: "y si tuviese tanta fe como para trasladar montañas, pero no tengo amor, nada soy" (1 Corintios 13:2). La fe menos el amor no es nada. Unos pocos versículos más adelante Pablo concluye: "Y ahora permanecen la fe, la esperanza y el amor, estos tres; pero el mayor de ellos es el amor" (13:13). El amor es más grande que la fe. El apóstol Juan escribió: "Todo aquel que ama es nacido de Dios y conoce a Dios. El que no ama no ha conocido a Dios" (1 Juan 4:7-8). La fe sin amor es vacía; no salva a nadie.

¿Qué quiere decir la Palabra cuando dice que no somos salvos por obras? Romanos 4 nos puede ayudar a entender: "Porque si Abraham fue justificado por las obras, tiene de qué jactarse, pero no para con Dios... Pero al que obra, no se le cuenta el salario como gracia, sino como deuda" (4:2, 4). En estos versículos, Pablo está hablando de ganar la salvación. Habla de obras que merecen un salario. El mensaje de los primeros capítulos de Romanos es que todos somos pecadores, que nadie merece la salvación, que la salvación es un don de Dios, que no podemos ganar la salvación y que la salvación viene por medio de la fe en la obra de Cristo en la cruz. Ni siquiera nuestra fe nos hace *merecer* la salvación, de otra manera no habría necesidad para la gracia de Dios. La fe salva sencillamente porque Dios lo ha decretado, no porque al tener fe *merecemos* entrar al cielo. Tampoco nuestra obediencia nos ayuda a *merecer* la salvación. Somos salvos por gracia. Nada de lo que creemos o hacemos puede ameritar, merecer o ganar la vida eterna.

Cuando Pablo habló de la fe en la epístola a los Romanos, ¿quería decir la fe sola? ¿Quería decir que podemos desobedecer a Dios siempre y cuando creemos en Su Hijo? ¿Quería decir que el consentimiento mental es lo único que le importa a Dios? ¿Quería decir que nada importa excepto lo que creemos en el corazón? En Romanos 6:17, Pablo habla de la transformación que había tomado lugar en las vidas de los hermanos en Roma: "Pero gracias a Dios que, aunque erais esclavos del pecado, habéis *obedecido* de corazón a aquella forma de *doctrina* a la cual fuisteis entregados" (itálicas mías). Luego en 10:9-10 el afirma: "que si *confiesas con tu boca* que Jesús es el Señor, y crees en tu corazón que Dios le levantó de los muertos, serás salvo. Porque con el corazón se cree para justicia, y *con la boca* se confiesa *para salvación*" (itálicas mías). La fe que salva no se limita a la mente. Un texto hace referencia a obedecer doctrina, el otro hace referencia a expresar la fe "con la boca... para salvación". Romanos es un gran libro acerca de la salvación por fe; nunca fue un libro acerca de la salvación por la fe solamente. "Solamente" y "solo" pervierten la Palabra de Dios al exaltar verdades seleccionadas y al mismo tiempo minimizar otras.

Nadie Acepta "la Fe Solamente"

La discusión arriba, por sí sola, no trata con el asunto principal. La realidad es que nadie cree que la salvación sea por la fe solamente. La idea es repetida, defendida, y predicada. La idea es creída sinceramente. Sin embargo, la doctrina de "la fe solamente" y la práctica demuestran que el término "fe solamente" es un nombre equivocado. Aun los que enseñan la doctrina hacen declaraciones confusas como: "la salvación se recibe por la fe solamente, pero la fe salvadora no se queda sola".

Los que enseñan la salvación por la fe solamente están muy de acuerdo que no toda clase de fe salva. Por eso hablan mucho de "fe salvadora". Un caso de fe defectuosa se ve en ciertas personas con influencia a las cuales Juan hace referencia: "Con todo eso, aun de los gobernantes, muchos creyeron en él; pero a causa de los fariseos no lo confesaban, para no ser expulsados de la sinagoga" (Juan 12:42). Ellos "creyeron en él, pero..." Para describir esta fe deficiente, uno podría expresar que su fe no era suficientemente fuerte. Otro podría expresar que no combinaron su fe con acción. Y otro podría expresar el punto de vista que tenía una fe mental, pero les faltaba confianza. Algunos clarificarían que hay diferentes *clases* de fe, otros que hay diferentes *grados* de fe, otros que tenemos que considerar lo que se tiene que *añadir* a la fe, otros que tenemos que tomar en cuenta lo que se *incluye* en la fe salvadora.

De cualquier manera que una persona quiera expresarlo, hay un acuerdo general entre todos los creyentes de la biblia de que necesitamos más que una fe simplista, más que una aceptación intelectual de la verdad de la Biblia, y más que un reconocimiento de que Jesús murió por nuestros pecados. La fe que no produce ningún cambio en la vida es insuficiente; una fe que nunca se expresa le falta algo; una fe que no motiva a la acción no cumple los requisitos de Dios. Las siguientes cosas específicas podrían ayudar a clarificar estos conceptos.

El Arrepentimiento: A pesar de que no se expresa a menudo, muchos que sostienen la doctrina de fe solamente están de acuerdo que no puede haber salvación sin arrepentimiento. Están de acuerdo con esto, aunque el arrepentimiento no se menciona en la mayoría de las Escrituras que enseñan salvación por la fe. Se hace la explicación de que el arrepentimiento es parte de la fe salvadora o que la fe y el arrepentimiento son lados opuestos de la misma moneda. Se presume que tenemos que arrepentirnos porque Jesús lo manda en Escrituras como Lucas 13:3: "si no os arrepentís, todos pereceréis igualmente". Esta presunción está muy correcta. Absolutamente tenemos que ver otros versículos además de los que hablan de la fe.

Sin embargo, una vez se incluyen otros versículos y el arrepentimiento se acepta como requisito para perdón de los pecados, la salvación ya no es por la fe solamente —creer con la mente es insuficiente. La fe de la persona tiene que ser suficientemente real y fuerte para producir un cambio de comportamiento. Cualquier cosa menos que esto levanta dudas acerca de lo que la persona en verdad cree. Por supuesto, el arrepentimiento tiene que estar basado en la fe y motivado por la fe; tiene que ser una expresión de fe. En cualquier manera que una persona quiera explicar la relación entre la fe y el arrepentimiento, una sin el otro es inaceptable para Dios. Aun si una persona quiere explicar que esa fe salvadora incluye el arrepentimiento, ha hecho que "la fe salvadora" sea más que "fe solamente".

El invocar el nombre del Señor: El punto de vista de la "fe solamente" se defiende frecuentemente al citar Romanos 10:13: "porque todo aquel que invocare el nombre del Señor, será salvo". Amén. Tenemos que reconocer que Jesús es el Señor. Tenemos que mirar a Él para la salvación. Invocar al Señor es poner nuestra fe en acción. Pablo siguió esa declaración con una serie de preguntas retóricas sobre este mismo asunto:

> ¿Cómo, pues, invocarán a aquel en el cual no han creído? ¿Y cómo creerán en aquel de quien no han oído? ¿Y cómo oirán sin haber

quién les predique? ¿Y cómo predicarán si no han sido enviados? (Romanos 10:14-15).

Cinco pasos están envueltos para producir salvación: enviar, predicar, oír, creer, e invocar. Cuando una persona oye, puede creer o no creer. Cuando una persona cree, puede invocar o no invocar. Esto no es "fe solamente". Aun Tim LaHaye confirma este punto cuando escribe: "Estos son los individuos que demostraron su fe sincera invocando el nombre del Señor para ser salvos... solo aquellos que invocan el nombre del Señor serán salvos".[6] Él dice que invocar es una demostración de la fe. Amén. Solamente los que demuestran su fe serán salvos. Amén. La fe sola no salva. En verdad nadie cree que la fe sola salva.

La Oración de Salvación: ¿Por qué los sermones terminan con una invitación para "orar esta oración conmigo"? ¿Por qué tantos tratados terminan con la oración del pecador? En el primer libro de la serie "Dejados Atrás" los autores no esperan hasta el último capítulo como se hace en tantos libros. A través del libro, hacen claro que la única manera de "recibir a Cristo" es por medio de la oración. Sin embargo, si la salvación es por la fe solamente, ¿por qué la oración? ¿Podría ser que a pesar de que los predicadores repiten las palabras de la "fe solamente", en lo más interior de su ser reconocen que todos necesitamos actuar sobre nuestra fe? ¿Podría ser que profundamente, su sentido común, o aún el "sentido de las Escrituras", les dice que tiene que haber alguna clase de respuesta visible, que la salvación no puede ser un asunto totalmente privado, y que la gente tiene que *hacer algo*? Una fe que no se expresa es una fe insuficiente.

Jesús está de acuerdo que los pecadores tienen que hacer algo. Sin embargo, Jesús *no* dijo, "El que crea y diga la oración del pecador será salvo". ¡Nunca! Jesús dijo, "El que crea y sea bautizado, será salvo" (Marcos 16:16). ¡Los hombres han sustituido la oración del pecador por el bautismo del pecador! En Hechos 2, lea el registro de la primera vez después de la muerte, resurrección, y ascensión de Jesús que el evangelio en su plenitud fue predicado. Pedro no invitó a la gente a pasar al frente para orar con él. ¡De ninguna manera! Sin embargo, Pedro, como los predicadores modernos, sí esperaba una respuesta visible de sus oyentes. No hay nada malo en eso. Sin embargo, la respuesta visible que el apóstol inspirado requirió fue: "bautícese cada uno de vosotros en el nombre de Jesucristo para perdón de los pecados; y recibiréis el don del Espíritu Santo" (Hechos 2:38). "Así que los que acogieron bien su palabra fueron bautizados; y se añadieron aquel día como tres mil personas" (2:41).

¿Por Qué el Bautismo?

El bautismo no es arbitrario. Dios no escogió cualquier cosa. El simbolismo en el bautismo es muy impresionante. El acto físico de inmersión en agua representa una muerte, un entierro, y una resurrección. El significado es doble. El bautismo representa la muerte, sepultura, y resurrección de Cristo Jesús, quien es el único que nos puede perdonar los pecados. El bautismo también representa lo que sucede espiritualmente a la persona en el momento del bautismo. Una persona que ha muerto al pecado entierra el "viejo hombre" de pecado en la sepultura de agua, entonces resucita del agua para andar en vida nueva.

De la misma manera que Jesús enseñó que "El que crea y sea bautizado, será salvo" (Marcos 16:16), así también enseñó que uno tiene que nacer "de agua y del Espíritu" (Juan 3:5). No hace falta pensar mucho para reconocer que nacer de nuevo, por un lado, y pasar de muerte a vida por otro, son dos figuras parecidas que vívidamente hacen referencia al mismo proceso. En un caso, la conversión se figura como un nuevo nacimiento. En el otro caso, la conversión se figura como una muerte, sepultura, y resurrección. En ambos casos, se declara que la conversión es el comienzo de una vida nueva.

Esta realidad espiritual, por supuesto, es invisible. Es asunto de fe en la palabra de Dios. Lo mismo es cierto de la muerte de Jesús por nuestros pecados. Su muerte fue visible para las personas presentes; sin embargo, el propósito de la muerte de Jesús no se podía ver con los ojos físicos. Es asunto de fe que Él murió por nuestros pecados. De la misma manera el bautismo en agua se puede ver por las personas presentes, pero es un asunto de fe que la inmersión en agua es el momento en que los pecados son perdonados y la vida nueva comienza.

El apóstol Pablo no vio ninguna contradicción entre 1) la fe como la base de la salvación y 2) el bautismo como el momento que la salvación llega con una vida nueva. En la misma epístola a los Romanos que enseña salvación por la fe, Pablo escribió:

> Los que hemos *muerto* al pecado, ¿cómo viviremos aún en él? ¿O ignoráis que todos los que hemos sido bautizados en Cristo Jesús, hemos sido bautizados en su *muerte*? Fuimos, pues, *sepultados juntamente con él* para *muerte* por medio del bautismo, a fin de que como Cristo *resucitó de los muertos* por la gloria del Padre, así también nosotros andemos en *novedad de vida*... conocedores de esto, que nuestro viejo hombre fue *crucificado juntamente con él* (Romanos 6:2-4, 6, itálicas mías).

Bautizados en Su muerte. Jesús murió por nuestros pecados. El derramó Su sangre en la cruz por nuestros pecados. ¿Cómo hacemos contacto con Su sangre y con Su muerte? Pablo dice que somos "bautizados en su muerte". Hacemos contacto con Su muerte en el agua. Recuerde que Jesús estaba muerto cuando lo enterraron. Aunque aparenta ser obvia y simplista, lo mismo tiene que pasar con nosotros. Tenemos que morir al pecado —el viejo hombre de pecado tiene que ser crucificado— antes de que seamos enterrados. La doctrina de la fe solamente enseña que el bautismo es uno de los primeros actos de obediencia *después* de que una persona ha nacido de nuevo. Sin embargo, el entierro no es para los que están vivos; el entierro es para los que están muertos.

Pablo describió la relación entre la fe y el bautismo en Colosenses 2:12-13: *"Sepultados* con él en el *bautismo*, en el cual fuisteis también *resucitados* con él, *mediante la fe* en la fuerza activa de Dios... concedido el perdón de todos los delitos" (itálicas mías). Un pecador está muerto en pecado (Efesios 2:1). La persona muerta tiene que ser sepultada. Una vez

Sepultado con Cristo Jesús en el Bautismo

El Bautismo: el punto de contacto con la muerte de Cristo

"Bautizados en Cristo...
bautizados en su muerte...
sepultados juntamente con él para muerte...
como Cristo resucitó...
así también nosotros andemos en novedad de vida...
fuimos plantados juntamente con él...
en la semejanza de su muerte...
nuestro viejo hombre fue crucificado juntamente con él,
para que el cuerpo del pecado sea reducido a la impotencia...
también viviremos con él."
– Romanos. 6:3-8

Las personas en la foto son modelos, foto usado para propósitos de ilustración solamente

Fotografía © por CrossDaily.com (Mary Bustraan). Usada con permiso.

El Bautismo: un acto de fe

"sepultados con él en el bautismo, en el cual fuisteis también resucitados con él, mediante la fe en la fuerza activa de Dios que le levantó de los muertos."
- Col. 2:12

El Bautismo: un símbolo con una realidad doble de muerte, sepultura, y resurrección

Jesucristo:	Creyentes Arrepentidos:
• Él murió por nuestros pecados	• Morimos al pecado
• Su cuerpo fue enterrado	• Nuestro hombre de pecado es enterrado
• Él resucitó y vive	• Resucitamos a una nueva vida

enterrada en el sepulcro de agua, las personas son "resucitados con él mediante la fe en la fuerza activa de Dios". El bautismo bíblico no es una obra de mérito de nuestra parte; el texto dice que Dios es el que hace la obra. Nuestra parte es tener fe en Su obra. Dios promete perdonar nuestros pecados en el bautismo cuando lo hacemos por la fe. Si uno es bautizado sencillamente para hacerse miembro de una iglesia, la acción no está basada en una fe en la obra de Dios por el bautismo; y por tanto no tiene sentido. Puesto que un infante no tiene la capacidad para tener fe, el bautismo de un infante no tiene sentido tampoco. Muchas personas que creen que son salvos sin bautizarse, luego se bautizan sencillamente para obedecer el mandamiento de Jesús. Sin embargo, tal acción destruye el significado verdadero del bautismo; la persona no tiene fe en la obra de Dios para perdonar pecados en el momento de bautizarse. El bautismo bíblico es un acto de fe en el poder salvador de la muerte de Jesús de parte de un pecador perdido que en ese momento se une con la muerte de Jesús.

El bautismo no es una obra de mérito, de hecho, ni siquiera es una obra de parte de la persona siendo bautizada. Con relación al aspecto físico, cuando somos bautizados no hacemos nada; entregamos nuestros cuerpos a otro que hace el trabajo. Al mismo tiempo, espiritualmente, entregamos nuestra alma a Jesús, y confesamos que no podemos salvarnos a nosotros mismos —solo Él puede hacerlo. Cuando somos bautizados según las Escrituras, estamos confesando que no merecemos nada, y admitimos que no somos capaces de salvarnos a nosotros mismos, y confesamos nuestra necesidad de ser salvos por Cristo.

Muy lejos de ser una obra de mérito, el bautismo es un acto de fe profunda. Esta tiene que ser la razón por la cual muchos tropiezan en él. De la misma manera que muchas personas mundanas tienen dificultad con aceptar el sacrificio de sangre como medio de perdón de pecados; también muchas personas religiosas tienen dificultad con aceptar que el agua tenga algo que ver con la salvación. Los primeros quieren salvarse sin sangre, los últimos sin agua. Sin embargo, las Escrituras enseñan que en el bautismo somos sepultados con Jesús, somos "bautizados en su muerte", y así contactamos la sangre. En el momento del bautismo, nacemos "de agua y del Espíritu" (Juan 3:5). Décadas después de que Jesús habló estas palabras, el apóstol Juan escribió por inspiración: "Y tres son los que dan testimonio en la tierra: el Espíritu, el agua y la sangre; y estos tres concuerdan" (1 Juan 5:8). Dios une la sangre con el agua.

Invocar el Nombre del Señor en Verdad

¿Qué significa —bíblicamente— invocar el nombre del Señor? Después de la ascensión de Jesús al cielo, ¿qué ejemplos tenemos en el Nuevo Testamento de personas que invocan el nombre del Señor?

El primer caso se encuentra en Hechos 2 sólo diez días después que Jesús regresó al cielo. Pedro, habiendo sido bautizado en el Espíritu Santo, predicó el evangelio, como un hecho cumplido, por primera vez en la historia. En su sermón citó un texto de Joel:

> Y sucederá que todo aquel que invocare el nombre del Señor, será salvo (Hechos 2:21).

Mientras Pedro predicaba, sus oyentes sintieron tanta convicción en sus corazones, creyendo todo lo que Pedro decía, que clamaron, "a Pedro y a los demás apóstoles: Varones hermanos, ¿qué haremos?" (Hechos 2:37). ¿Dijo Pedro, "No hay nada que pueden hacer; Jesús lo hizo todo"? No, no lo dijo. ¿Dijo Pedro, "Recibe a Jesús en tu corazón"? No, no lo dijo. ¿Dijo Pedro, "Repite esta oración conmigo? No, no lo dijo.

¿Qué dijo Pedro? "Arrepentíos, y bautícese cada uno de vosotros en el nombre de Jesucristo para perdón de los pecados; y recibiréis el don del Espíritu Santo" (Hechos 2:38). ¿Qué hizo la gente? "Los que acogieron bien su palabra fueron bautizados; y se añadieron aquel día como tres mil personas" (2:41). Pedro primeramente le dijo a la gente que invocara el nombre del Señor para ser salvo. Luego dijo a los que creían que se arrepintieran y se bautizaran para ser salvos. Por tanto, la fe, el arrepentimiento y el bautismo tiene que ser la manera verdadera de invocar el nombre del Señor para ser salvo.

Si hay duda, Hechos 22:16 debe aclararlo todo. Este es el segundo caso donde las Escrituras específicamente nos dicen lo que personas hicieron para invocar el nombre del Señor para salvación. Hechos 22 contiene uno de tres registros de la conversión de Pablo; los otros se encuentran en Hechos 9 y 26. Cuando Pablo (llamado Saulo en ese momento) se encontró con Jesús en el camino a Damasco, "El, temblando y temeroso, dijo: Señor, ¿qué quieres que yo haga? Y el Señor le dijo: Levántate y entra en la ciudad, y se te dirá lo que debes hacer" (9:6). "Hacer" no es una palabra mala. Pablo le hizo directamente al Señor una pregunta con relación a "hacer". Jesús le dijo dónde podía averiguar lo que debía hacer. Note que Jesús ni salvó a Pablo en ese momento, ni le dijo cómo ser salvo. Al contrario, Jesús le dijo a Pablo a dónde tenía que ir para recibir la contestación correcta a su pregunta vital.

Según Hechos 9:8-12, Pablo fue a Damasco y ayunó y oró por tres días, y recibió otra visión. Cuando Ananías llegó, él contestó la pregunta con relación a qué "hacer". ¿Qué le dijo a Pablo que hiciera? "Levántate y bautízate, y lava tus pecados, invocando su nombre" (Hechos 22:16). Pablo ya había llegado a tener fe en el camino a Damasco. Pablo tiene que haberse arrepentido profundamente, pidiendo perdón a Dios durante esos tres días. Ahora a Pablo se le dijo lo que tenía que hacer para ser salvo. Pablo no dijo ninguna oracioncita de dos minutos pidiendo que Jesús entrara en su vida. ¡Había estado orando por tres días! Si la oración alguna vez fuera el momento para conseguir la salvación, ciertamente Pablo hubiera sido más que salvo antes de que Ananías llegara. Sin embargo, de la misma manera que Pablo no fue salvado ni por ver a Jesús, ni por su visión en Damasco, tampoco se salvó por tres días de oración y ayuno. Ananías había venido para decirle a Pablo que era tiempo de dejar de orar; era tiempo de "bautízate, y lava tus pecados, invocando su nombre". En el bautismo uno invoca el nombre del Señor para salvación.

El bautismo no es un sacramento de mérito ni una obra de justicia por la cual uno gana la salvación. Por el contrario, es un acto humilde de obediencia, de rendirse para ser sumergido en la sepultura de agua. En el bautismo un creyente arrepentido está invocando al Señor para salvación por medio de la gracia, la misericordia, el amor, y la sangre de Jesús. Los dos casos en Hechos son los únicos ejemplos en las Escrituras que explican exactamente lo que es invocar el nombre del Señor. No hay ningún ejemplo de solamente orar una oración para invitar a Jesús a su corazón. Si una persona verdaderamente cree en Jesús y verdaderamente cree lo que Jesús dice, esa persona va a buscar y aceptar la salvación bajo los términos de Jesús, no bajo los términos de algún predicador popular. No solamente debemos creer el evangelio, tenemos que obedecerlo. Ninguna oración sincera puede hacer que el pecador sea exento de la "llama de fuego, para dar retribución a los que no conocieron a Dios, *ni obedecen al evangelio* de nuestro Señor Jesucristo" (2 Tesalonicenses 1:8). Las itálicas son mías, pero las palabras son del Espíritu Santo.

¿Cuán importante es entender todo esto? Escuche lo que el Salvador mismo dijo: "No todo el que me dice: Señor, Señor, entrará en el reino de los cielos, sino el que hace la voluntad de mi Padre que está en los cielos" (Mateo 7:21). Esto está en un contexto donde Jesús dice: "es estrecha la puerta, y angosto el camino que lleva a la vida, y son pocos los que lo hallan" (7:14). Esto está en un contexto donde Jesús dice: "Guardaos de los falsos profetas" (7:15). Esto está en un contexto donde Jesús dice: "Pero todo el que me oye estas palabras y no las pone por obra, le compararé a un hombre insensato, que edificó su casa sobre la arena" (7:26). Invocar verbal o mentalmente al Señor Jesús no es suficiente. ¡Jesús lo dijo! Invitar a Jesús en el corazón de uno no es suficiente. Jesús dijo: "el que hace la voluntad de mi Padre". Por tanto, cuando la Escritura dice, "todo aquel que invocare el nombre del Señor, será salvo", tiene que entenderse en una manera más profunda y significativa que sencillamente pedir a Jesús que nos salve.

¿Nuestro Camino o el Camino de Dios?

Desde el principio de los tiempos, los hombres se han acercado a Dios a su propia manera. Antes de que Caín asesinara a su hermano, tuvo una confrontación directa con Dios. Llevó su propia ofrenda a Dios a su propia manera. "Y miró Jehová con agrado a Abel y a su ofrenda; pero no miró con agrado a Caín y a la ofrenda suya" (Génesis 4:4-5). No sabemos los detalles, pero ciertamente Caín y Abel los sabían. Lo que sí sabemos es que Caín llevó al Señor una ofrenda que el Señor no aceptó. Así, desde el principio de la Biblia, somos advertidos en contra de acercarnos a Dios bajo nuestros propios términos. Tenemos que acercarnos a Dios bajo sus términos o de ninguna manera.

Esto es lo que Naamán tuvo que aprender. Naamán era un comandante en el ejército sirio. Sin embargo, tenía lepra y deseaba grandemente sanarse. Estaba dispuesto a viajar lejos para sanarse. Estaba dispuesto a pagar mucho dinero para sanarse. Sin embargo, no estaba dispuesto a humillarse para sanarse. A pesar de que sabía que no tenía poder para sanarse él mismo, y a pesar de que tenía fe que un profeta de un Dios extranjero podía sanarle, de todas maneras, tenía su propia idea preconcebida de cómo se debería llevar a cabo la curación. Estaba tan trancado en su propia idea y tan adverso a humillarse que llegó hasta el extremo de enojarse por la curación ofrecida. Se dirigió hacia su hogar sin haber sido sanado.

La curación ofrecida a Naamán fue sencilla: "Ve y lávate siete veces en el Jordán, y tu carne se te restaurará, y serás limpio" (2 Reyes 5:10). Naamán tenía dos problemas con esta instrucción. Primeramente, por su orgullo nacionalista, consideraba los ríos de su país de nacimiento muy superiores a los de la tierra del enemigo Israel. Segundo, quería ser tratado con respeto. El profeta de Dios, Eliseo, ni siquiera había salido de su casa para saludar al comandante. Más bien, Eliseo había enviado un mensajero que le dijo a Naamán que se lavara siete veces en el Jordán. Nada de esto estaba de acuerdo con el concepto preconcebido de Naamán de cómo sucedería: "He aquí yo decía para mí: Saldrá él [Eliseo] luego, y estando en pie invocará el nombre de Jehová su Dios, y alzará su mano y tocará el lugar, y sanará la lepra" (5:11).

Afortunadamente para Naamán, tuvo unos siervos amables que se preocuparon suficientemente por su maestro que se atrevieron a retar su comportamiento irrazonable. Le dijeron, "Padre mío, si el profeta te mandara alguna cosa muy difícil, ¿no la harías? ¿Cuánto más, diciéndote: Lávate, y serás limpio?" (5:13). A su crédito, Naamán escuchó a sus siervos razonables, abandonó sus prejuicios preconcebidos, se humilló, y fue y se lavó en el Jordán siete veces. Y, ¡fue sanado!

Hay un paralelo extraordinario entre el caso de Naamán y la situación moderna con relación a la salvación. Muchas personas hoy día reconocen que son pecadores perdidos, que no pueden curarse a ellos mismos, y que el "profeta de Israel", Jesús, es el único que tiene el poder de transformar sus vidas. Sin embargo, como Naamán, estas personas tienen sus propias ideas preconcebidas de cómo pueden salvarse. Cuando se les dice que tienen que sumergirse en agua para tener sus pecados lavados, se molestan y dicen que ciertamente el agua no puede tener nada que ver con la salvación. Por otro lado, cuando un predicador les invita a pasar al frente de la sala y pone la mano sobre ellos para orar por su salvación, les gusta la idea y se sienten muy confiados de que Dios ha quitado sus pecados.

Un problema grave es que el perdón de pecados no se puede ver físicamente como ser limpio de la lepra. Por tanto, la gente se puede engañar fácilmente al pensar que, puesto que un gran predicador de Dios oró la oración del pecador con ellos, ciertamente sus pecados han sido perdonados. Se engañan hasta en *sentirse* perdonados. Sin embargo, los sentimientos no prueban la realidad; sino que los sentimientos son una reacción a nuestra percepción de la realidad. El patriarca Jacob se afligió de verdad cuando llegó a creer una evidencia falsa de que José había sido matado (Génesis 37:28-35). Nadie sugeriría que la tristeza de Jacob era una prueba de la muerte de José. De la misma manera, un sentimiento de ser perdonado no es una prueba de perdón. El perdón ocurre en la mente de Dios; es Dios quien dicta cuándo somos salvos. Por tanto, necesitamos la humildad que tuvo Naamán cuando sus siervos le hablaron. Necesitamos escuchar mientras un siervo de Dios nos lee la Palabra de Dios. Necesitamos humillarnos y venir a Jesús bajo sus términos, no bajo nuestros términos, ni bajo los términos de un predicador famoso.

La rebelión terca de Naamán comenzó con estas palabras: "He aquí yo decía para mí..." O, como dice la versión en inglés, King James: "Yo pensaba..." Esto especifica el problema. "Yo decía para mí, yo pensaba". Tenemos nuestras propias ideas preconcebidas. Pensamos que sabemos lo que Dios debe hacer. No obstante, como Dios declaró hace muchos años por medio de Isaías:

> Porque mis pensamientos no son vuestros pensamientos, ni vuestros caminos mis caminos, dice Jehová. Pues así como los cielos son más altos que la tierra, así son mis caminos más altos que vuestros caminos, y mis pensamientos más que vuestros pensamientos (Isaías 55:8-9).

El eje de toda nuestra relación con el Creador es moldear nuestros pensamientos a los pensamientos de él.

¿Fue Naamán limpiado por obras de mérito? De ninguna manera. Fue limpiado cuando se humilló y tuvo suficiente fe en Dios para hacerlo en la manera de Dios. Las precondiciones de Dios son sencillamente una prueba de la fe y humildad de un hombre. Las Escrituras dicen del Salvador: "Y aunque era Hijo, aprendió la obediencia por lo que padeció" (Hebreos 5:8). ¿Captó eso usted? Nuestro querido Salvador que murió en la cruz por nuestros pecados estaba, en ese mismo hecho, aprendiendo obediencia. ¿Nos atrevemos a pensar que podemos aprovechar Su sacrificio salvador sin aprender la obediencia en nuestras vidas? De hecho, el sagrado texto continúa: "y habiendo sido perfeccionado, vino a ser fuente de eterna salvación para todos los que le *obedecen*" (itálicas mías). El bautismo no es una obra humana para ganar la salvación. Al contrario, el bautismo de las Escrituras es el resultado de tener una fe suficientemente fuerte para humildemente obedecer a Jesús. El bautismo bíblico es el resultado de arrepentirse por hacer las cosas a nuestra manera en vez de a la manera de Dios.

La popular oración del pecador de hoy día es una representación de la manera que Naamán pensaba que se debía sanar.

El arrepentimiento y el bautismo son una representación de la manera que Naamán en verdad fue sanado. "La oración de salvación" es el sustituto del hombre para el bautismo de un creyente. Jesús nunca dijo, "El que crea y ore, será salvo". No obstante, sí dijo, "El que crea y sea bautizado, será salvo". Todos tenemos que decidir si vamos a tener fe en los predicadores y novelistas modernos o en el eterno Hijo de Dios.

La fe que es lo suficientemente fuerte para llevarnos a una obediencia humilde no es solamente una condición para recibir el perdón inicial, sino también una condición para permanecer en Cristo. Escuche al Espíritu Santo hablando por Pablo: "Así que, amados míos, tal como siempre habéis obedecido, no como en mi presencia solamente, sino mucho más ahora en mi ausencia, procurad vuestra salvación con temor y temblor" (Filipenses 2:12). ¿Es la salvación por la fe? ¡Absolutamente! ¿Se puede ganar la salvación? ¡Absolutamente que no! Sin embargo, la salvación ni se obtiene ni se retiene por una fe desprovista de humildad, arrepentimiento, obediencia, y amor. Fue el Salvador mismo que dijo: "No todo el que me dice: Señor, Señor, entrará en el reino de los cielos, sino el que hace la voluntad de mi Padre que está en los cielos... Guardaos de los falsos profetas" (Mateo 7:21, 15).

Capítulo 19

Nadie Será Dejado Atrás

"No tomes la vida tan seriamente. No te preocupes acerca de las consecuencias de cómo tú te comportas, especialmente las consecuencias después de esta vida. Vive tu vida al máximo. Haz lo que te haga sentir bien. Sigue tus sueños. Cuando mueras, todo se acaba". ¿Suena esto familiar? Es la voz de la filosofía de "derecho a elegir", la cual no está limitada a los que escogen matar a los niños antes de que nazcan. El derecho a elegir es la filosofía fundamental de todos los que no quieren estar sujetos a nadie más que a ellos mismos y a sus propios deseos. Este es el punto de vista de los evolucionistas, quienes creen que la raza humana es un accidente de pura casualidad y que no hay nada más allá de la muerte sino la descomposición del cuerpo en la tumba. Pablo expresa ésta interpretación materialista de la vida de ésta manera: "Si los muertos no resucitan, comamos y bebamos, porque mañana moriremos" (1 Corintios 15:32).

Las personas religiosas, por otro lado, normalmente creen en la vida después de la muerte. Creemos en el alma y el espíritu de los seres humanos. Creemos que la muerte es un portal a la vida después de la muerte. Sin embargo, las personas religiosas, también, muy a menudo, somos motivados a vivir de acuerdo a nuestros deseos. Reprimimos fácilmente nuestros pensamientos acerca de las consecuencias eternas. Frecuentemente tenemos un sentimiento básico de que al final todo va a salir bien. Esta mentalidad hasta forma parte de algunas doctrinas religiosas —aquellas que ofrecen una segunda oportunidad después de esta vida.

La Reencarnación

Entre las religiones orientales, la doctrina más popular de una segunda oportunidad es la reencarnación. En tiempos recientes, más y más personas occidentales se cansan de su patrimonio religioso, y acuden al Oriente para obtener ideas religiosas y filosóficas. Habiendo rechazado la Biblia, muchas personas fácilmente aceptan la teoría de la reencarnación. "Tu vida presente es sólo la circunstancia actual en una cadena larga de encarnaciones en éste mundo", dicen los creyentes en la reencarnación.

Aunque la gente se dé cuenta o no, la atracción básica de la reencarnación es que elimina el temor del juicio de Dios después de la muerte. Elimina el serio reconocimiento de que un día estaremos cara a cara delante de nuestro Creador para rendir cuentas. La reencarnación enseña que el proceso de purificación gradual es iluminación y se logra utilizando todas las vidas que sean necesarias en la tierra hasta que finalmente la persona es absorbida en lo que ellos llaman Nirvana.

En realidad, solamente el Creador del mundo puede tener el conocimiento de lo que sucede después de la muerte. ¿Qué ha dicho Él? "Y de la misma manera que está reservado a los hombres el morir una sola vez, y después de esto el juicio" (Hebreos 9:27). Puesto que morimos una sola vez, sólo tenemos una vida para vivir en éste mundo. ¿Qué viene después de esa única vida y única muerte? El juicio de Dios.

El Purgatorio

Ahora dejemos las creencias paganas para considerar las creencias "cristianas", y encontramos muchas personas que son de la opinión de que no son tan malas para ir al infierno, pero tampoco son tan buenas para ir al cielo. Ciertamente, creen ellos, que debe haber otra opción. La iglesia de Roma ofrece oficialmente esa tercera opción: el purgatorio.

Roma dice que el purgatorio es el lugar para los muertos que no fueron ni muy malos ni muy buenos. Dice que aquellos que mueren con pecado *mortal* (pecado muy serio) sin perdón van al infierno, mientras que aquellos que viven como "santos" van al cielo. La mayoría de los católicos supuestamente terminan en el purgatorio. La palabra viene del verbo *purgar*: purificar o limpiar. Su creencia es que el sufrimiento por un tiempo limitado en el fuego del purgatorio purifica el alma de su culpa por los pecados *veniales* (no tan serios). Sin embargo, Roma también enseña que los que todavía están vivos pueden ayudar a los muertos que están en el purgatorio por medio de oraciones, limosnas, ayunos, indulgencias, y misas conducidas a su favor. Los católicos creen que tales buenas obras hechas en la tierra pueden reducir la cantidad de sufrimiento requerido por los que están en el purgatorio. Sin embargo, puesto que la cantidad de sufrimiento requerido y la cantidad de sufrimiento aliviado nunca se definen claramente, los familiares continúan con estas actividades mientras su preocupación los motive. Al final del mundo, según esta creencia, el purgatorio llegará a su fin, y aquellos que han purgado sus pecados por medio del sufrimiento son recibidos en el cielo eterno.

Aunque a nadie le gusta la idea de sufrir en el purgatorio, la doctrina es consoladora porque ofrece un escape del infierno eternal. "Pues sí", se dice a sí mismo un creyente de ésta doctrina, "sufriré en el purgatorio por un tiempo, pero hay sufrimientos en esta vida, también. Lo importante es que escaparé del sufrimiento eterno". Consciente o inconscientemente, uno que cree en la existencia del purgatorio no tiene que estar muy preocupado con su vida en la tierra porque, al final, todo saldrá bien.

La Biblia no menciona en ninguna parte el purgatorio. Al contrario, la historia que Jesús contó del hombre rico y Lázaro prueba que ésta teoría es falsa. El hombre rico murió y estaba en tormentos, Lázaro murió y estaba en paz. Luego el texto explica:

> Además de todo esto, una gran sima está puesta entre nosotros y vosotros de manera que los que quieran pasar de aquí a vosotros, no puedan, ni de allá pasar acá (Lucas 16:26).

En la muerte, hay un lugar de tormento y un lugar de felicidad. Entre estos dos hay una gran sima infranqueable. La palabra de Dios habla sólo de dos alternativas que ocurren después de la muerte o cuando Jesús vuelva: una persona se salva o se pierde, una persona va al tormento o al descanso:

> Es ancha la puerta, y espacioso el camino que lleva a la perdición, y son muchos los que entran por ella; porque es estrecha la puerta, y angosto el camino que lleva a la vida, y son pocos los que lo hallan (Mateo 7:13-14).

La Escritura no conoce un sitio entremedio donde van los que no son ni muy malos ni muy buenos. De acuerdo a la Palabra del Creador, no hay una segunda oportunidad después de la muerte; más bien, al morir, el destino de una persona está sellado con tormento o felicidad —eternamente.

El Purgatorio Protestante

Aunque parezca mentira, el futurismo evangélico también ofrece una segunda oportunidad para salvación —no después de la muerte sino después de que Jesús regrese. De acuerdo a la doctrina del Rapto, aquellos que serán dejados atrás tienen una segunda oportunidad para recibir a Cristo. La esperanza que ofrece el futurismo es un escape de la Gran Tribulación. Sin embargo, al mismo tiempo, el futurismo deja la puerta de la salvación completamente abierta para aquellos que son dejados atrás. Con esto en mente, la Gran Tribulación es como un purgatorio protestante de corta duración —si usted no acepta a Jesús antes del Rapto, usted todavía puede ser salvo, pero tendrá que pasar por mucho sufrimiento terrible en el proceso.

Tal enseñanza permite a una persona que duda de la verdad de la doctrina del Rapto decidir: "Esperaré a ver qué pasa. Si viene el Rapto, podré saber que el futurismo es verdad, y luego tendré oportunidad de arreglarme con Dios. Sí, tendré que sufrir algo, pero será un tiempo emocionante y todo saldrá bien al final". Oiga a Tim LaHaye admitir este problema: "Escuché personas inconscientes que dicen, 'Esperaré hasta la Tribulación para recibir a Cristo.'"[1] Y ¿porque no? ¿Realmente es que estas personas son inconscientes? O ¿es que están esperando la prueba de que la doctrina del Rapto del futurismo sea verdad? Parece ser que la doctrina del Rapto los alienta a posponer una decisión de arreglarse con Dios.

La oferta del futurismo de que haya una esperanza para una segunda oportunidad después del Rapto es más que un asunto pasajero de poca importancia. Oigamos a Mark Hitchcock:

> ... el Arrebatamiento. Este se podría convertir en el suceso evangelístico más grande de todos los tiempos. Millones de personas que han oído hablar del Arrebatamiento, pero nunca han recibido a Cristo se darán cuenta de pronto de que todo lo que se les había dicho era cierto.[2]

No es solamente el Rapto que se ve como un gran evento evangelístico ofreciendo una segunda oportunidad; sino que también lo es la Tribulación:

> De hecho, la salvación de las almas perdidas parece ser uno de los principales propósitos por los que se producirá ese período... Dios va a usar los horrores del período de la Tribulación para llevar a millones de pecadores a la fe en su Hijo. Habrá un gran avivamiento... Con toda seguridad... se encontrarán algunos a quienes nuestro bondadoso Señor les habrá dado una segunda oportunidad.[3]

Tim LaHaye está de acuerdo:

> Tiene que haber una gran cosecha de almas, quizá un billón o más de personas que vengan a Cristo.[4]
>
> Apocalipsis 7:9 indica que durante la primera parte de la Tribulación tendrá lugar la cosecha de almas más grande de toda la historia. Por cierto, éste escritor cree que habrá más gente que acepte a Cristo durante los primeros meses de la Tribulación, antes de que el anticristo tenga una verdadera oportunidad de consolidar su gobierno mundial y de establecer su religión única en la cual él será el objeto de adoración (Apocalipsis 13:5-7), que todos

> los que se convirtieron en los casi dos mil años de la era de la Iglesia.[5]

¿Entendió lo que está diciendo? Él está diciendo que en menos de siete años ("los primeros meses de la Tribulación") ¡habrá más personas convertidas a Cristo de los que se han convertido en los pasados dos mil años! Él está diciendo que ¡una vez que Jesús remueva Su iglesia de la tierra por el Rapto, Su trabajo realmente podrá seguir adelante!

Segundas Oportunidades

¿Será la venida de Jesús por Su iglesia una gran oportunidad evangelística?, o ¿será el *fin* de toda oportunidad? La venida de Jesús ¿introducirá días emocionantes para este mundo?, o ¿traerá la venida de Jesús el *fin* de este mundo? ¿Será el Rapto y la Gran Tribulación la invitación final de Dios para mí'?, o ¿es ya el evangelio en la Biblia su invitación final para mí? Estas no son sólo preguntas proféticas interesantes. Estas son preguntas de vida o muerte —vida eterna y la segunda muerte. No podemos depender de novelas de profecía para que nos den las respuestas. Debemos volver a la palabra de Dios.

Ciertamente, muchas personas reciben una segunda oportunidad en *esta vida* para entregar sus vidas a Cristo. Efectivamente, la mayoría de las personas tienen numerosas oportunidades. De hecho, el término "segunda oportunidad" por sí mismo no expresa el asunto. El asunto es si hay otra oportunidad de dar la vida a Cristo después de la muerte o después del regreso de Cristo. En el caso de la reencarnación y el purgatorio, el asunto es la idea de que la muerte no sella nuestro destino final. En el caso del escenario de los "Dejados Atrás", el asunto es la idea de que la venida de Jesús no sella nuestro destino final.

La proposición de este libro, *Nadie Será Dejado Atrás,* es que mientras todas las doctrinas de segundas oportunidades les ofrecen a las personas una esperanza falsa, la verdad de acuerdo a la Biblia es que cuando Jesús regrese, el mundo terminará, no habrá más vida física, no habrá más oportunidades de arreglarse con Dios, y no habrá más tiempo —no habrá siete años, no habrá mil años, no habrá ningún tiempo para nada. La eternidad habrá llegado. La proposición de *Nadie Será Dejado Atrás* es que Jesús vendrá solamente una sola segunda vez.

El concepto detrás del término "nadie será dejado atrás" debe ser entendido. No quiere decir que todo el mundo será raptado. Ni tampoco quiere decir que cuando la iglesia sea raptada, los malos serán aniquilados. Al contrario, "nadie será dejado atrás" es solamente una manera de expresar la verdad que nadie quedará en esta tierra después de los eventos extraordinarios conectados con la venida de Cristo. Él viene para juzgar tanto a los vivos como a los muertos. Él viene para recibir a algunos a vida eterna y a echar a otros a eterna condenación. Todos estaremos frente a Él. Toda oportunidad para conversión será terminada. Esta vida, este mundo, el tiempo mismo no existirán más. No habrá ninguna oportunidad de última hora para arreglarse con Dios.

El Sistema Cronológico del Futurismo No Está en las Escrituras

El punto de vista futurista es mucho más que una enseñanza de que Jesús viene otra vez. El futurismo presenta un programa complejo de eventos, y coloca el cumplimiento de la mayoría de las profecías bíblicas en nuestro futuro. Declara dos o más venidas de Jesús, varias resurrecciones, varios grupos diferentes de individuos salvados, varios juicios, y dos templos de los judíos reconstruidos.

El futurismo se da cuenta de los textos bíblicos que expresan diferentes aspectos de la Segunda Venida de Jesús. Reclama que las diferencias sólo pueden armonizarse por teorizar dos venidas futuras. Sin embargo, ninguna Escritura enseña dos venidas futuras; ni tampoco requieren dos venidas los diferentes aspectos. Por ejemplo, la Palabra enseña que la venida de Jesús será tanto un evento de gozo como un evento de temor. Esto no indica de ninguna manera dos venidas; al contrario, indica que habrá dos clases de personas en la tierra cuando Él venga. Para los salvos, será un tiempo de gozo; para los perdidos un tiempo de perdición.

En adición a poner en conflicto un texto contra otro, el futurismo añade ideas que no se encuentran en los textos, y conectan textos que no tienen ninguna relación uno con otro. La verdad es que el sistema cronológico presentado por el futurismo no se puede encontrar en ningún lugar en las escrituras. Considere la siguiente admisión por Hal Lindsey, el escritor futurista de más influencia antes de que la serie "Dejados Atrás" fuera escrita:

> Gundry [un pos-tribulacionista] se opone a este escenario. Él hace gran hincapié en el hecho de que las Escrituras no mencionan en ninguna parte la resurrección de la iglesia antes de la Tribulación. Pero tampoco las escrituras mencionan específicamente en ninguna parte la resurrección de la iglesia ni al medio ni al fin de la Tribulación.[6]

Lindsey acepta el "gran punto" de Gundry, añade más, y luego llega a ésta conclusión: ¡La Escritura en ninguna parte menciona específicamente una resurrección de la iglesia (Rapto) antes de, en medio de, o al fin de la Tribulación! ¡Esto es asombroso! A pesar de todos los sermones predicados, libros escritos, y gráficas publicadas, el sistema cronológico del futurismo no existe en las Escrituras —ni en la relación entre el Rapto y la Tribulación, como se admite aquí, ni tampoco en muchos otros puntos vitales estudiados ya en *Nadie Será Dejado Atrás*. Para expresarlo en los términos más bondadosos posible, el plan cronológico del futurismo es una teoría inventada por los hombres y no probada. Es un sistema inventado de cronología utilizando muchas profecías que ya han sido poderosamente cumplidas, como ha sido ya demostrado en *Nadie Será Dejado Atrás*. Con la caída del sistema cronológico del futurismo, la teoría de dos futuras venidas de Cristo también cae. Ninguna Escritura ofrece dicho programa ni tampoco hace referencia a dos futuras venidas.

El Fin es el Fin

Jesús no dijo, "Como fue en los días de Enoc o Elías..." Jesús dijo, "Como fue en los días de Noé... Asimismo como sucedió en los días de Lot..." (Lucas 17:26, 28). Cuando Enoc fue arrebatado al cielo, el mundo *sí* continuó. Cuando Elías fue arrebatado al cielo, el mundo *sí* continuó. Sin embargo, cuando Lot escapó de Sodoma, todos los dejados atrás fueron quemados vivos. Cuando Noé escapó dentro del arca, todos los que quedaron afuera se ahogaron. Jesús nunca comparó Su venida con los días de Enoc o Elías, sino a los días de Lot y Noé.

No existe ningún versículo en las Escrituras que ni siquiera insinúe una vida normal en éste planeta después de la venida de Jesús, sea que Su venida sea llamada el Rapto o la Segunda Venida. Los aviones que caen, los bebés que desaparecen, etc., son fábulas, que no son insinuadas en ningún lugar en las Escrituras. Más bien las Escrituras enseñan que cuando Jesús vuelva, será el fin.

JESÚS VIENE...

Una vez que reconozcamos que las Escrituras enseñan sólo una segunda venida, estaremos listos para examinar los numerosos textos que hablan de éste tremendo evento. Esto no quiere decir que las Escrituras nos den un relato detallado o que podremos construir una cronología de todos los elementos envueltos. Debemos cuidarnos de la tentación de exponer lo que no sabemos. "Las cosas secretas pertenecen a Jehová nuestro Dios, mas las reveladas son para nosotros" (Deuteronomio 29:29).

Muchos textos tratan con eventos relacionados con la venida de Jesús. Sin embargo, para ayudar en aclarar el asunto, en éste estudio sólo serán citados los textos que directamente mencionan Su venida. En casi todos los ejemplos, la palabra "venida" o el verbo "venir" se usa en alguna forma. La meta es obtener esclarecimiento de cuáles eventos y cuáles características se conectan a la Segunda Venida de Jesús según las Escrituras. En el año 30 d.C., al ascender Jesús,

> le tomó sobre sí una nube que le ocultó de sus ojos. Y estando ellos

> con los ojos puestos en el cielo, entretanto que él se iba, he aquí que se pusieron junto a ellos dos varones con vestiduras blancas, los cuales también les dijeron: Varones galileos, ¿por qué estáis mirando al cielo? Este mismo Jesús, que ha sido tomado de vosotros al cielo, vendrá así, tal como le habéis visto ir al cielo (Hechos 1: 9-11).

Años después de la ascensión de Jesús, el Espíritu Santo declaró:

> Vivamos en este siglo sobria, justa y piadosamente, aguardando la esperanza bienaventurada y la manifestación gloriosa de nuestro gran Dios y Salvador Jesucristo (Tito 2:12-13).

> Así también Cristo fue ofrecido una sola vez, para llevar los pecados de muchos; y aparecerá por segunda vez, sin relación con el pecado, a los que le esperan ansiosamente para salvación (Hebreos 9:28).

¡Jesús viene por segunda vez! Veamos ahora cómo será Su Segunda Venida.

... Viene Visiblemente para Todos

La venida de Jesús será observada por todos:

> He aquí que viene con las nubes, y todo ojo le verá, y los que le traspasaron; y todos los linajes de la tierra harán lamentación por él. Sí, amén (Apocalipsis 1:7).

Hasta los malos entenderán lo que está pasando; por tanto, lamentarán. De hecho, Jesús mismo categorizó cualquier reportaje noticiero de Su venida como prueba de que todavía no ha venido. Cualquier explicación de que Él ha venido es automáticamente prueba de que Él no ha venido. Cuando Él venga, todo el mundo lo sabrá, nadie necesitará explicaciones. Escuche al Maestro:

> Entonces, si alguno os dice: Mirad, aquí está el Cristo, o mirad, allí está, no lo creáis... Así que, si os dicen: Mirad, está en el desierto, no salgáis; o mirad está en las habitaciones interiores, no lo creáis. Porque así como el relámpago que sale del oriente y brilla hasta el occidente, así será también la venida del Hijo del Hombre... y entonces harán duelo todas las tribus de la tierra, y

verán al Hijo del Hombre viniendo sobre las nubes del cielo (Mateo 24:23, 26-27, 30).

... Viene en Gloria y Poder

Al continuar con el texto anterior, Jesús dice que Su Segunda Venida será con poder y gloria. Será en gran contraste con Su primera venida, cuando Él vino humilde como un carpintero para ser abusado por Su propia gente:

> Y verán al Hijo del Hombre viniendo sobre las nubes del cielo con poder y gran gloria (Mateo 24:30).

> El Hijo del Hombre... cuando venga en la gloria de su Padre con los santos ángeles (Marcos 8:38).

> Porque el Hijo del Hombre ha de venir en la gloria de su Padre con sus ángeles (Mateo 16:27).

... Viene a Levantar a los Muertos

> Porque ya que la muerte entró por un hombre, también por un hombre la resurrección de los muertos. Porque así como en Adán todos mueren, también en Cristo todos serán vivificados. Pero cada uno en su debido orden: Cristo las primicias; después los que son de Cristo en su venida. Después el fin, cuando entregue el reino al Dios y Padre (1 Corintios 15:21-24).

> Por lo cual os decimos esto por palabra del Señor: que nosotros los que vivamos, los que hayamos quedado hasta la venida del Señor, no precederemos a los que durmieron. Porque el Señor mismo con voz de mando, con voz de arcángel, y con trompeta de Dios, descenderá del cielo; y los muertos en Cristo resucitarán primero. Luego nosotros los que vivamos, los que hayamos quedado, seremos arrebatados juntamente con ellos en las nubes para salir al encuentro del Señor en el aire, y así estaremos siempre con el Señor (1 Tesalonicenses 4:15-17).

Sean buenos o malos, todos morimos por causa de Adán. De la misma manera, todos seremos levantados de los muertos por causa de Cristo. Aquellos que estén vivos cuando Jesús vuelva no tendrán ventaja sobre los que están muertos. De hecho, los santos que han muerto serán levantados antes de que cualquiera sea llevado para estar con el Señor.

... Viene a Juzgar al Mundo

La venida de Jesús traerá bendición y maldición, esperanza y temor, promesa y castigo. Será maravilloso y terrible. ¿Cómo puede ser ambas cosas al mismo tiempo? Porque Él vendrá a juzgar y a recompensar a todos nosotros de acuerdo a la vida que hayamos vivido:

> Porque el Hijo del Hombre ha de venir en la gloria de su Padre con sus ángeles, y entonces pagará a cada uno conforme a su conducta (Mateo 16:27).

Un relato sobresaliente acerca de la venida de Jesús a juzgar a toda la humanidad se encuentra en Mateo 25:

> Cuando el Hijo del Hombre venga en su gloria, y todos los santos ángeles con él, entonces se sentará en su trono de gloria y serán reunidas delante de él todas las naciones, y separará los unos de los otros, como separa el pastor las ovejas de los cabritos... Entonces el Rey dirá a los de su derecha: Venid, benditos de mi Padre, heredad el reino preparado para vosotros desde la fundación del mundo... De cierto os digo que en cuanto lo hicisteis a uno de estos mis hermanos más pequeños, a mí me lo hicisteis. Entonces dirá también a los de la izquierda: Apartaos de mí, malditos, al fuego eterno preparado para el diablo y sus ángeles (Mateo 25:31-32, 34, 40-41).

Jesús viene con Sus ángeles y en gloria. ¡Será el día de juicio! Se sentará en un trono con todas las naciones reunidas delante de él, y serán separados en dos grupos. Jesús indica que una base para el juicio será cómo hemos tratado a Sus hermanos. Otras Escrituras enseñan que estos son hermanos espirituales y no físicos. Durante Su ministerio, Jesús hizo muy claro que la relación física con Él no resultaba en favores especiales, aunque sea para Su madre o Sus hermanos:

> Había una multitud sentada alrededor de él, y le dijeron: Tu madre y tus hermanos están afuera, y te buscan. Él les respondió diciendo: ¿Quienes son mi madre y mis hermanos? Y mirando en torno a los que estaban sentados en corro a su alrededor, dijo: Éstos son mi madre y mis hermanos. Porque cualquiera que hace la voluntad de Dios, ése es mi hermano, mi hermana, y mi madre (Marcos 3:32-35).

Nuestro juicio y destino eterno son basados en parte en nuestro comportamiento hacia los hermanos, hermanas, y madre de Jesús —aquellos que hacen la voluntad de Dios. Jesús dice además que Él vendrá a juzgarnos de acuerdo a lo que hayamos hecho con lo que Él nos ha confiado:

> Porque el reino de los cielos es como un hombre que, al irse de viaje, llamó a sus siervos y les encomendó sus bienes... Después de mucho tiempo, volvió el señor de aquellos siervos, y ajustó cuentas con ellos (Mateo 25:14, 19).

> He aquí, vino el Señor con sus santas decenas de millares, para hacer juicio contra todos, y dejar convictos a todos los impíos de todas sus obras impías que han hecho impíamente, y de todas las cosas duras que los pecadores impíos hablaron contra él (Judas 14-15).

El juicio envuelve una decisión divina que resulta en exoneración o castigo. Por tanto, los textos citados hablan de los dos resultados. Los textos en las siguientes dos secciones están estrechamente relacionados al juicio, pero se concentran más en los resultados que en el mismo juicio.

... Viene a Castigar a los Malos

En la segunda epístola de Pablo a los Tesalonicenses, él presenta muchas verdades relacionadas con la venida del Señor, incluyendo el castigo de los malos en general y el castigo del hombre de pecado en particular:

> Cuando sea revelado el Señor Jesús desde el cielo con los ángeles de su poder, en llama de fuego, para dar retribución a los que no conocieron a Dios ni obedecen al evangelio de nuestro Señor Jesucristo; los cuales sufrirán pena de eterna perdición, excluidos de la presencia del Señor y de la gloria de su potencia, cuando venga para ser glorificado en aquel día en sus santos y ser admirado en todos los que creyeron... Pero con respecto a la venida de nuestro Señor Jesucristo, y nuestra reunión con él... Nadie os engañe en ninguna manera, porque no vendrá sin que antes venga la apostasía, y sea revelado el hombre de pecado... a quien el Señor matará con el espíritu de su boca, y lo reducirá a la impotencia con la manifestación de su venida (2 Tesalonicenses 1:7 a 2:8).

Una de las cosas más claras en la profecía es lo que Pablo enseña en 2 Tesalonicenses 2. Léalo de nuevo usted mismo a ver si lo siguiente es una paráfrasis verdadera del texto parcialmente citado arriba: Jesús viene a castigar eternamente a los malos y al mismo tiempo Él glorifica a Sus santos. Su venida no sería inmediata, porque la apostasía y el hombre de pecado tenían que venir primero. De hecho, cuando Jesús venga, el hombre de pecado será destruido.

... Viene a Recibir a los Salvos en el Cielo

El Espíritu Santo dice en Efesios 4:4 que los cristianos tienen "una misma esperanza". Esa esperanza bendita está conectada con la venida de Jesús:

> Y verán al Hijo del Hombre viniendo sobre las nubes del cielo con poder y gran gloria. Y enviará sus ángeles con gran voz de trompeta, y reunirán a sus escogidos, de los cuatro vientos, desde un extremo del cielo hasta el otro (Mateo 24:30-31).

> No se turbe vuestro corazón, creéis en Dios, creed también en mí. En la casa de mi Padre hay muchas mansiones; si no, ya os lo hubiera dicho; voy, pues, a preparar lugar para vosotros. Y si me voy y os preparo lugar, vendré otra vez, y os tomaré conmigo, para que donde yo estoy, vosotros también estéis (Juan 14:1-3).

> Más nuestra ciudadanía está en los cielos, de donde también esperamos al Salvador, al Señor Jesucristo; el cuál transfigurará el cuerpo de nuestro estado de humillación, conformándolo al cuerpo de la gloria suya, en virtud del poder que tiene también para someter a sí mismo todas las cosas (Filipenses 3:20-21).

... Viene a Destruir la Tierra

> El cielo y la tierra pasarán, pero mis palabras no pasarán. Pero de aquel día y de aquella hora nadie sabe, ni aun los ángeles del cielo, sino sólo mi Padre. Mas como en los días de Noé, así será la venida del Hijo del Hombre. Porque como en los días antes del diluvio estaban comiendo y bebiendo, casándose y dándose en matrimonio, hasta el día en que Noé entró en el arca, y no se dieron cuenta hasta que vino el diluvio y se los llevó a todos, así será también la venida del Hijo del Hombre (Mateo 24:35-39).

El mismo Hijo del Hombre declaró estas emocionantes palabras. He aquí algunas verdades vitales expresadas por Él:

1. Esta tierra un día será destruida.
2. Nadie sabe cuándo pasará.
3. Será similar a los días de Noé.
4. Tomará lugar cuando Jesús venga otra vez.
5. La vida en la tierra será normal hasta ese tiempo.
6. El fin vendrá inesperadamente.
7. Los malos serán llevados sin ninguna segunda oportunidad.

Muchos años después de la ascensión de Jesús, el inspirado apóstol Pedro escribió acerca de los mismos eventos:

> En los últimos días vendrán burladores sarcásticos, andando según sus propias concupiscencias, diciendo: ¿Dónde está la promesa de su Venida?... Éstos ignoran voluntariamente que… el mundo de entonces pereció anegado en agua; pero los cielos y la tierra actuales, están reservados por la misma palabra, guardados para el fuego en el día del juicio y de la perdición de los hombres impíos… Pero el día del Señor vendrá como un ladrón en la noche, en el cual los cielos desaparecerán con grande estruendo, y los elementos ardiendo serán deshechos, y la tierra y las obras que en ella hay serán quemadas… Pero esperamos, según su promesa, cielos nuevos y tierra nueva, en los cuales habita la justicia (2 Pedro 3:3-7, 10, 13).

Las palabras inspiradas de Pedro nos ayudan a entender muchas cosas relacionadas a la Segunda Venida de Jesús:

1. Los incrédulos, que viven en sus concupiscencias, se burlan de la Segunda Venida de Jesús.
2. Ellos también ignoran voluntariamente la evidencia de un diluvio mundial.
3. El mundo que existió en tiempos de Noé pereció.
4. El mismo Dios quien una vez destruyó la tierra con un diluvio se está preparando para destruirla por segunda vez con fuego.
5. La destrucción de la tierra *no* será hecha por el hombre. Será por “la misma palabra” que inundó el mundo en el tiempo de Noé; será “el día del Señor”.

6. Nadie sabe cuándo pasará.

7. El fin vendrá inesperadamente como la venida de un ladrón.

8. No sólo la tierra sino también los cielos serán disueltos.

9. Será un tiempo de juicio y perdición para los malos; no se menciona ninguna segunda oportunidad.

10. Será el comienzo de nuevos cielos y nueva tierra para los justos.

Tanto Jesús como Pedro declararon un paralelo importante entre el diluvio de Noé y la venida de Jesús. Ambos suceden inesperadamente. Ambos traen el final del mundo en existencia. Ambos eliminan cualquier posibilidad de una segunda oportunidad.

A la medida que el conocimiento del hombre aumenta, también aumenta su habilidad de causar dolor y muerte. ¿Vendrá pronto el día en que alguien "apriete un botón" para destruir la civilización? ¿Está el hombre encaminándose inevitablemente a la destrucción de sí mismo?

¡De ninguna manera! El hombre no se creó a sí mismo, ni tampoco se destruirá a sí mismo. Ninguna tercera guerra mundial ni cualquier otra acción que el hombre tome traerá el fin de este mundo. Ni siquiera la sobrepoblación o el calentamiento del planeta. El fin de éste mundo no será el "día del hombre". ¡Será el "día del Señor", el día de "la venida del Hijo del Hombre"! Si acaso alguien piensa que el texto esté hablando de una guerra nuclear hecha por los hombres, note que también los cielos pasarán. El juez de todo va a acabar tanto los cielos como la tierra por Su propio poder cuando Él esté listo para hacerlo. Él no necesita nuestra ayuda. Lo que Él requiere es que estemos preparados para encontrarnos con Él.

... Viene a Inaugurar la Eternidad

Una porción del texto en Mateo 25 relacionado con el juicio se citó previamente. Este capítulo también nos dice que Su venida y el juicio inauguran la eternidad. Jesús viene, juzga a las naciones, y todos entramos a la eternidad.

Cuando el Hijo del Hombre venga en su gloria, y todos los santos ángeles con él, entonces se sentará en su trono de gloria, y serán reunidas delante de él todas las naciones, y separará a los unos de los otros... E irán éstos al castigo eterno, mas los justos a la vida eterna (Mateo 25:31-32, 46).

... Viene Sin Avisar

Jesús vendrá como ladrón. Esto no quiere decir que Él vendrá secretamente. Este concepto en las Escrituras siempre significa venir sin previo aviso, venir inesperadamente:

> Dichosos aquellos siervos a los cuales su señor, cuando venga, halle velando... Y aunque venga a la segunda vigilia, y aunque venga a la tercera vigilia, si los halla así, dichosos son aquellos siervos. Pero sabed esto, que si supiese el padre de familia a qué hora iba a venir el ladrón, velaría, y no permitiría que horadaran su casa. Vosotros, pues, también, estad preparados, porque a la hora que no penséis, el Hijo del Hombre vendrá (Lucas 12:37-40).

Jesús nos advierte que tenemos que estar listos y velando. No velamos buscando arriba en las nubes por él. No velamos buscando señales. Velamos prestando especial atención a la batalla espiritual que estamos peleando. Después de agonizar en oración por un tiempo en el jardín de Getsemaní, Jesús encontró a los discípulos durmiendo. Y Él les preguntó,

> ¿Así que no habéis podido velar conmigo una hora? Velad y orad, para que no entréis en tentación; el espíritu a la verdad está animoso, pero la carne es débil (Mateo 26:40-41).

Cuando las autoridades llegaron para arrestar a Jesús, Pedro valientemente desenvainó y empuñó su espada. Sin embargo, en cuestión de horas él demostró cuán débil su carne era. Cuando fue cuestionado por una muchacha sierva sencilla acerca de su relación con Jesús, Pedro negó que lo conocía.

Como Sansón y muchos de nosotros, Pedro era fuerte para las batallas físicas, pero resultó ser un cobarde durante la batalla espiritual. Jesús hasta le había dicho de antemano a Pedro que esto pasaría, pero Pedro tenía confianza en sí mismo. Por esta razón, él no se preocupó por velar en oración para poder resistir la tentación venidera. No esperamos la venida de Jesús mirando hacia el cielo con los ojos físicos. Ni tampoco esperamos con una espada contra los enemigos de Dios. Más bien velamos por estar alerto a los peligros espirituales personales. Velamos al ser fieles a Jesús en toda situación, al estar listos espiritualmente para Su regreso.

... Viene a Cerrar la Puerta

Cuando Noé y su familia entraron en el arca, "Jehová le cerró la puerta" (Génesis 7:16). Así como Dios cerró la puerta en aquél entonces, así se cerrará la puerta del cielo cuando Jesús venga:

> Entonces el reino de los cielos será semejante a diez vírgenes que, tomando sus lámparas salieron a recibir al esposo... Y a la medianoche se oyó un grito: ¡Aquí viene el esposo... Y las insensatas dijeron... nuestras lámparas se apagan... Pero mientras ellas iban a comprar, vino el esposo... y se cerró la puerta. Después vinieron también las otras vírgenes diciendo: ¡Señor, Señor, ábrenos! Pero él, respondió y dijo: De cierto os digo, que no os conozco. Velad, pues, porque no sabéis el día ni la hora en que el Hijo del Hombre ha de venir (Mateo 25:1, 6, 8, 10-13).

La puerta se cerró. El asunto *no* es si estamos preparados para el próximo ataque terrorista. *No* es si estamos preparados para el colapso de la civilización por la sobrecontaminación, la sobrepoblación y la sobreproducción. El asunto es si estamos preparados para encontrarnos con Dios (Amos 4:12). El asunto es si estamos preparados para la venida de Jesús o para nuestra propia muerte, no importa cuál venga primero. El asunto es si estamos preparados para el juicio y la eternidad.

El mensaje de la parábola de las diez vírgenes no es tanto *prepárese,* como es *manténgase* preparado. El problema de las cinco vírgenes insensatas fue que el esposo se tardó (Mateo 25:5). Las cinco vírgenes insensatas tenían suficiente aceite para corto tiempo. Sin embargo, no estaban preparadas para el largo plazo. No tenían lo que necesitaban para seguir adelante con perseverancia. El mensaje de las diez vírgenes no es que estemos preparados para la venida de Jesús en el año 2016 tan solo para descuidarnos cuando Él tarde en venir. El mensaje es estar preparados y siempre quedarnos preparados no importa cuánto tiempo Él demore Su venida.

El mensaje de ésta parábola es también "se cerró la puerta". Cuando Jesús vuelva, todo se acabó: no habrá arrepentimiento de última hora, no habrá plegaria de último minuto, y no habrá tiempo para reflexionar y cambiar. "Se cerró la puerta" lleva un mensaje de finalidad. Cuando Jesús vuelva, el tiempo termina y la eternidad ha llegado. No habrá oportunidad de reencarnar, no habrá oportunidad de purgatorio, no habrá oportunidad de ser un santo de la Tribulación, no habrá oportunidad para nada. Será el tiempo del juicio. Muertos y vivos todos estaremos delante del Juez para que Él declare nuestro destino eterno. Nuestras oportunidades de escoger cesarán irrevocable y repentinamente. La puerta se cerrará.

¿Está Usted Listo?

Un día un par de mujeres cristianas indicaron que ellas no estaban muy interesadas en la profecía. En vez de aquello, estaban interesadas en los aspectos prácticos de la vida cristiana. ¿Es práctica la profecía o no? Varias respuestas se pueden dar a ésta pregunta. Entre otras cosas, la profecía es práctica porque nos motiva a vivir vidas santas en preparación para la eternidad. Escuche al apóstol inspirado:

> Que en los últimos días vendrán burladores sarcásticos, andando según sus propias concupiscencias, y diciendo: ¿Dónde está la promesa de su Venida?... Pero el día del Señor vendrá como un ladrón en la noche; en el cuál los cielos desaparecerán con gran estruendo... Puesto que todas estas cosas han de ser deshechas, ¡qué clase de personas debéis ser en vuestra conducta santa y en piedad (2 Pedro 3:3-4, 10-11).

Aquellos que se mofan de la predicción no cumplida de la venida de Jesús lo hacen para tranquilizar sus conciencias mientras viven en sus deseos carnales. Por otro lado, aquellos que prestan atención a las profecías del fin son motivados a vivir una vida santa. Esto suena como un mensaje muy práctico en medio de nuestra sociedad que ama tanto el placer.

JESÚS VIENE...

... Viene Visiblemente para Todos
... Viene en Gloria y Poder
... Viene a Levantar a los Muertos
... Viene a Juzgar al Mundo
... Viene a Castigar a los Malos
... Viene a Recibir a los Salvos en el Cielo
... Viene a Destruir la Tierra
... Viene a Inaugurar la Eternidad
... Viene Sin Avisar
... Viene a Cerrar la Puerta

¿Está Usted Listo?

He aquí un proverbio antiguo, por un autor desconocido, que ha tocado muchas almas:

> Sólo una vida, que pronto pasará;
> Sólo lo que se hace por Cristo durará.

Sólo una vida. Sólo una muerte. Sólo una venida de Cristo. Sólo una oportunidad para arreglarte con Dios —ahora, en ésta vida, antes de la muerte, o antes que Jesús regrese.

> Dice el Espíritu Santo:
> Si oís hoy su voz,
> No endurezcáis vuestros corazones (Hebreos 3:7-8).

Hoy, mientras hay tiempo. "Por tanto, también vosotros estad preparados, porque el Hijo del Hombre vendrá a la hora que no penséis" (Mateo 24:44). Cuando Él venga, el tiempo se habrá acabado.

Notas

Capítulo 2 —La Presentación de los Temas

1. Tim LaHaye, *Apocalipsis Sin Velo,* traducción por Cecilia Romanenghi de Francesco (Miami, Florida: Editorial Vida, 2000), pp. 155-165.
2. Ibid., p. 398.
3. Ibid., p. 252.
4. Hal Lindsey, *La Agonía Del Gran Planeta Tierra*, traducción por M. Francisco Lievano R. (Maracaibo, Venezuela: Editorial Libertador, 1976), pp. 119,120.
5. LaHaye, *Apocalipsis,* p. 257.
6. Ibid., p. 177.
7. Ibid., p. 177-93.
8. Tim LaHaye y Jerry Jenkins, *Dejados Atrás, Una Novela de los Postreros Días de la Tierra,* (Dejados Atrás 1), traducido por Nellyda Palovsky, (Miami, Fl.: Editorial Unilit, 1998), p. 160.

Capítulo 3 —La Profecía: ¿Literal o Figurativa?

1. Tim LaHaye, *Apocalipsis Sin Velo,* traducción por Cecilia Romanenghi de Francesco (Miami, Florida: Editorial Vida, 2000), p. 398.
2. Ibid., páginas dadas en el texto.
3. Ibid., p. 17.
4. *Vox Diccionario Actual de la Lengua Española,* "estrella".
5. LaHaye, *Apocalipsis,* p. 317.

Capítulo 4 —¿Cuál Tribulación?

1. El conteo de palabras en este capítulo se basa en la versión Reina-Valera 1977. Otras versiones pueden variar.
2. Hal Lindsey, *The Rapture: Truth or Consequences* (New York: Bantam Books, 1985), pp. 36-37.
3. Juan F. Walvoord, *Todas las Profecías de la Biblia, traducción por Alejandro Las* (Porto Alegre, Brazil: Llamada de Medianoche, 2006), p. 598.
4. *Webster's Seventh New Collegiate Dictionary,* "tribulation".
5. Ralph Kinney Bennett, "The Global War on Christians", *Reader's Digest* (August, 1997): p. 51.

Capítulo 7 —"No Quedará Piedra sobre Piedra"

1. Josefo, Flavio, *Las Guerras de los Judíos, Tomo II,* (Barcelona, España: Libros CLIE, 1990), Libro Séptimo, IV, p. 214.
2. Ibid., (Libro Séptimo, XII), p. 240.
3. Ibid., (Libro Séptimo, XVII), p. 255-256.
4. Ibid., (Libro Sexto, XI), p. 176.
5. Thomas Newton, *Dissertations on the Prophecies,* revised by W. S. Dobson (Philadelphia: J. J. Woodward, 1838), p. 384.

Capítulo 8 —Tres Grandes Tribulaciones

1. Crisóstomo, *Homilías Sobre el Evangelio de San Mateo, Homilía LXXVI (LXXVII),* Traducción por Rafael Ramírez Torres (Internet: disponible en varios sitios como:

http://www.clerus.org/bibliaclerusonline/es/ haga clic en: Padres; Doctores; San Juan Crisóstomo; Crisóstomo Mateo), párrs. 6 y 7.
2. Josefo, Flavio, *Las Guerras de los Judíos, Tomo II* (Barcelona, España: Libros CLIE, 1990), Libro Sexto, I, p. 125.
3. Josefo, Flavio, *Las Guerras de los Judíos, Tomo I* (Barcelona, España: Libros CLIE, 1990), Prólogo de Flavio Josefo, p. 13.
4. Philip Schaff, Ante-Nicene Christianity, vol. 2 of History of the Christian Church, second edition (Edinburgh: T. & T. Clark, 1884), pp. 64-68 (II.24.2, 6, 8).

Capítulo 9 —¿Detuvo Dios el Reloj Profético?

1. Hal Lindsey, *The Rapture: Truth or Consequences* (New York: Bantam Books, paperback edition, 1985), pp. 3-4.
2. Ibid., p. 184.
3. Ibid., pp. 1-2.
4. Tim LaHaye, *Apocalipsis Sin Velo,* traducción por Cecilia Romanenghi de Francesco (Miami, Florida: Editorial Vida, 2000), pp. 164.
5. Tim LaHaye y Jerry Jenkins, *El Comando Tribulación*, (Dejados Atrás 2), traducido por Nellyda Palovsky, (Miami, Fl.: Editorial Unilit, 1998), p. 31.

Capítulo 10 —¿Por qué Roma?

1. Hippolytus [Hipólito], *Treatise on Christ and Antichrist*, in vol. 5, *The Ante-Nicene Fathers,* par. 28.
2. Thomas Newton, *Dissertations on the Prophecies*, revised by W. S. Dobson (Philadelphia: J. J. Woodward, 1838), p. 192.
3. Ireneo, *Contra Herejes*, Traducción por Carlos Ignacio González, S.J, (Internet: disponible en varios sitios como: https://mercaba.files.wordpress.com/2007/10/contra-los-herejes.pdf), 5,26,1
4. Hippolytus [Hipólito], *Treatise*, párr. 28.

Capítulo 12 —El Hombre de Pecado —la Historia

1. Thomas Newton, *Dissertations on the Prophecies*, revised by W. S. Dobson (Philadelphia: J. J. Woodward, 1838), p. 400.
2. Ireneo, *Contra Herejes*, Traducción por Carlos Ignacio González, S.J, (Internet: disponible en varios sitios como: https://mercaba.files.wordpress.com/2007/10/contra-los-herejes.pdf), 5,25,3.
3. Ibid., 5,26,1.
4. Tertullian [Tertuliano], *On the Resurrection of the Flesh,* in vol. 3, *The Ante-Nicene Fathers,* chap. 24.
5. Hippolytus [Hipólito], *Treatise on Christ and Antichrist*, in vol. 5, *The Ante-Nicene Fathers,* par. 28.
6. Cirilo, *Catequesis 15,* (Internet: disponible en varios sitios como: http://www.clerus.org/bibliaclerusonline/es/ haga clic en: Padres; Doctores; S. Cyrilus; Cirilio ES), párr. 9.
7. Ibid., párr. 12.
8. Cyril [Cirilo], *Lecture 15,* in vol. 7, *The Nicene and Post-Nicene Fathers: Second Series*, par.15.
9. Chrysostom [Crisóstomo], *Homilies on Second Thessalonians, Homily 4:*

2 Thess. 2:6-9, in vol. 13, *The Nicene and Post-Nicene Fathers: First Series,* par. 1.
10. Ibid., par. 2.
11. Jerome [Jerónimo], *Letter #60 to Heliodorus,* in vol. 6, *The Nicene and Post-Nicene Fathers: Second Series,* par. 16-17.
12. Jerome [Jerónimo], *Letter #123 to Ageruchia,* in vol. 6, *The Nicene and Post-Nicene Fathers: Second Series,* par. 16-17.
13. Agustín, *Ciudad de Dios,* Traducción por Santos Santamarta del Rios, y Miguel Fuertes Lanero, (Internet: disponible en varios sitios como: http://www.augustinus.it/spagnolo/index.htm), 20.19.1-3.
14. Gary DeMar, *Last Days Madness, Obsession of the Modern Church* (Atlanta: American Vision, 1994), pp. 207-8.
15. Ibid., p. 330.
16. Dave Hunt, *Global Peace and the Rise of Antichrist* (Eugene, Ore.: Harvest House Publishers, 1990), p. 108.
17. Ibid., p. 136.
18. Tim LaHaye, *Apocalipsis Sin Velo,* traducción por Cecilia Romanenghi de Francesco (Miami, Florida: Editorial Vida, 2000), 321.
19. Tim LaHaye y Jerry Jenkins, *El Comando Tribulación,* (Dejados Atrás 2), traducido por Nellyda Palovsky, (Miami, Fl.: Editorial Unilit, 1998), p. 298.
20. Ibid., pp. 48-9.

Capítulo 14 —El 666: La Marca de la Bestia

1. *Vox Diccionario Actual de la Lengua Española,* "mil".
2. E. B. Elliott, *Horae Apocalypticae,* fifth edition, vol. 3 (London: Seeley, Jackson, and Halliday, 1862), p. 242.
3. Philip Schaff, *History of the Christian Church,* third edition, vol. 1 (reprint, Grand Rapids: Eerdmans, 1966), p. 847.
4. Albert Barnes, *Notes on the New Testament, Revelation* (reprint, Grand Rapids: Baker, 1949), p. 335.
5. E. B. Elliott, *Horae Apocalypticae,* vol. 3, p. 246.
6. Ireneo, *Contra Herejes,* Traducción por Carlos Ignacio González, S.J, (Internet: disponible en varios sitios como: https://mercaba.files.wordpress.com/2007/10/contra-los-herejes.pdf), 5,30,1-4.
7. Ibid., 5,30,3.
8. John A. Hardon, *Modern Catholic Dictionary* (Garden City, N. Y.: Doubleday, 1980), p. 472.
9. Ibid., p. 141.
10. Felician A. Foy, editor, *1980 Catholic Almanac* (Huntington, Ind.: Our Sunday Visitor, 1979), pp. 170-71.
11. Hardon, *Catholic Dictionary,* p. 280.
12. "Inquisition", *The Encyclopaedia Britannica,* Handy Volume Issue, eleventh edition, vol. XIV (New York: The Encyclopaedia Britannica Company, 1910), pp. 587-596.
13. Ibid.
14. Mgr. Philip Hughes, *The Church in Crisis: A History of the General Councils: 325-1870,* with the *Imprimatur* of Cardinal Spellman

(Internet: available on various Catholic sites, 1960, for example: http://www.christusrex.org/www1/CDHN/coun0.html), Chapter 11, "The Third General Council of the Lateran, 1179".
15. Tim LaHaye, *Apocalipsis Sin Velo*, traducción por Cecilia Romanenghi de Francesco (Miami, Florida: Editorial Vida, 2000), p. 269.
16. Ibid., p. 282.
17. Ibid., p. 314.
18. Ibid., p. 325.

Capítulo 15 —El Rapto

1. *Webster's Encyclopedic Unabridged Dictionary of the English Language*, "rapture".
2. Tim LaHaye, *Apocalipsis Sin Velo*, traducción por Cecilia Romanenghi de Francesco (Miami, Florida: Editorial Vida, 2000), pp. 391-93.

Capítulo 16 —Lo que el Milenio No Es

1. *Pequeño Larousse ilustrado, 1995, "mil".*
2. *Vox, Diccionario Actual de la Lengua Española, "mil".*
3. Norbert Lieth, "A Sure Answer to an Uncertain Question", *Midnight Call* (January, 1999): p. 30.

Capítulo 17 —Jesús Reveló la Naturaleza del Reino

1. Tim LaHaye, *Apocalipsis Sin Velo*, traducción por Cecilia Romanenghi de Francesco (Miami, Florida: Editorial Vida, 2000), p. 317.

Capítulo 18 —"La Oración de Salvación"

1. Tim LaHaye y Jerry Jenkins, *Dejados Atrás, Una Novela de los Postreros Días de la Tierra,* (Dejados Atrás 1), traducido por Nellyda Palovsky, (Miami, Fl.: Editorial Unilit, 1998), p. 160.
2. *Disciple's Directory, 2000,* Kenneth and Nancy Dorothy, Publishers (Wilmington, Mass.: Disciple's Directory, Inc., 2000), p. 76.
3. Arthur DeMoss, *Power for Living, How to be Sure:...,* a small tract (Garland, Tex.: American Tract Society, 1998).
4. Tim LaHaye, *Apocalipsis Sin Velo*, traducción por Cecilia Romanenghi de Francesco (Miami, Florida: Editorial Vida, 2000), p. 428.
5. Ibid., p. 422.
6. Ibid., p. 318.

Capítulo 19 —Nadie Será Dejado Atrás

1. Tim LaHaye, *Apocalipsis Sin Velo*, traducción por Cecilia Romanenghi de Francesco (Miami, Florida: Editorial Vida, 2000), p. 269.
2. Mark Hitchcock, *101 Respuestas a las Preguntas Más Frecuentes Acerca de los Últimos Tiempos,* traducción por Dr. Andrés Carrodeguas (Miami, Florida: Editorial Unilit, 2006), p. 118.
3. Ibid., pp. 119-121.
4. Tim LaHaye y Jerry Jenkins, *El Comando Tribulación,* (Dejados Atrás 2), traducido por Nellyda Palovsky, (Miami, Fl.: Editorial Unilit, 1998), p. 32.
5. LaHaye, *Apocalipsis,* p. 183.
6. Hal Lindsey, *The Rapture: Truth or Consequences* (New York: Bantam Books, 1985), pp. 192-93.

Bibliografía

Escritos de los cristianos de la antigüedad:

——— of Hippolytus, Irenaeus, and Tertullian are available in *The Ante-Nicene Fathers.* Edited by Alexander Roberts and James Donaldson. Reprint, Peabody, Mass.: Hendrickson, 1994. First published 1885.

——— of Augustine and Chrysostom are available in *The Nicene and Post-Nicene Fathers: First Series.* Edited by Philip Schaff. Reprint, Peabody, Mass.: Hendrickson, 1994. First published 1885.

——— of Cyril and Jerome are available in *The Nicene and Post-Nicene Fathers: Second Series.* Edited by Philip Schaff and Henry Wace. Reprint, Peabody, Mass.: Hendrickson, 1994. First published 1885.

——— de Ireneo, Traducción por Carlos Ignacio González, S.J., disponible en Internet a: https://mercaba.files.wordpress.com/2007/10/contra-los-herejes.pdf

——— de Crisóstomo, Traducción por Rafael Ramírez Torres disponible en Internet a: http://www.clerus.org/bibliaclerusonline/es/

——— de Cirilo, disponible en Internet a: http://www.clerus.org/bibliaclerusonline/es/

- - - - - - - - - - -

Barnes, Albert. *Notes on the New Testament, Revelation.* Reprint, Grand Rapids: Baker, 1983. First published 1851.

———. *Notes on the Old Testament, Daniel.* 2 vols. Reprint, Grand Rapids: Baker, 1983. First published 1851.

Biederwolf, William Edward. *The Millennium Bible.* Reprint, Grand Rapids: Baker, 1964. First published 1924.

Boatman, Russell. *The End Time.* Joplin, Mo.: College Press, 1980.

DeMar, Gary. *Last Days Madness, Obsession of the Modern Church.* Atlanta: American Vision, 1994.

Elliott, E. B. *Horae Apocalypticae.* 5th ed. 4 vols. London: Seeley, Jackson, and Halliday, 1862.

Foy, Felician A., ed. *1980 Catholic Almanac.* Huntington, Ind.: Our Sunday Visitor, 1979.

Gregg, Steve, ed. *Revelation, Four Views: A Parallel Commentary.* Nashville: Thomas Nelson, 1997.

Halley, Henry H. *Compendio Manual de la Biblia,* traducción por Carlos P. Denyer. Grand Rapids: Editorial Portavoz, filial de Kregel Publications, 1955.

Hardon, John A. *Modern Catholic Dictionary.* Garden City, N.Y.: Doubleday, 1980.

Hinds, John T. *A Commentary on the Book of Revelation.* Nashville: Gospel Advocate, 1966. First published 1937.

Hitchcock, Mark. 101 Respuestas a las Preguntas Más Frecuentes Acerca de los Últimos Tiempos. traducción por Dr. Andrés Carrodeguas. Miami, Florida: Editorial Unilit, 2006.

Hughes, Mgr. Philip. *The Church in Crisis: A History of the General Councils: 325-1870*. Chapter 11, "The Third General Council of the Lateran, 1179". 1960. Available online at http://www.christusrex.org/www1/CDHN/coun0.html

Hunt, Dave. *Global Peace and the Rise of Antichrist*. Eugene, Ore.: Harvest House, 1990.

Johnson, B. W. *A Vision of the Ages*. 6th ed. Dallas: Eugene S. Smith, publisher, n.d. First published 1881.

Josefo, Flavio, *Las Guerras de los Judíos, Tomo I*. Barcelona, España: Libros CLIE, 1990.

Josefo, Flavio, *Las Guerras de los Judíos, Tomo II*. Barcelona, España: Libros CLIE, 1990.

LaHaye, Tim, *Apocalipsis Sin Velo, Traducido por Cecilia Romanenghi de Francesco*. Miami, 2000.

LaHaye, Tim y Jenkins, Jerry. *Dejados Atrás, Una Novela de los Postreros Días de la Tierra,* #1 de la serie "Dejados Atrás", traducido por Nellyda Palovsky, Miami, Fl.: Editorial Unilit, 1998.

———. *El Comando Tribulación*, #2 de la serie "Dejados Atrás", traducido por Nellyda Palovsky, Miami, Fl.: Editorial Unilit, 1998.

Lindsey, Hal. *La Agonía del Gran Planeta Tierra,* traducción por M. Francisco Lievano R., Maracaibo, Venezuela: Editorial Libertador, 1976.

———. *The Rapture: Truth or Consequences*. Bantam paperback edition. New York: Bantam Books, 1985.

Miller, Fred P. *Revelation: A Panorama of the Gospel Age*. Revised edition. Clermont, Fla.: Moellerhaus Books, 1993.

Newton, Thomas. *Dissertations on the Prophecies*, revised by W. S. Dobson. Reprint, Philadelphia: J. J. Woodward, 1838.

Ryrie, Charles C. *Las Bases de la Fe Premilenial, traducción por Santiago Escuain*. Grand Rapids: Publicaciones Portavoz Evangélico, division de Kregel Publications, 1984.

Schaff, Philip. *History of the Christian Church*. 8 vols. Reprint, Peabody, Mass.: Hendrickson, 1985. First published 1858.

Tomlinson, Lee G. *The Wonder Book of the Bible*. Joplin, Mo: College Press, 1963.

Walvoord, John F. *Todas las Profecías de la Biblia*, traducción por Alejandro Las. Porto Alegre, Brazil: Llamada de Medianoche, 2006.

Woodrow, Ralph. *Great Prophecies of the Bible*. Riverside, Calif.: Ralph Woodrow Evangelistic Association, 1989.

Índice de las Escrituras

Génesis
1:31.....215
2:17.....51
4:4-5.....178, 299
5:21-25.....237
7:16.....320
12:2-3.....79
18.....78
18:9-15.....40
21.....78
21:1-7.....40
22:18.....79
37.....50
37:28-35.....300
41:25-27.....49
41:27.....212

Éxodo
7:8—8:19.....178
8:18.....178
20:11.....215
31:17.....215

Deuteronomio
1:11.....252
6:8.....227
9:6.....79
12:5-6.....106
28.....113
28:45-57.....40
28:52-57.....126
28:68.....126
29:29.....311

2 Reyes
2:1-18.....237
5:10, 11, 13.....299
6:24-29.....40
18:5.....121
21:7-8, 11-12.....107
23:25.....121
23:26-27.....107

2 Reyes *(cont.)*
24.....107
25.....107

1 Crónicas
12:25.....271

2 Crónicas
6:6, 9.....106
36.....107
36:19-23.....51

Esdras
1:1-3.....94
6:1, 7-8, 10.....95
7:11-13, 25.....95
9:9.....95

Nehemías
2:1, 3, 5-6.....95

Ester
8:8.....85

Job
41:1, 15-17.....86

Salmos
2:1-2, 4.....149
44:22.....48
90.....252
90:4.....252
118:22.....268

Proverbios
2:1-4.....171
26:16.....213

Isaías
1:18.....46
2:3.....103
6:2.....215
40:3.....40
44:6.....220

Isaías *(cont.)*
48:12.....220
53.....85, 139
53:3.....268
53:5-6.....83
53:8.....83
53:10, 12.....83
55:8-9.....301

Jeremías
25:1-12.....107
29:4-10.....51
29:10-14.....107
31:31-34.....100
44.....205

Ezequiel
4:4, 6.....213
4:5-6.....92
4:6.....25, 58, 81

Daniel
2.....32, 154-63, 189, 262, 271, 277
2:9, 10-11.....154
2:34.....272
2:37-39.....161
2:38.....154
2:38-40.....156
2:39-40, 44.....154
2:40.....158, 159, 161
2:41-42.....163
2:44.....162, 258, 268, 278
5:28.....155
7.....29, 30, 32, 33, 158-67, 169, 183, 188, 189, 191, 194, 230, 231
7:8.....164

Daniel *(cont.)*
7:17.....158, 164, 177, 213
7:23.....158, 159, 161, 164, 177, 251
7:24.....163, 213
8.....155, 165, 194
8:8.....155
8:8-10.....50
8:20-21.....49, 50, 155, 164
9.....24, 28, 31, 32, 58, 77, 78, 79, 85, 102, 110, 113, 131-43
9:2-19.....108
9:24.....82, 88, 89, 92, 98, 133, 139, 140, 141
9:24-25.....80
9:24-27.....24, 80, 91, 108, 133, 142
9:25.....82, 92, 94, 108, 109, 139
9:25-26.....89
9:26.....82, 83, 92, 109, 142
9:26-27.....31, 32, 138, 142, 143
9:27.....31, 98, 142
12.....244
12:2, 13.....255

Joel
2.....36
2:28-32.....100

Amos
4:12.....320

Zacarías
9:9.....40

Malaquías
4:5-6.....53
4:6.....55

Mateo
3:1-5.....40
3:2.....55, 162
3:5.....161
3:9.....267
4:17.....162
5:3.....264
5:10.....264
5:20.....264
5:27-28.....55
5:29.....44
6:33.....264, 279
7:13-14.....306
7:14-15.....298
7:15.....302
7:21.....265, 286, 298, 302
7:26.....298
10:7.....162
11:13.....86
11:13-14.....59
13.....254, 265, 266
13:11.....265
13:19.....265
13:22.....266
13:24-30.....247
13:28-30.....248
13:36-43.....247
13:37-38.....48
13:38-39.....266
13:49.....266
15:9.....178
16:13-19.....273
16:27.....313, 314
17:10-13.....53
17:24-27.....203
18:1-3.....276
18:18.....274
21:9.....269
21:31-32.....268

Mateo *(cont.)*
21:33-46.....267
21:43.....268
21:45.....268
22.....266
22:2-3.....266
22:36-38.....227
23.....199
23:2, 4.....274
23:9.....198, 199
23:10.....199
23:27.....48
23:37-38.....102
24.....28, 63, 77, 109, 113, 117-23, 127, 129, 130, 142, 143
24:1-2.....105, 118
24:2.....143
24:3.....119
24:9.....70
24:15.....108
24:15-16.....106
24:15-21.....119
24:21.....77, 118, 123
24:23.....313
24:26-27.....240, 313
24:30.....313
24:30-31.....316
24:35, 37.....236
24:35-39.....316
24:38-39.....24
24:39.....237
24:39-40.....236
24:40.....23, 236
24:44.....322
25.....314, 318
25:1, 6, 8.....320
25:5.....320
25:10-13.....320
25:14, 19.....315
25:31-32.....314, 319
25:34.....314
25:40-41.....314

Mateo *(cont.)*
- 25:46.....66, 319
- 26:28.....100
- 26:40-41.....319
- 27:25.....102, 115
- 27:50-51.....99
- 27:51.....173

Marcos
- 1:14.....266
- 1:15.....56, 110, 162
- 2:5-7.....198
- 3:32-35.....314
- 4:17.....70, 71
- 8:38.....242, 313
- 9:1.....162, 275, 277
- 10:38-39.....51
- 11:10.....269
- 13.....63, 113, 118, 121
- 13:4.....119
- 13:14-19.....119
- 14:36.....51
- 16:16.....291, 292

Lucas
- 1:13, 17.....53
- 2.....161
- 2:1.....155
- 2:1, 3.....161
- 3:1.....155
- 3:4-6.....54
- 3:22.....86, 97
- 4:6.....39
- 4:28-29.....66
- 10:9.....162
- 11:27-28.....205
- 12:37-40.....319
- 12:39-40.....239
- 12:50.....51
- 13:3.....290
- 14:28.....212
- 16:26.....306
- 17:16, 28.....311
- 17:28-30.....237
- 18:31-33.....146

Lucas *(cont.)*
- 19:38.....269
- 19:41-44.....102, 110, 147, 173
- 19:43-44.....149
- 21.....113, 118, 121
- 21:20, 22.....113
- 21:20-24.....121
- 21:24.....126
- 22:24.....201
- 24:21.....56
- 24:25-27.....86
- 24:46-47.....137
- 24:46-49.....100
- 24:49.....275

Juan
- 1:1, 14.....204
- 1:14.....208
- 1:19, 21.....53
- 1:28-29.....83
- 1:41.....89
- 2:10.....205
- 2:13-20.....98
- 2:16.....173
- 2:19-21.....49
- 3:3, 5.....277
- 3:5.....276, 292, 296
- 3:16.....281, 283
- 3:36.....66
- 4:22.....178
- 5:25-29.....255
- 5:28-29.....243
- 6:15.....269
- 6:26-27.....269
- 6:27.....86
- 6:28-29.....286
- 6:35.....44
- 6:39.....246
- 6:40.....256
- 6:40, 44, 54.....246
- 6:51, 54, 63.....269
- 6:66.....269
- 8:12.....44

Juan *(cont.)*
- 10:9.....44
- 11:24.....246, 255
- 11:46-48.....115
- 12:12-16.....40
- 12:42.....289
- 12:48.....247
- 14:1-3.....316
- 14:3.....241, 242
- 14:6.....205, 265
- 15:5.....44
- 16:12-13.....255
- 16:33.....27, 71, 130
- 17:4.....144
- 18:33, 36.....271
- 18:36.....56, 57, 278
- 18:38.....272
- 19:12.....272
- 19:15.....272

Hechos
- 1:4.....275
- 1:8.....275
- 1:9-11.....312
- 2.....275, 291, 296
- 2:8-11.....103
- 2:21.....296
- 2:25-32.....50
- 2:37.....296
- 2:38.....276, 292, 296
- 2:41.....292, 296
- 4:25-28.....149
- 8:1.....100
- 9.....100, 297
- 9:6.....297
- 9:8-12.....297
- 10.....100
- 10:37-38.....97
- 10:38.....89
- 13:27-29.....146
- 13:32-33.....146
- 14:22.....64
- 16:31.....281, 284
- 17:11.....38

Hechos *(cont.)*
19:28.....66
20:23.....70
22.....297
22:16.....297
25:10-12.....156
26.....297
26:10.....68
28:28.....261

Romanos
1:3.....204
1:5.....286
1:16.....261, 283
2:7-9.....66
3:9.....79
3:10, 23-24.....282
3:21-22, 25.....85
3:25.....89
3:28.....285
4.....288
4:2, 4.....288
5:3-4.....71
5:21.....85
6.....245
6:2-4, 6.....293
6:6-7.....83
6:17.....288
6:23.....283
8:35-37.....74
10:9.....281
10:9-10.....288
10:13.....290
10:14-15.....291
11:1.....150
12:12.....71
13:1.....203
16:26.....286

1 Corintios
1:2.....68
3:16.....144, 175
4:15.....198
8:6.....199
11:26.....205
12:28.....201
13:2.....287

1 Corintios *(cont.)*
13:13.....287
14:33.....68
15:3.....85, 282, 287
15:9.....68
15:17.....287
15:21-24.....313
15:32.....303
15:51-53.....255

2 Corintios
1:3-4.....72
6:4-5.....73
11:3.....171

Gálatas
3:8.....148
3:16.....148
3:17.....148
3:19.....148
3:27, 29.....267
3:28.....87
4:4.....110
4:4-5.....149

Efesios
1:21-22.....278
1:22-23.....200
2:1.....293
2:7-9.....283
2:8-9.....281
2:19-21.....144
4:4.....69, 316
4:6.....199
4:11.....199
5:25.....278

Filipenses
2:12.....302
3:20-21.....316
4:12-13.....72

Colosenses
1:13.....162, 278
1:18.....201
2:12.....245
2:12-13.....293

Colosenses *(cont.)*
3:1.....245

1 Tesalonicenses
1:10.....65
3:13.....241
4.....256
4:13-18.....236, 244, 255, 256
4:14.....241
4:15-17.....313
4:16.....243
4:16-17.....240
4:17.....235
5:9.....65

2 Tesalonicenses
1:4.....64, 71
1:7.....242
1:7—2:8.....315
1:8.....298
2.....29-31, 63, 142, 144, 169-98, 203, 230, 316
2:1-8.....180
2:2-3.....170
2:3.....175, 177
2:3, 8.....183
2:4.....177, 198
2:5-6.....184
2:6-9.....190
2:7.....36, 179, 183, 201, 207
2:8.....179, 210
2:8-9.....176
2:9.....170, 178, 208
2:10-11.....171
2:10, 12.....171
2:11.....179

1 Timoteo
2:5.....205
2:13-14.....171
3:2.....205, 287
3:15.....175

2 Timoteo
3:4.....171
3:12.....73
4:3-4.....17

Tito
1:16.....208
2:12-13.....312
2:13-14.....85

Hebreos
1:1-2.....87
2:14, 17.....207
3:7-8.....322
4:14-15.....200
4:15.....207
5:8.....301
7:28.....200
9:5.....89
9:11.....89
9:15.....83
9:21-24.....215
9:22.....282
9:26.....85
9:27.....304
9:28.....242, 312
10:1.....55
10:8-10.....99
10:10-12.....143
10:11-12.....88
10:14-18.....99
10:19-20.....99
10:20.....89
11:6.....283
11:25.....171, 209
11:27.....66

Santiago
1:13.....208
2:24.....285

1 Pedro
1:18-19, 23.....267
1:19-21.....141
2:5, 9-10.....267

2 Pedro
1:20.....264
3.....252
3:3-4.....246, 321
3:3-7.....317
3:6.....237
3:7.....246
3:8.....252
3:9.....246
3:10.....239, 246
3:10-11.....321
3:10, 13.....317
3:12.....246

1 Juan
1:9.....85
2:18.....30
2:18-19, 22.....206
4:1.....207
4:3.....206, 207
4:7-8.....288
5:8.....296

2 Juan
7.....206

3 Juan
9-10.....201

Judas
3.....176
14.....241
14-15.....315

Apocalipsis
1:3.....231
1:5.....257
1:5-6.....257
1:7.....312
1:8.....220
1:9.....27, 72, 257, 261, 262
1:11.....48
1:11, 17.....220
1:16, 20.....50
1:20.....48, 251
2.....117
2:8.....220

Apocalipsis *(cont.)*
2:9.....71
2:11.....257
2:20, 22.....129
3:21.....258
4:8.....215
6.....47
6:9.....128
6:11.....128, 129
6:12-17.....128
6:13.....47, 50
6:15-16.....47
6:16.....128
7.....36, 117, 127, 128, 129, 130
7:3.....227
7:9.....307
7:9-10.....127
7:9-14.....69
7:13-14.....127, 128
7:14.....127, 128, 129
8:3-4.....69
11.....29, 142, 144
11:2-3.....260
11:15.....258
12.....258-61
12:6.....260
12:9.....250
12:9-10.....260
12:10-11.....258
12:12.....66
12:13-14.....258, 260
13.....29, 30, 32, 33, 43, 164-67, 169, 183, 188, 191, 194, 214, 215, 221-24, 228, 229, 230, 231, 251
13:1.....46
13:1-2.....165
13:3.....166
13:5.....46
13:5-7.....307

Apocalipsis *(cont.)*
13:7.....47, 226
13:10.....69
13:11-12.....166
13:12.....229
13:15.....228
13:16.....226
13:16-17.....227
13:17-18.....214, 215
13:18.....211, 212, 214
14:8.....66
17.....29, 30, 32, 33, 46, 164-68, 169, 177, 183, 191, 193, 222, 224, 230, 231

Apocalipsis *(cont.)*
17:3.....165, 198
17:6.....69
17:8.....167
17:9.....168
17:12.....165, 222
17:18.....168, 177
18.....169
18:3.....66
19.....193
19:7.....67
19:7-8.....69
20.....19, 34, 243, 244, 245, 251, 249-62
20:1-7.....249, 250, 253

Apocalipsis *(cont.)*
20:2.....250
20:4.....230, 244, 250, 262
20:5-6.....243
20:6.....257
21:6.....220
22:4.....227
22:13.....220
22:16.....67
22:16-17.....251

Índice de los Temas

A

Agonía Del Gran Planeta Tierra, La 16, 33
Agustín 191
Alejandro Magno 155, 160, 189
amilenarismo 19, 254
año 70 d.C., gran tribulación de
  comer propios hijos 126
  crucifixiones 125
  fin de sacrificios 122
  guerra civil 122, 124
  hambre 125–26
  importancia de 28
  Jesús predijo 105, 117–23
  matados y capturados 122, 126
  nunca antes 121–23, 124, 125, 127
  razón de 113–16, 123
  templo destruido 111–13
  Tito, general romano 31, 111–13, 124, 126
  tragar oro 126
Anticristo *Ver bajo* hombre de pecado
Apocalipsis Sin Velo, Comentario de LaHaye 24, 31, 32, 33, 36, 41, 194, 230, 284

B

Babilonia en profecía 32, 154, 155, 156, 159, 164, 169, 177, 193
bautismo 206, 227, 267, 276, 292–302
bestias *Ver bajo* claves proféticas; Roma

C

Carpatia, Nicolás 32
Cirilo de Jerusalén 189
Ciudad de Dios 191
claves proféticas
  bestias 46, 49, 164, 250
  Daniel 2 clave para Daniel 7 158
  Daniel clave para Apocalipsis 164–65
claves proféticas *(cont.)*
  Elías 52, 59
  estrellas 47, 48, 50, 57, 251
  regla de día-por-año 25, 58, 81, 92, 94, 213, 260
  rey por reino 164, 177
Comando Tribulación, El, "Dejados Atrás" #2 27, 133, 195
Compendio Manual de la Biblia por Halley 230
Concilio Vaticano II 225
Cosecha de Almas, "Dejados Atrás" #4 36
Crisóstomo 123, 190
Cruzadas 228
cuerno pequeño *Ver bajo* Roma

D

"Dejados Atrás", la serie 15–20, 22–24, 27–37, 133, 195, 237, 282, 284, 291, 310
"Dejados Atrás: Los Chicos", la serie 16, 35
Dejados Atrás, el concepto 34
Dejados Atrás, Una Novela de los Postreros Días de la Tierra, "Dejados Atrás" #1 32, 37, 195
DeMar, Gary 193
destrucción de Jerusalén *Ver* año 70 d.C., gran tribulación de
diez cuernos *Ver bajo* Roma
Diocleciano 74, 128
dispensacionalismo *Ver* futurismo: definido
Dissertations on the Prophecies 115, 185

E

Edad Media (Edad Oscura) 74, 166, 168, 192, 195, 203, 230
Elías *Ver bajo* claves proféticas
Elliott, E. B. 220
Encyclopaedia Britannica 228, 229
estrellas *Ver bajo* claves proféticas

F

figuras proféticas
  figuras explicadas 49
  hipérbole 122, 123, 161
  metáfora 48
  significado puede ser complicado 239
  símil 48
futurismo
  coloca la mayoría de los cumplimientos en el futuro 16, 18, 134, 248, 309
  definido 18–20
  diferentes puntos de vista 64, 236
  doctrina nueva 194
  hace caso omiso a la historia 167, 194, 229–30
  inventa lo que no existe 137, 309–10
  inventa paréntesis de tiempo 26, 32, 33, 138, 139, 140, 156–58
  no interpreta todo literalmente 25, 26, 41–43, 81, 134, 245, 250
  reino establecido 57, 274, 278
  Ver también otros asuntos individuales

G

Good News Translation 285
gran tribulación *Ver* año 70 d.C.; quinto sello; Jezabel

H

Hipólito 159, 166, 189
Hiroshima 122
historia *Ver bajo* profecía, interpretación de
Historia de las Guerras Judías 111, 123
historicismo
  coloca los cumplimientos a través de la historia 18, 183
  490 años, interpretación de 25, 134–35
  interpreta mucho literalmente 42
historicismo *(cont.)*
  quinto sello, interpretación de 128
History of the Christian Church 74, 128
Hitchcock, Mark 307
hombre de pecado
  Anticristo 29–31, 169, 188–94, 206–8, 231
  apostasía y 175, 194, 203–6
  figura religiosa 177–79
  hacedor de milagros 178, 208
  importancia del asunto 170–72, 209–10
  lo que impide 184–92
  no cumplido en el primer siglo 185
  obrando en los días de Pablo, pero no revelado 179, 201
  poder engañoso 179, 206
  punto de vista de reformadores 192–94, 197
  punto de vista futurista 30–33
  puntos de vista de los primeros cristianos 184–92
  se sienta como Dios 198–203
  un hombre o muchos 177
  viene antes de Jesús 179
  Ver también papas
Hunt, Dave 193

I

iglesia *Ver bajo* reino de Dios
Inquisición 74, 194, 228–30
interpretación de profecía *Ver* profecía, interpretación de
ira y tribulación 65–67, 70, 76
Ireneo 166, 186, 221–24

J

Jenkins, Jerry 15, 36, 133, 195, 281
Jerónimo 160, 190
Jerusalén
  cuarenta años de gracia 102
  destrucción de *Ver* año 70 d.C.
  santa ciudad 25, 82, 106, 146
Jezabel, gran tribulación de 129

Josefo
citas de 111–14, 123–27
vida de 98, 111, 113, 123
Juan el Bautista en profecía 53–55, 59
Juan Pablo II 202, 204, 226

K

King James Version, old 193, 301

L

LaHaye, Tim 26, 42, 43, 57, 230, 244, 278, 281, 291, 307, *Ver también* "Dejados Atrás", la serie; *Apocalipsis Sin Velo*
Lieth, Norbert 255–56
Lindsey, Hal 16, 33, 65, 132, 133, 310
Lutero, Martín 285–86

M

marca de la bestia
cumplimiento de 227–31
naturaleza de 226
Ver también el 666 (bajo "S")
María de Roma 204–5, 208, 209, 210, 285
Mercado Común 33
Midnight Call 255–56
Milenio, el
conexión a profecías del reino 253
interpretaciones de 19, 34, 253
lo que es 262
lo que no es 249, 261
"mil" en Biblia 251
significado de la palabra 249
símbolos en Apocalipsis 250
Ver también reino de Dios
Modern Catholic Dictionary 225

N

Naamán 299–302
Nabucodonosor, imagen de 32, 153–63, 166
nación judía
dado un límite de tiempo 80–81
no conocieron el tiempo 102, 146
nación judía *(cont.)*
propósito de Dios para 78–80, 81–82, 89
rechazo de Jesús predicho 149
remanente 150
Nadie Será Dejado Atrás
características de 18, 20, 46, 167
concepto de 34, 308
propósito de 17, 18, 37
Nerón 74, 124, 156, 162, 193, 203, 218, 219
Newton, Thomas 115, 160, 185
Noé *Ver bajo* segunda venida

O

oración para salvación *Ver* salvación: oración para

P

Padres antes de Nicea *Ver* nombres de escritores individuales
Padres de Nicea y Pos-Nicenos *Ver* nombres de escritores individuales
papas (papado)
bestia como cordero 227–29
italianos 225–26
Juan Pablo II 202, 204, 226
llevado en Rapto 195
nombres blasfemos 198–202
reemplazaron el emperador romano 168, 192
rey por encima de la ley 202–3
Ver también hombre de pecado
paréntesis *Ver* teoría de reloj detenido
paréntesis, real 147
Pentecostés 103, 274–77
Porfirio 160
posmilenarismo 19
premilenarismo *Ver* futurismo: definido
preterismo
coloca la mayoría de los cumplimientos en el pasado 18, 183
dice que el 666 fue Nerón 193, 218

preterismo *(cont.)*
- hombre de pecado, interpretación de 169, 185

pretribulacionismo 20, 64–65

profecía de las setenta semanas
- calcular tiempo de 80–81, 91–104, 135
- desolación de Jerusalén y 101–3
- fecha de comienzo 92–97
- llegada y trabajo del Mesías 24, 82–85, 97–100, 109–10
- pacto de 99
- seis asuntos a cumplirse en 83–89, 139–42
- semana final de 98–101, 103, 131
- tres eventos mayores de 96, 109, 142

profecía, cumplimiento de
- futuro contra pasado 21
- Jesús cumplió todo lo que vino para hacer 144, 253

profecía, interpretación de
- contexto y 22, 31, 66, 77, 118, 121, 142, 143, 207, 214, 243
- historia y 21, 22, 110, 127, 166, 176, 179, 184, 195, 221, 229–31
- interpretación dada 48
- la sana doctrina tiene que estar de acuerdo 144, 172–74, 262
- ley de oro de Tim LaHaye 42
- literal contra figurativa 39–43, 51, 58
- N.T. reemplaza A.T. 55, 245, 250, 254, 264, 272
- números no son místicos 212–15
- profecía no es parábola 164
- sentido común y 43–47

purgatorio 285, 304, 308

Q

quinto sello, gran tribulación del 127–29, 230

R

Rapto
- cizaña (parábola de) lo niega 247, 254
- desapariciones 22–24, 235–38, 248, 311
- Espíritu Santo y 36
- Jesús no lo enseñó 237–38, 255
- Juan símbolo de 42
- Papa llevado en 195
- resurrecciones, tres 243–45
- segunda oportunidad 306–8
- significado de la palabra 235
- tiempo relacionado con la Tribulación 241, 247
- *Ver también* segunda venida

Rapture, The (libro) 132

reencarnación 304, 308

regla de día-por-año *Ver bajo* claves proféticas

reglas de interpretación *Ver* profecía, interpretación de

reino de Dios
- en Apocalipsis 256–61
- en parábolas 265
- en Sermón del Monte 264
- entrada 265, 266, 276
- iglesia 20, 34, 134, 262, 273–79
- importancia del asunto 277–79
- llaves de 273–76
- naturaleza de 34, 55, 263–73
- no como el de David 269–73
- no judío 266
- predicho por Daniel 162, 277–78
- rechazado por judíos 267, 272
- tiempo de llegada 161–63, 258–61, 274, 277

reloj profético *Ver* teoría de reloj detenido

Roma
- 476 d.C., caída de 166, 167, 192, 224
- bestia como cordero 166–67, 227–29
- bestia, cuarta en Daniel 158–60, 163–65
- bestias en Apocalipsis 164–68, 229
- cristianos de los primeros siglos sabían que era el cuarto reino 159–60

Roma *(cont.)*
cuarto reino 155–60
cuerno pequeño 164, 167, 186–89, 192
diez cuernos 32, 163–64, 165–66, 186–89, 213, 222
diez dedos no vienen al caso 163
en tiempos del N.T. 161–63
iglesia de 74, 184, 194, 197–210, 222–30, 305
imperio revivido 33, 166
lo que detiene 186–92
muchas profecías acerca de 32, 183, 191
reinar sobre toda la tierra 161
siete montes de 168
Ver también hombre de pecado
rosario 205

S

salvación
arrepentimiento y 290
bautismo para 276, 292–302
fe y 283, 288, 292, 293, 302
gracia y 282, 286, 298
invocar al Señor 290, 296–98
no fe solamente 284–92
obediencia y 301, 302
obras y 285–86, 288
oración para 36, 281, 291, 298, 300, 301
sangre (la muerte) y 282, 287, 292–96
"fe salvadora" 289
sentimientos y 300
"solo" pervierte la verdad 286–89
Santa Inquisición 74, 194, 228–30
"santísimo" ungido 87–89
Schaff, Philip 74, 128, 218, 219
Scofield Referencia Biblia 16
segunda oportunidad
futurismo y 35, 306–8
purgatorio 304, 308
reencarnación 304, 308
segunda venida
comienzo de la eternidad 248, 314, 315, 318
segunda venida *(cont.)*
con sonido fuerte y público 240, 312–13
día postrero 246
fin del mundo 246, 248, 311, 316–19
ladrón, venir como 239, 319
necesidad de prepararse 319–22
no hay segunda oportunidad 237, 308, 317–18, 320
Noé, como en días de 23, 236–38, 246, 311, 316–18
resurrección y juicio 313–16
santos, por y con 241–42
el 666
como calcular 215–21
conectado a Roma 34, 221–26
griego es idioma para usar 217–22
Lateinos 221–22, 226
mandato para calcular 212
no es número de la humanidad 214
números no son místicos 212–15
punto de vista preterista 218
puntos de vista de los primeros cristianos 218, 220–22
puntos de vista populares 34, 211
Ver también marca de la bestia
sellar la visión y la profecía 85–87

T

templo
de Herodes 98
ninguna reconstrucción futura 28, 31, 142–44, 173
primer templo destruido 106, 172
restauración prometido 107–9, 172
templo del nuevo pacto 29, 144, 175, 190
velo rasgado 29, 88, 99, 102, 144, 149, 173
Ver también año 70 d.C.
teoría de paréntesis de tiempo *Ver* teoría de reloj detenido

teoría de reloj detenido
  cuando comienza de nuevo 132
  defectivo o engañoso 135
  falsifica profecía de tiempo 25, 136
  hace caso omiso al tiempo de Dios 149
  importancia del asunto 133, 279
  Jesús murió en la brecha 141
  por qué se detuvo 131
Tertuliano 188
tiara 202
Tito, general romano 31, 111–13, 124, 126
3½ años en profecía 260
tribulación
  cristianos de los primeros siglos y 74
  definición de 64, 73
  Edad Oscura y 74
  enseñanza de las Escrituras sobre 70, 130
  Juan en 28, 72
  prometido por Jesús 27, 71, 130
  siglo veinte y 76
  sinónimos de 73
  Ver también Tribulación, la
Tribulación, Gran *Ver* año 70 d.C.; quinto sello; Jezabel
Tribulación, la
  avivamiento más grande 36, 307–8
  iglesia ausente 27, 67–69
  ira relacionada 65–67, 70
  pacto con Israel 31, 133
  punto de vista declarado 63
  santos de 68–70
  segunda oportunidad 306–8
  tiempo definido 24, 133
  Ver también tribulación

U

ungir al Santo de los santos 87–89
Unión Europea 32, 33

V

Vaticano 168, 194, 202, 203, 225
"Virgen María, la" 204–5, 208, 209, 210, 285

W

Walvoord, John 67, 68

38079806R00191

Made in the USA
San Bernardino, CA
30 August 2016

38079806R00191

Made in the USA
San Bernardino, CA
30 August 2016